Gra Endera

Polecamy również:

Orson Scott CARD

—

Gra Endera

Przełożył
Piotr W. Cholewa

Prószyński i S-ka

Tytuł oryginału:
ENDER'S GAME

Projekt okładki
i stron tytułowych:
Mirosław Adamczyk

Redakcja:
Łucja Grudzińska

Redakcja techniczna:
Małgorzata Kozub

Korekta:
Wiesława Partyka

Łamanie komputerowe:
Ewa Wójcik

ISBN 83-7469-025-X

Wydawca:
Prószyński i S-ka SA,
02-651 Warszawa, ul. Garażowa 7

Druk i oprawa:
Drukarnia Wydawnicza
im. W. L. Anczyca S.A.
30-011 Kraków, ul. Wrocławska 53

Chłopiec z Polski

Jan Paweł nie cierpiał lekcji. Mama bardzo się starała, ale jak mogła czegokolwiek go nauczyć, kiedy miała ośmioro innych dzieci – sześcioro do uczenia i dwoje pod opieką, bo były jeszcze malutkie.

Jan Paweł najbardziej nie znosił tego, że ciągle uczyła go rzeczy, które już znał. Kazała mu pisać litery i ćwiczyć je bez przerwy, a tego, co ciekawe, uczyła starsze dzieciaki. Dlatego starał się jak najwięcej zrozumieć z tego gąszczu informacji, jakie wychwytywał z jej rozmów z pozostałymi. Okruchy geografii – nauczył się nazw kilkunastu państw i ich stolic, tyle że nie bardzo wiedział, co to jest państwo. Fragmenty matematyki – mama raz po raz powtarzała z Anną wielomiany, bo Anna chyba nawet nie starała się zrozumieć, ale dzięki temu Jan Paweł nauczył się wszystkich operacji. Jednak poznał je niczym maszyna, nie wiedząc, co naprawdę oznaczają nazwy.

Nie mógł też pytać. Kiedy próbował, mama się niecierpliwiła. Powtarzała wtedy, że dowie się wszystkiego we właściwym czasie, ale teraz powinien się zająć własnymi lekcjami.

Własnymi lekcjami? To nie były żadne lekcje, tylko nudne zadania, które doprowadzały go niemal do obłędu. Czy ona nie rozumiała, że umie już czytać i pisać nie gorzej od starszego rodzeństwa? Kazała mu recytować elementarz, gdy przecież bez trudu mógłby czytać dowolną książkę w domu. Próbował jej to powiedzieć.

– Umiem to przeczytać, mamo.

Ale ona odpowiadała:

– Tylko się bawisz, synku. A ja chcę, żebyś nauczył się czytać naprawdę.

Może gdyby nie przewracał tak szybko kartek dorosłych książek, uwierzyłaby mu, że istotnie je czyta. Ale kiedy coś go zaciekawiło, nie potrafił zwolnić tylko po to, żeby zrobić wrażenie na mamie. W dodatku co czytanie miało z nią wspólnego? Było jego własne – jedyny element szkoły, który naprawdę lubił.

– Nigdy nie nadążysz z nauką – mówiła mu nieraz mama – jeśli zamiast czytać, będziesz stale oglądał te grube książki. Popatrz, nie mają nawet obrazków. Dlaczego koniecznie chcesz się nimi bawić?

– On się nie bawi – oświadczył Andrzej, który miał dwanaście lat. – On czyta.

– Tak, tak, powinnam być bardziej cierpliwa i bawić się razem z nim – odpowiedziała mama. – Ale nie mam czasu na...

Wtedy zapłakał jeden z maluchów i rozmowa się skończyła.

Za oknem, na ulicy, inne dzieci szły do szkoły. Nosiły szkolne mundurki, śmiały się i popychały. Andrzej mu to wytłumaczył.

– Chodzą do szkoły w tym wielkim domu – powiedział. – Całe setki dzieci do jednej szkoły.

6

Jan Paweł był przerażony.

– Dlaczego matki ich nie uczą? Jak mogą w ogóle się czegoś nauczyć, kiedy są ich setki?

– Tam jest więcej nauczycieli, głuptasie. Jeden nauczyciel na jakieś piętnaścioro dzieci. Ale wszystkie w tym samym wieku, wszystkie w każdej klasie uczą się tego samego. Dlatego nauczyciel cały dzień poświęca na takie same lekcje, zamiast przechodzić od starszych do młodszych i z powrotem.

Jan Paweł zastanowił się.

– I każdy wiek ma swojego nauczyciela?

– A nauczyciele nie muszą karmić dzieci ani zmieniać pieluch. Mają czas, żeby naprawdę uczyć.

Ale co by z tego przyszło Janowi Pawłowi? Wsadziliby go do klasy z innymi pięciolatkami i kazali całymi dniami uczyć się głupich czytanek z elementarza. Nie mógłby słuchać, co nauczyciel mówi dziesięcio-, dwunasto- i czternastolatkom, a wtedy naprawdę by zwariował.

– Tam jest jak w niebie – opowiadał Andrzej. – I gdyby tata z mamą mieli tylko dwoje dzieci, mogłyby też chodzić do prawdziwej szkoły. Ale kiedy urodziła się Anna, ukarali nas za niesubordynację.

Jan Paweł miał już dosyć tego słowa, którego nie rozumiał.

– A co to jest niesubordynacja?

– Toczy się taka wielka wojna w kosmosie – wyjaśnił Andrzej. – To jeszcze wyżej niż niebo.

– Wiem, co to jest kosmos – przerwał mu niecierpliwie Jan Paweł.

– No dobra. W każdym razie jest ta wojna

i w ogóle, więc wszystkie kraje na świecie muszą działać wspólnie i płacą na budowę setek, całych setek okrętów kosmicznych. Dlatego postawili na czele całego świata kogoś, kto się nazywa Hegemon. I ten Hegemon powiedział, że nie możemy sobie pozwolić na kłopoty z przeludnieniem, więc każde małżeństwo, które ma więcej niż dwoje dzieci, jest niesubordynowane.

Andrzej skończył, jak gdyby wszystko już wytłumaczył.

– Przecież dużo rodzin ma więcej niż dwoje dzieci – zauważył Jan Paweł. Połowa sąsiadów miała więcej.

– Bo jesteśmy w Polsce – odparł Andrzej. – I jesteśmy katolikami.

– Jak to? Znaczy, ksiądz przynosi dodatkowe dzieci? – Jan Paweł nie potrafił dostrzec związku.

– Katolicy wierzą, że trzeba mieć tyle dzieci, ile Bóg ześle. I żaden rząd nie może ci nakazać odrzucania darów bożych.

– Jakich darów? – Jan Paweł ciągle nie rozumiał.

– Ciebie, głuptasie. W tym domu jesteś darem bożym numer siedem. Maluchy to dar numer osiem i dar numer dziewięć.

– Ale co to ma wspólnego z chodzeniem do szkoły?

Andrzej przewrócił oczami.

– Naprawdę jesteś tępak – stwierdził. – Szkoły należą do rządu. Rząd musiał wprowadzić sankcje przeciwko niesubordynacji. A jedna z nich jest taka, że tylko pierwsze dwoje dzieci ma prawo chodzić do szkoły.

– Przecież Piotr i Kasia nie chodzą do szkoły!

– Bo tata i mama nie chcą, żeby uczyli się tych wszystkich antykatolickich rzeczy, które mówią w szkole.

Jan Paweł chciał już zapytać, co to znaczy „antykatolickie", ale zaraz pojął, że to coś w rodzaju „przeciw katolikom", więc nie warto nawet o tym mówić, bo Andrzej znowu nazwie go tępakiem.

Zastanawiał się jednak nad całą tą historią. W jaki sposób wojna doprowadziła do tego, żeby wszystkie państwa oddały władzę jednemu człowiekowi, ten człowiek mówił wszystkim, ile mają mieć dzieci, a dodatkowe dzieci nie mogą chodzić do szkoły. Przecież to czysta korzyść, prawda? Nie chodzić do szkoły. W jaki sposób Jan Paweł mógłby się czegokolwiek nauczyć, gdyby nie siedział w jednym pokoju z Piotrem, Kasią, Mikołajem i Tomkiem, podsłuchując ich lekcje?

Najdziwniejsze ze wszystkiego było to, że szkoły mogą uczyć antykatolickich rzeczy.

– Wszyscy są katolikami, prawda? – zapytał kiedyś ojca.

– W Polsce tak. A przynajmniej tak mówią. Kiedyś była to prawda.

Ojciec mówił z zamkniętymi oczami. Prawie zawsze je zamykał, gdy tylko gdzieś usiadł. Nawet kiedy jadł, wyglądał, jakby zaraz miał się przewrócić i zasnąć. To dlatego, że pracował w dwóch miejscach. Miał jedną oficjalną pracę w dzień i drugą, nielegalną, w nocy. Jan Paweł prawie wcale go nie widywał, tylko rano, ale wtedy ojciec był zbyt zmęczony, żeby rozmawiać, więc mama ich uciszała.

Teraz też go uciszyła, choć przecież ojciec już odpowiedział.

– Nie męcz ojca pytaniami, ma ważniejsze sprawy na głowie.

– Niczego nie mam na głowie – oświadczył znużony ojciec. – Chyba już w ogóle nie mam głowy.

– Odpocznij sobie – powiedziała mama.

Ale Jan Paweł miał jeszcze jedno pytanie i musiał je zadać.

– Jeśli wszyscy są katolikami, to dlaczego w szkole uczą antykatolicko?

Ojciec spojrzał tak, jakby jego syn nagle oszalał.

– Ile ty masz lat?

Musiał nie zrozumieć, o co Jan Paweł zapytał, bo przecież nie miało to żadnego związku z wiekiem.

– Pięć, tato. Nie pamiętasz? Ale dlaczego w szkołach uczą antykatolicko?

Ojciec zwrócił się do mamy.

– Ma dopiero pięć lat. Co ty mu opowiadasz?

– Ty mu opowiadasz – odparła mama. – Cały czas wyklinasz na rząd.

– To nie jest nasz rząd, to wojskowe władze okupacyjne. Kolejna próba zniszczenia Polski.

– Tak, tak właśnie mów, to znowu cię ukarają, stracisz tę pracę i co wtedy zrobimy?

Było jasne, że Jan Paweł nie doczeka się odpowiedzi. Zrezygnował więc. Zachowa swoje pytanie na później, kiedy zdoła zebrać więcej informacji i jakoś je razem połączyć.

I tak płynęło im życie w roku, kiedy Jan Paweł był pięciolatkiem. Matka wciąż była zajęta, gotowała jedzenie i zajmowała się maluchami, jednocześnie próbując prowadzić szkołę w saloniku. Ojciec wychodził do pracy tak wcześnie, że słońce jeszcze nie wzeszło, a mama budziła wszystkie dzieci, żeby choć raz dziennie mogły go zobaczyć.

Aż do dnia, kiedy ojciec nie poszedł do pracy i został w domu.

Oboje rodzice byli przy śniadaniu milczący i spięci. Anna spytała, czemu ojciec nie jest ubrany jak do pracy, ale mama rzuciła tylko: „Dzisiaj nie idzie" tonem, który wyraźnie mówił, że dalej wypytywać nie należy.

Przy dwojgu nauczycielach lekcje powinny odbywać się sprawniej. Ojciec jednak okazał się bardzo niecierpliwy, aż Anna i Kasia zdenerwowały się i uciekły do swojego pokoju. W końcu poszedł do ogrodu pielić grządki.

Dlatego kiedy usłyszeli pukanie do drzwi, mama wysłała Andrzeja, żeby go sprowadził. Ojciec zjawił się po chwili, wciąż ocierając dłonie z ziemi. Zanim przyszedł, stukanie rozległo się jeszcze dwukrotnie, każde bardziej natarczywe od poprzedniego.

Ojciec otworzył drzwi i stanął w progu; jego wysokie mocne ciało wypełniało całą wolną przestrzeń.

– O co chodzi? – zapytał. Powiedział to we wspólnym, wiedzieli zatem, że przyszedł jakiś cudzoziemiec.

Odpowiedź była cicha, ale Jan Paweł usłyszał ją wyraźnie. Głos należał do kobiety.

– Jestem z programu testów Międzynarodowej Floty. Wiem, że ma pan trzech synów w wieku od sześciu do dwunastu lat.

– Nasze dzieci to nie pani sprawa.

– Jak pan wie, panie Wieczorek, wszyscy chłopcy są poddawani testom, a ja przyszłam, by

wypełnić nałożone na mnie przez prawo obowiązki. Jeśli pan woli, mogę wezwać policję wojskową,
żeby panu to wyjaśniła.

Powiedziała to tak spokojnie, że Jan Paweł
niemal przeoczył znaczenie tego zdania. Było
groźbą, nie propozycją.

Ojciec odstąpił z ponurą miną.

– I co zrobicie, zamkniecie mnie do więzienia?
Wprowadziliście prawo, które zakazuje mojej żo-
nie pracować, musimy uczyć nasze dzieci w domu,
a teraz jeszcze odbierzecie mojej rodzinie wszelkie środki do życia.

– Nie ja ustalam politykę rządu – odpowiedziała kobieta, rozglądając się po pełnym dzieci pokoju. – Interesuje mnie tylko testowanie dzieci.

Odezwał się Andrzej:

– Piotr i Kasia mieli już rządowe egzaminy.
Miesiąc temu. Spełniają wymagania.

– Tu nie chodzi o spełnianie wymagań – wyjaśniła kobieta. – Nie przychodzę z ramienia szkoły
ani polskiego rządu...

– Nie ma polskiego rządu – wtrącił ojciec. – Jedynie armia okupacyjna wymuszająca posłuszeństwo wobec dyktatury Hegemonii.

– Jestem z Floty. Kiedy występujemy w mundurach, prawo zakazuje nam wyrażania opinii na
temat polityki Hegemonii. Im szybciej zacznę testy, tym szybciej będą państwo mogli wrócić do
zwykłego rozkładu dnia. Czy wszystkie dzieci mówią wspólnym?

– Oczywiście – odparła matka z odcieniem dumy. – Nie gorzej niż po polsku.

– Będę obserwował te testy – oświadczył ojciec.

12

– Przykro mi, drogi panie, ale nie będzie pan. Ma pan udostępnić mi pokój, gdzie mogę sam na sam porozmawiać z każdym z dzieci. A jeśli w mieszkaniu mają państwo tylko jeden pokój, wyprowadzi pan wszystkich na zewnątrz albo do sąsiadów. Zapewniam pana, że niezależnie od pańskiej postawy przeprowadzę testy.

Ojciec próbował robić groźną minę, ale nie miał żadnych atutów w tej grze, więc po chwili odwrócił głowę.

– To bez znaczenia, czy przetestuje pani moje dzieci, czy nie. Nawet jeśli zaliczą, nie oddam ich.

– Może zajmiemy się tą przeszkodą, kiedy już pojawi się na drodze – powiedziała.

Wydawała się smutna i nagle Jan Paweł zrozumiał, dlaczego. Wiedziała, że ojciec nie będzie miał żadnego wyboru w tej sprawie, ale nie chciała wprawiać go w zakłopotanie, mówiąc o tym wprost. Chciała tylko wykonać swoje zadanie i odejść.

Jan Paweł nie miał pojęcia, skąd to wie. Inaczej niż w przypadku faktów historycznych, geografii czy matematyki, gdzie trzeba się nauczyć, żeby wiedzieć – mógł zwyczajnie patrzeć na kogoś i nagle coś o nim wiedział. Na przykład czego chce, albo dlaczego coś robi. Jak choćby wtedy, kiedy bracia i siostry się kłócili. Zwykle dokładnie wiedział, co doprowadziło do kłótni, a także – nawet się nie zastanawiał – co należy powiedzieć, żeby kłótnię zakończyć. Na ogół tego nie mówił, bo nie przeszkadzało mu, że się kłócą. Ale kiedy jedno z nich naprawdę zaczynało się złościć – tak bardzo, że mogłoby uderzyć – wtedy Jan Paweł wypowiadał odpowiednie słowa i walka się kończyła. Od razu.

Z Piotrem było to często coś w rodzaju: „Lepiej zrób, co mówi, w końcu Piotr jest tu szefem". Wtedy Piotr czerwieniał na twarzy, wychodził z pokoju i kłótnia ustawała. Ponieważ Piotr nie cierpiał, kiedy ludzie mówili, że uważa się za szefa. Nie działało to na Annę; z nią lepiej było powiedzieć coś w stylu „Ale się zrobiłaś czerwona". Potem Jan Paweł wybuchał śmiechem, Anna wychodziła i piszczała ze złości, wracała, chodziła wściekła po całym domu, ale już się nie kłóciła. Bo Anna nienawidziła myśli, że może kiedykolwiek wyglądać śmiesznie albo głupio.

Nawet teraz wiedział, że gdyby tylko wtrącił: „Boję się, tato", ojciec wypchnąłby kobietę z domu, a potem miał bardzo poważne kłopoty. Lecz jeśli zapyta: „Tato, czy ja też mogę zdawać ten test?", ojciec roześmieje się i nie będzie już wyglądał na takiego zawstydzonego, nieszczęśliwego i zagniewanego.

Więc zapytał.

Ojciec się roześmiał.

– To Jan Paweł. Zawsze chce robić więcej, niż potrafi.

Kobieta przyjrzała się chłopcu.

– Ile ma lat?

– Jeszcze nie ma sześciu – odparła ostro mama.

– Aha – powiedziała kobieta. – Domyślam się zatem, że to jest Mikołaj, to Tomasz, a to Andrzej?

– A mnie pani nie sprawdzi? – upomniał się Piotr.

– Obawiam się, że jesteś już za duży. Zanim Flota uzyskała dostęp do krajów niesubordynowanych...

Umilkła.

Piotr wstał i ponury wyszedł z pokoju.

– Czemu nie dziewczęta? – zapytała Kasia.

– Bo dziewczęta nie chcą być żołnierzami – stwierdziła Anna.

I nagle Jan Paweł uświadomił sobie, że nie będzie to przypominało zwykłych rządowych egzaminów. Do tego testu Piotr chciał podejść, a Kasia była zazdrosna, że dziewczęta nie są dopuszczane.

Jeśli ten test miał sprawdzać, czy ktoś nadaje się na żołnierza, głupio robili, zakładając, że Piotr jest już za duży. Był jedynym z rodzeństwa, który osiągnął wzrost dorosłego mężczyzny. Wydaje im się, że Andrzej albo Mikołaj mogą nosić karabiny i zabijać ludzi? Może Tomek by potrafił, ale był trochę za gruby, choć wysoki. Nie przypominał żadnego z żołnierzy, których widział Jan Paweł.

– Którego chce pani na początek? – spytała mama. – I czy może pani zająć sypialnię, żebym nie musiała przerywać lekcji?

– Przepisy wymagają przeprowadzenia testu w pokoju z wyjściem na ulicę, przy otwartych drzwiach – oświadczyła kobieta.

– Ależ na miłość... Nie zrobimy pani krzywdy – zapewnił ojciec.

Kobieta tylko spojrzała na niego, potem na mamę i oboje rodzice zrezygnowali. Jan Paweł zrozumiał – ktoś został skrzywdzony przy przeprowadzaniu testu. Kogoś wprowadzono do pokoju na tyłach i ktoś go zranił. Albo może zabił. To niebezpieczna sprawa. Niektórych ludzi te testy muszą złościć jeszcze bardziej niż ojca i mamę.

Dlaczego ojciec i mama nienawidzą i boją się czegoś, czego tak pragną Piotr i Kasia?

Prowadzenie normalnych lekcji w sypialni dziewcząt okazało się niemożliwe, choć stało tam najmniej łóżek. W końcu mama zarządziła ciche czytanie, a sama zajęła się jednym z maluchów.

Kiedy Jan Paweł zapytał, czy może poczytać w innym pokoju, zgodziła się.

Oczywiście zakładała, że chodziło mu o drugą sypialnię, bo zawsze kiedy ktoś z rodziny mówił „w drugim pokoju", miał na myśli sypialnię. Ale Jan Paweł nie miał zamiaru tam chodzić. Poszedł do kuchni.

Dopóki trwały testy, ojciec i mama zakazali dzieciom wchodzić do saloniku. Nie powstrzymało to jednak Jana Pawła przed zajęciem miejsca na podłodze, tuż za drzwiami. Czytał książkę i słuchał.

Co jakiś czas wyczuwał, że kobieta od testów zerka na niego, ale nic nie mówiła, więc czytał dalej. Wziął książkę o życiu świętego Jana Pawła II, wielkiego polskiego papieża, na którego cześć otrzymał imię. Jan Paweł był zafascynowany lekturą, ponieważ w końcu znalazł odpowiedzi na niektóre ze swoich pytań o to, dlaczego katolicy są inni i czemu Hegemon ich nie lubi.

Ale czytając, słuchał też wszystkich testów. Nie przypominały tych rządowych, z pytaniami o fakty, sprawdzaniem, czy wymyśli się rozwiązanie matematyczne albo nazwie część mowy. Zamiast tego kobieta zadawała chłopcom pytania, które właściwie nie miały prawidłowych odpowiedzi. O to, co lubią i czego nie lubią, albo dlaczego ludzie robią to, co robią. Dopiero po jakichś piętnastu minutach takiej rozmowy zaczynała test pisemny, pewnie z bardziej typowymi zadaniami.

Właściwie na początku Jan Paweł nie domyślił się, że te początkowe pytania też są częścią testu. Dopiero kiedy okazało się, że kobieta pyta każdego z braci o to samo i zadaje dodatkowe pytania, różne w zależności od odpowiedzi, zaczął pojmować, że to fragment testu. A z tego, jak bardzo się angażowała, jak była spięta, wywnioskował, że jej zdaniem te pytania są ważniejsze niż część pisemna.

Jan Paweł chciałby też odpowiedzieć. Chciał poddać się testowi. Lubił testy. Zawsze odpowiadał w myślach, kiedy zdawały starsze dzieci, żeby sprawdzić, czy znajdzie tyle odpowiedzi co one.

Kiedy więc skończyła z Andrzejem, Jan Paweł chciał zapytać, czy też może spróbować. Nie zdążył, gdyż kobieta zwróciła się do mamy:

– Ile on ma lat?

– Mówiliśmy przecież. Dopiero pięć.

– Proszę spojrzeć, co on czyta.

– Tylko przewraca strony. To taka zabawa. Patrzy, jak starsze dzieci czytają, a potem je naśladuje.

– On czyta – upierała się kobieta.

– Aha. Czyli jest tu pani od godziny, a już wie pani o moich dzieciach więcej ode mnie, chociaż ja uczę je po kilka godzin dziennie?

Kobieta nie próbowała się spierać.

– Jak ma na imię?

Mama milczała.

– Jan Paweł – odpowiedział Jan Paweł.

Mama popatrzyła na niego gniewnie. Andrzej również.

– Chcę też zdawać test.

– Jesteś za mały – oświadczył Andrzej po polsku.

– Za trzy tygodnie będę miał sześć lat. – Jan Paweł mówił we wspólnym. Chciał, żeby kobieta go zrozumiała.

Kiwnęła głową.

– Wcześniejszy test jest dozwolony.

– Dozwolony, ale nie wymagany – oświadczył ojciec, wchodząc do pokoju. – Co on tu robi?

– Powiedział, że idzie do drugiego pokoju, żeby poczytać – wyjaśniła mama. – Myślałam, że chodzi mu o drugą sypialnię.

– Jestem w kuchni – wyjaśnił Jan Paweł.

– W niczym nie przeszkadzał – zapewniła kobieta.

– A szkoda – powiedział ojciec.

– Chciałabym go przetestować.

– Nie.

– Ktoś przecież będzie musiał przyjść tu za trzy tygodnie i wtedy to zrobić – uprzedziła kobieta. – Drugi raz popsuje wam cały dzień. Nie lepiej załatwić to od razu?

– On słyszał odpowiedzi – przypomniała mama. – Przecież siedział tu i słuchał.

– To nie jest taki typ testu. Nie szkodzi, że słyszał odpowiedzi.

Jan Paweł widział już, że mama i ojciec w końcu ustąpią, więc nie starał się nic mówić, żeby na nich wpłynąć. Nie chciał zbyt często korzystać ze swojej umiejętności znajdowania odpowiednich słów, bo ktoś mógłby się zorientować, a wtedy przestanie to działać.

Dyskusja trwała jeszcze kilka minut, ale w końcu Jan Paweł usiadł na kanapie obok kobiety.

– Naprawdę czytałem – powiedział.

– Wiem – odparła kobieta.

– Skąd?

– Bo przewracałeś strony w równym tempie. Bardzo szybko czytasz, prawda?

Jan Paweł przytaknął.

– O ile to coś ciekawego.

– A święty Jan Paweł II był ciekawym człowiekiem?

– Robił to, co uważał za słuszne.

– Imię dostałeś po nim?

– Był bardzo odważny – wyjaśnił Jan Paweł. – Nigdy nie robił tego, czego chcieli od niego źli ludzie, jeśli uważał, że to ważne.

– Jacy źli ludzie?

– Komuniści.

– A skąd wiesz, że to byli źli ludzie? Tak jest napisane w książce?

Nie wprost, uświadomił sobie Jan Paweł.

– Zmuszali ludzi do różnych rzeczy. Próbowali ich karać za to, że są katolikami.

– A to źle?

– Bóg jest katolikiem – oświadczył Jan Paweł.

Kobieta uśmiechnęła się.

– Muzułmanie uważają, że Bóg jest muzułmaninem.

Jan Paweł przetrawił tę informację.

– Niektórzy myślą, że Bóg nie istnieje.

– To prawda – zgodziła się kobieta.

– Co? – zapytał.

– Że niektórzy myślą, że Bóg nie istnieje. Ja sama nie wiem. Nie mam żadnej opinii na ten temat.

– To znaczy, że nie wierzy pani w Boga – oświadczył Jan Paweł.

– Doprawdy?

– Tak twierdził święty Jan Paweł II. Jeśli mówi pani, że nie wie albo nie przejmuje się Bogiem, to wierzy pani, że nie istnieje. Bo gdyby miała pani choćby nadzieję, że On istnieje, bardzo by się pani przejmowała.

Roześmiała się tylko.

– Przewracasz tylko strony, co?

– Mogę odpowiedzieć na wszystkie pytania – zapewnił.

– Zanim jeszcze je zadam?

– Nie uderzyłbym go – rzekł Jan Paweł, odpowiadając na pytanie, co by zrobił, gdyby przyjaciel próbował mu zabrać jakąś jego własność. – Bo wtedy nie byłby moim przyjacielem. Ale też nie pozwoliłbym mu zabrać tej rzeczy.

Pytanie uzupełniające brzmiało: „A jakbyś go powstrzymał?", więc Jan Paweł mówił dalej, nie czekając.

– Powiedziałbym mu: „Możesz to wziąć. Daję ci to. Jest teraz twoje. Bo wolę raczej mieć ciebie za przyjaciela, niż mieć tę rzecz".

– Gdzie się tego nauczyłeś? – zdziwiła się kobieta.

– To nie jest pytanie z testu – zauważył Jan Paweł.

Pokręciła głową.

– Rzeczywiście nie jest.

– Myślę, że czasami trzeba kogoś zranić – oświadczył Jan Paweł, odpowiadając na następne pytanie, które brzmiało „Czy możliwa jest sytuacja, kiedy masz prawo zranić inną osobę?".

Odpowiedział na wszystkie pytania, łącznie z uzupełniającymi, nie czekając, aż zada mu choćby jedno. Odpowiadał na nie w kolejności, w jakiej stawiała je braciom.

– Teraz część pisemna – powiedział, kiedy skończył. – Nie znam pytań, bo ich nie widziałem, a pani nie przeczytała ich głośno.

Okazały się łatwiejsze, niż przypuszczał. Dotyczyły kształtów, pamiętania różnych rzeczy, wybierania właściwych zdań i obliczeń – takie tam. Ciągle patrzyła na zegarek, więc się spieszył.

Kiedy skończył, siedziała tylko i patrzyła na niego.

– Dobrze wypadłem? – zapytał Jan Paweł.

Kiwnęła głową.

Przyjrzał się jej – jak siedzi, jak nie porusza dłońmi, jak na niego patrzy. Jak oddycha. Zrozumiał, że jest bardzo podniecona i bardzo się stara zachować spokój. Dlatego właśnie się nie odzywa. Nie chce, żeby wiedział.

Ale on wiedział.

Był tym, kogo szukała.

– Niektórzy mogliby uznać, że to jest właśnie powód, dla którego kobiety nie mogą przeprowadzać testów – stwierdził pułkownik Sillain.

– Ci ludzie byliby psychicznie niedojrzali – odparła Helena Rudolf.

– Zbyt są podatne na słodką buzię – mówił dalej Sillain. – Skłonne do różnych achów i ochów, do tłumaczenia wątpliwości na korzyść dzieciaka i w ogóle.

– Na szczęście pan nie żywi takich podejrzeń.

– Nie. To dlatego, że przypadkiem wiem o pani całkowitym braku serca.

– No właśnie. Nareszcie dobrze się rozumiemy.

– I twierdzi pani, że ten polski pięciolatek jest czymś więcej niż nad wiek rozwiniętym dzieckiem?

– Niebo świadkiem, że to główny fakt, jaki wykrywają nasze testy: ogólny rozwój ponad wiek.

– W opracowaniu są już lepsze testy. Koncentrujące się na uzdolnieniach militarnych. U dzieci młodszych, niż mogłaby pani przypuszczać.

– Szkoda, że jest już prawie za późno.

Pułkownik Sillain wzruszył ramionami.

– Istnieje teoria, która mówi, że tak naprawdę nie musimy ich poddawać pełnemu cyklowi szkolenia.

– Tak, tak. Czytałam o tym, jaki młody był Aleksander. Pomogło jednak, że był synem władcy i że walczył przeciwko armiom pozbawionych motywacji najemników.

– Uważa więc pani, że robale mają motywację?

– Robale są marzeniem każdego dowódcy – oświadczyła Helena. – Nie kwestionują rozkazów, tylko je wykonują. Wszystkie.

– Ale też koszmarem każdego dowódcy – zauważył Sillain. – Nie myślą samodzielnie.

– Jan Paweł Wieczorek jest realny. A za trzydzieści pięć lat będzie miał czterdziestkę. Nie trzeba będzie sprawdzać teorii Aleksandra.

– Teraz mówi pani, jakby była przekonana, że to właśnie on.

– Tego nie wiem – przyznała Helena. – Ale jest niezwykły. To wszystko, co mówi...

– Czytałem raport.

– Kiedy powiedział „Bo wolę raczej mieć ciebie za przyjaciela, niż mieć tę rzecz", aż mnie zatkało. Przecież on ma pięć lat!

– I czy to nie wzbudziło pani podejrzliwości? Wydaje się, że został specjalnie przygotowany.

– Nie był. Jego rodzice nie chcieli pozwolić na przetestowanie żadnego z dzieci, a już jego szczególnie, skoro jest za mały i w ogóle.

– Powiedzieli, że nie chcą.

– Ojciec nie poszedł do pracy, żeby spróbować mnie powstrzymać.

– Albo żeby pani myślała, że chce ją powstrzymać.

– Nie stać go na to, żeby stracić dzienną wypłatę. Niesubordynowani rodzice nie dostają płatnych urlopów.

– Wiem – zgodził się Sillain. – Cóż by to była za ironia losu, gdyby ten Jan Paweł jakiś tam...

– Wieczorek.

– Właśnie. Cóż by to była za ironia, gdyby po wszystkich naszych wysiłkach opanowania przyrostu naturalnego... z powodu wojny, oczywiście... okazało się, że dowódcą floty ma być siódmy syn niesubordynowanych rodziców?

– Owszem, to bardzo ironiczne.

– O ile pamiętam, jedna z teorii mówiła, iż z kolejności narodzin wynika, że tylko pierworodni będą mieli potrzebną nam osobowość.

– Jeśli inne cechy są identyczne. A nie są.

– Trochę za bardzo uprzedzamy wypadki, pani kapitan – mruknął Sillain. – Rodzice raczej nie wyrażą zgody, prawda?

– Nie, raczej nie – przyznała Helena.

– Czyli to dość akademicki problem.

– Nie, jeżeli...

– Tak, to byłoby wyjątkowo rozsądne z naszej strony, gdybyśmy z powodu dzieciaka doprowadzili do incydentu międzynarodowego. – Sillain rozparł się wygodnie w fotelu.

– Nie sądzę, żeby doszło do międzynarodowego incydentu.

– Traktat z Polską bardzo mocno akcentuje władzę rodzicielską, konieczność poszanowania praw rodziny i tak dalej.

– Polacy bardzo by chcieli dołączyć do reszty świata. Nie powołają się na ten paragraf, jeśli damy im do zrozumienia, jak ważny jest chłopiec.

– A jest? – zapytał Sillain. – To kluczowy problem. Czy warto dla niego ryzykować wdepnięcie w taką śmierdzącą sprawę.

– Kiedy zacznie śmierdzieć, zawsze możemy się wycofać.

– Widzę, że bardzo pilnie studiowała pani kwestie public relations.

– Niech pan sam go obejrzy, pułkowniku – zaproponowała Helena. – Za parę dni będzie miał sześć lat. Wtedy mi pan powie, czy warto ryzykować dla niego incydent międzynarodowy.

Nie w taki sposób Jan Paweł zamierzał spędzić urodziny. Mama przez cały dzień robiła lizaki z cukru wyproszonego u sąsiadów, a Jan Paweł chciał je ssać, nie gryźć, żeby wystarczyły na długo, jak najdłużej. Ale ojciec kazał mu albo wypluć słodkość do śmieci, albo połknąć, więc teraz wszystko było już połknięte i zapomniane. A cały dramat przez tych ludzi z Międzynarodowej Floty.

– Wstępne badania dały nam pewne wątpliwe rezultaty – wyjaśnił mężczyzna. – Może dlatego, że chłopiec wcześniej słyszał pytania. Chcemy uściślić informacje, to wszystko.

Kłamał – to było oczywiste, łatwe do poznania z tego, jak się poruszał, jak nieruchomo patrzył ojcu prosto w oczy. Kłamca, który wie, że kłamie, i stara się wyglądać tak, jakby wcale nie kłamał. Tomek zawsze się tak zachowywał. Potrafił oszukać ojca, ale nigdy mamę. I nigdy Jana Pawła.

Dlaczego ten człowiek kłamał? Czemu właściwie przyszedł jeszcze raz go przetestować?

Jan Paweł pamiętał, co sobie pomyślał, kiedy ta kobieta przeprowadziła z nim test trzy tygodnie temu – że znalazła tego, kogo szukała. Ale potem nic się nie działo, więc uznał, że musiał się pomylić. A teraz wróciła z mężczyzną, który kłamie.

Rodzina musiała wyjść do innych pokojów. Był wieczór – pora, żeby ojciec poszedł do swojej drugiej pracy, ale przecież nie mógł, póki ci ludzie byli w domu. Dowiedzieliby się, odgadli albo zaczęli zastanawiać, co robi przez długie godziny wieczorem. A więc im dłużej to potrwa, tym mniej będą mieli jedzenia, tym mniej ubrań.

Mężczyzna wyprosił z pokoju nawet kobietę. To zirytowało Jana Pawła. Kobietę lubił.

I wcale mu się nie podobało to, jak mężczyzna rozgląda się po domu. Jak patrzy na dzieci. Na mamę i ojca. Jakby uważał się za kogoś lepszego od nich.

Zadał pytanie.

Jan Paweł odpowiedział po polsku, nie we wspólnym.

Mężczyzna spojrzał na niego tępo.

– Myślałem, że zna wspólny! – zawołał.

Kobieta wsunęła głowę do pokoju – najwyraźniej wyszła tylko do kuchni.

– Zna. Mówi płynnie.

Mężczyzna przyjrzał się chłopcu; poczucie wyższości gdzieś zniknęło.

– W co się ze mną bawisz?

Jan Paweł odpowiedział znowu po polsku.

– Jesteśmy biedni tylko z tego powodu, że Hegemon karze katolików za posłuszeństwo wobec Boga.

– We wspólnym, proszę – powiedział mężczyzna.

– Ten język nazywa się angielski – wyjaśnił po polsku Jan Paweł. – I dlaczego w ogóle mam z panem rozmawiać?

Mężczyzna westchnął.

– Przepraszam, że zająłem ci czas.

Wstał.

Kobieta wróciła. Myśleli, że szepczą do siebie całkiem cicho, ale jak większość dorosłych nie sądzili, że dzieci zrozumieją poważną rozmowę. Dlatego nie uważali specjalnie na to, żeby ich nie słyszał.

– On się z panem drażni – powiedziała kobieta.

– Tak, zauważyłem – przyznał kwaśno mężczyzna.

– Więc jeśli pan wyjdzie, on wygra.

Dobre, uznał Jan Paweł. Kobieta nie jest głupia. Wie, co powiedzieć, żeby ten mężczyzna zrobił, co ona zechce.

– I może wygra ktoś jeszcze.

Podeszła do Jana Pawła.

– Pułkownik Sillain uważa, że kłamałam, kiedy mówiłam, jak dobrze wypadłeś w teście.

– A jak dobrze wypadłem? – zapytał Jan Paweł we wspólnym.

Kobieta uśmiechnęła się lekko i zerknęła na Sillaina.

Pułkownik usiadł.

– No dobrze. Jesteś gotowy?

– Jestem gotowy, jeśli będzie pan mówił po polsku – oznajmił Jan Paweł po polsku.

Pułkownik niecierpliwie zwrócił się do kobiety.

– Czego on chce?

– Niech pani mu powie – poprosił Jan Paweł we wspólnym – że nie chcę być sprawdzany przez człowieka, który uważa cała moją rodzinę za męty.

– Wcale tak nie uważam – zapewnił mężczyzna.

– Kłamca – stwierdził po polsku Jan Paweł.

Spojrzał na kobietę. Bezradnie wzruszyła ramionami.

– Ja też nie znam polskiego.

– Rządzicie nami – powiedział do niej Jan Paweł we wspólnym – ale nie chce się wam nawet nauczyć naszego języka. To my mamy się uczyć waszego.

Roześmiała się.

– To nie jest mój język. Ani jego. Wspólny to zuniwersalizowany dialekt angielskiego, a ja jestem Niemką. On – wskazała Sillaina – pochodzi z Finlandii. Nikt już nie mówi jego językiem. Nawet Finowie.

– Posłuchaj – zwrócił się do chłopca pułkownik. – Nie mam czasu na takie zabawy. Ty znasz wspólny, a ja nie znam polskiego, więc odpowiadaj na pytania we wspólnym.

– Bo co mi pan zrobi? – zapytał po polsku Jan Paweł. – Wsadzi mnie do więzienia?

Zabawnie było patrzeć, jak pułkownik robi się coraz bardziej i bardziej czerwony na twarzy, ale wtedy do pokoju wszedł ojciec. Wyglądał na zmęczonego.

– Synu – powiedział. – Zrób to, o co prosi ten człowiek.

– Chcą mnie wam odebrać – poskarżył się Jan Paweł we wspólnym.

– Nic podobnego – zaprotestował pułkownik.

– On kłamie – stwierdził Jan Paweł.

Pułkownik znów poczerwieniał.

– I nienawidzi nas. Uważa, że jesteśmy biedni i że to obrzydliwe mieć tak dużo dzieci.

– To nieprawda! – zapewnił Sillain.

Ojciec nie zwrócił na niego uwagi.

– Bo jesteśmy biedni, synku.

– Ale tylko z powodu Hegemonii.

– Lepiej nie łap mnie za słowa – rzekł ojciec. Ale przeszedł na polski. – Jeżeli nie zrobisz tego, co chcą, mogą ukarać mamę i mnie.

Ojciec czasami też wiedział, co należy powiedzieć.

Jan Paweł zwrócił się więc do pułkownika.

– Nie chcę zostawać z panem sam. Chcę, żeby ta pani tu była na czas testu.

– Częścią testu jest sprawdzenie, czy umiesz wykonywać rozkazy.

– W takim razie nie zdałem.

Kobieta i ojciec roześmiali się jednocześnie. Pułkownik nie.

– To oczywiste, kapitan Rudolf, że dziecko nauczono takiej wrogiej postawy. Chodźmy stąd.

– Nikt go tego nie uczył – zaprotestował ojciec.

Jan Paweł zauważył, że jest zmartwiony.

– Nikt mnie nie uczył – potwierdził.

– Matka nie wiedziała nawet, że potrafi czytać

na poziomie uniwersyteckim – poinformowała cichym głosem kobieta.

Poziom uniwersytecki? Jan Paweł uznał, że to śmieszne. Kiedy człowiek już poznał litery, czytanie było czytaniem. Jak można czytać na różnych poziomach?

– Chciała, żeby pani tak pomyślała – uznał pułkownik.

– Moja mama nie kłamie! – oburzył się Jan Paweł.

– Nie, nie. Oczywiście, że nie – wystraszył się pułkownik. – Nie chciałem sugerować...

Teraz dopiero zdradził prawdę. Że się boi. Boi się, że Jan Paweł nie zechce jednak podejść do tego testu. Jego strach oznaczał, że Jan Paweł panuje nad sytuacją. Nawet bardziej niż mu się początkowo wydawało.

– Odpowiem na pytania – obiecał. – Jeżeli pani zostanie.

Tym razem wiedział, że pułkownik się zgodzi.

W sali konferencyjnej w Berlinie zebrało się kilkunastu ekspertów i dowódców wojskowych. Wszyscy już czytali raporty Sillaina i Heleny. Widzieli wyniki testu Jana Pawła Wieczorka. Oglądali nagranie rozmowy pułkownika Sillaina i Jana Pawła Wieczorka przed, w trakcie i po przeprowadzeniu testu.

Helenę bawiło to, że Sillain tak się denerwuje, kiedy wszyscy patrzą, jak manipuluje nim sześciolatek z Polski: Wtedy nie było to takie jasne, ale gdy oglądało się wid raz za razem, stawało się boleśnie oczywiste. I chociaż wszyscy przy stole zachowywali się bardzo uprzejmie, zauważyła kilka uniesionych brwi, kiwnięcie głową i parę pół-uśmiechów, gdy Jan Paweł powiedział: „W takim razie nie zdałem".

Pod koniec widu rosyjski generał z biura Strategosa nie wytrzymał.

– Czy on blefował? – zapytał.

– Ma sześć lat – przypomniał młody Hindus reprezentujący Polemarchę.

– To właśnie jest przerażające – powiedział młody oficer, wykładowca ze Szkoły Bojowej. – Dotyczy właściwie wszystkich uczniów Szkoły Bojowej. Większość ludzi przez całe życie nie spotyka ani jednego podobnego dziecka.

– A więc, kapitanie Graff – rzucił Hindus – uważa pan, że nie ma w nim nic szczególnego?

– Oni wszyscy są bardzo szczególni – odparł Graff. – Lecz ten... Wyniki osiągnął znakomite, najwyższy poziom. Nie najlepsze, jakie oglądałem, ale też testy nie są w stanie przewidywać rozwoju tak dobrze, jak byśmy sobie życzyli. Ale największe wrażenie robią jego umiejętności negocjacyjne.

Helena chciała już powiedzieć: lub ich brak u pułkownika Sillaina. Ale wiedziała, że byłaby niesprawiedliwa. Sillain spróbował blefu, a chłopak go sprawdził. Kto mógł przewidzieć, że starczy mu odwagi na takie zagranie?

– No cóż – stwierdził Hindus. – To z pewnością dowodzi, że otwarcie Szkoły Bojowej dla krajów niesubordynowanych było rozsądnym posunięciem.

– Jest tylko jeden problem, kapitanie Chamrajnagar – przypomniał Graff. – W żadnym z dokumentów, ani na widzie, ani podczas naszej rozmowy, nikt nawet nie zasugerował, że chłopiec zechce polecieć.

Zapadła cisza.

– Nie, oczywiście, że nie – zgodził się Sillain. – To spotkanie jest pierwsze. Zauważyliśmy pewną wrogość rodziców... Ojciec nie poszedł do pracy, kiedy Helena, czyli kapitan Rudolf przyszła zbadać trzech starszych synów. Myślę, że możemy natrafić na kłopoty. Musimy więc ustalić jeszcze przed zasadniczą rozmową, jakimi środkami nacisku będę dysponował.

– To znaczy – upewnił się Graff – środkami, by zmusić tę rodzinę do ustępstw?

– Albo ją zachęcić – uzupełnił Sillain.

– Polacy to ludzie uparci – wtrącił rosyjski generał. – Upór tkwi w ich słowiańskim charakterze.

– Jesteśmy bardzo bliscy opracowania testów prognozujących zdolności militarne z dokładnością rzędu dziewięćdziesięciu procent – poinformował Graff.

– A macie testy do pomiaru zdolności dowódczych? – zapytał Chamrajnagar.

– To jedna ze składowych.

– Bo ten chłopak je ma. Wychodzące poza skalę. Nigdy nie widziałem tej skali, ale wiem.

– Prawdziwe szkolenie dowódców odbywa się w czasie gry – wyjaśnił Graff. – Ale owszem, sądzę, że chłopiec doskonale sobie z nią poradzi.

– Jeśli się zgodzi – mruknął Rosjanin.

– Wydaje mi się – oświadczył Chamrajnagar – że to nie pułkownik Sillain powinien wykonać kolejny ruch.

Sillain aż się zapienił. Helena miała ochotę się uśmiechnąć, jednak się powstrzymała.

– Pułkownik Sillain jest szefem naszego zespołu – powiedziała tylko. – Zatem, zgodnie z protokołem...

– Naraził już swój autorytet. Zapewniam, że nie krytykuję pułkownika. Nie wiem, komu z nas poszłoby lepiej. Ale chłopiec zmusił go do kapitulacji, a to raczej nie pomaga w nawiązaniu udanego kontaktu.

Sillain był doświadczonym karierowiczem i wiedział, kiedy należy wręczyć własną głowę na tacy.

– W żadnym razie nie chcę przeszkodzić pomyślnemu zakończeniu misji, naturalnie.

Helena wiedziała, że musi być wściekły na Chamrajnagara, ale nie okazywał tego.

– Jednak pytanie, jakie zadał pułkownik Sillain, pozostaje w mocy – przypomniał Graff. – Jakie uprawnienia otrzyma negocjator?

– Wszelkie, jakie okażą się konieczne – stwierdził rosyjski generał.

– Ale tego właśnie nie wiemy.

Odpowiedział Chamrajnagar.

– Wydaje mi się, że mój kolega z biura Strategosa chciał w ten sposób powiedzieć, iż jakąkolwiek zachętę negocjator uzna za odpowiednią, może liczyć na poparcie Strategosa. Zapewniam, że urząd Polemarchy reprezentuje ten sam pogląd.

– Nie wydaje mi się, żeby chłopak był aż tak ważny – wtrącił Graff. – Szkoła Bojowa istnieje ze względu na konieczność szkolenia wojskowego już w dzieciństwie, aby wytworzyć właściwe odruchy w sposobie myślenia, poruszania i kierowania. Ale dysponujemy wystarczającą ilością danych sugerujących...

– Znamy tę historię – przerwał mu generał.

– Nie zaczynajmy znowu tej dyskusji – dodał Chamrajnagar.

– Istnieje wyraźnie obserwowalny spadek wyników w chwili, gdy uczniowie osiągają dojrzałość – oświadczył Graff. – To fakt, niezależnie od tego, czy wnioski nam odpowiadają.

– Wiedzą więcej, ale radzą sobie gorzej? – zdziwił się Chamrajnagar. – To nie brzmi rozsądnie. Trudno uwierzyć w coś takiego, a nawet uwierzywszy, trudno zinterpretować.

– To znaczy, że nie musimy dostać tego chłopca, ponieważ nie musimy czekać, aż dziecko dorośnie.

Rosjanin był zdegustowany.

– Mamy oddać wojnę w ręce dzieci? Obyśmy nigdy nie znaleźli się w tak rozpaczliwej sytuacji.

Przez chwilę panowała cisza; wreszcie odezwał się Chamrajnagar. Zapewne słuchał instrukcji przez mikrosłuchawkę.

– Biuro Polemarchy uważa, że ponieważ dane, o których wspomina kapitan Graff, nie są jeszcze kompletne, ostrożność nakazuje postępować tak, jakbyśmy rzeczywiście musieli pozyskać tego chłopca. Czasu jest coraz mniej i trudno przewidzieć, czy naprawdę nie jest naszą ostatnią taką szansą.

– Strategos się zgadza – oznajmił rosyjski generał.

– Oczywiście – ustąpił Graff. – Jak powiedziałem, wyniki nie są jeszcze ostateczne.

– Zatem – podsumował pułkownik Sillain – pełne uprawnienia, ktokolwiek będzie negocjował.

– Sądzę – rzekł Chamrajnagar – że komendant Szkoły Bojowej pokazał wyraźnie, do kogo na powierzchni ma największe zaufanie.

Wszystkie oczy skierowały się ku kapitanowi.

– Z chęcią przyjąłbym towarzystwo kapitan Rudolf – powiedział Graff. – Jak wynika z zapisów, ten chłopak z Polski woli, kiedy jest obecna.

Kiedy tym razem zjawili się ludzie z Floty, ojciec i mama lepiej się przygotowali. Ich przyjaciółka, Magda, była prawnikiem i chociaż jako niesubordynowanej zakazano jej praktyki, teraz siedziała między nimi na kanapie.

Jana Pawła nie było w pokoju.

– Nie pozwólcie im zastraszyć dziecka – powiedziała Magda.

I to był koniec dyskusji. Mama i ojciec natychmiast wygonili go z pokoju, więc nawet nie widział, jak tamci wchodzą.

Mógł jednak słuchać z kuchni. Natychmiast poznał, że nie ma z nimi tego człowieka, którego nie lubił – pułkownika. Przyszła ta sama kobieta co przedtem w towarzystwie innego mężczyzny. Jego głos nie miał w sobie tonów kłamstwa. Zwracała się do niego „kapitanie Graff".

Kiedy padły już wszystkie zwykłe uprzejmości – wskazanie miejsc, pytanie, czego się kto napije – kapitan Graff od razu przeszedł do rzeczy.

– Widzę, że nie chcą państwo pokazać mi chłopca.

– Rodzice uznali, że dla własnego dobra lepiej, nie powinien być tutaj obecny – oświadczyła Magda tonem wyższości.

Chwila ciszy.

– Magdalena Teczło – stwierdził spokojnie Graff.
– Ci mili ludzie mogą oczywiście zaprosić przyjaciółkę, żeby towarzyszyła im dzisiaj. Ale nie chciałbym
sądzić, że może pani służyć im jako adwokat.

Jeśli Magda odpowiedziała, Jan Paweł tego nie
słyszał.

– Chciałbym teraz zobaczyć chłopca – oznajmił
Graff.

Ojciec zaczął tłumaczyć, że syn nie przyjdzie,
więc jeśli to wszystko, czego goście sobie życzą,
mogą od razu iść do domu.

I znowu cisza. Jan Paweł nie słyszał, by kapitan
Graff wstawał z fotela, a nie da się tego przeprowadzić bezgłośnie. A zatem siedział tam bez słowa
– nie wychodził, ale też nie próbował ich przekonać.

Szkoda, bo Jan Paweł chętnie by usłyszał, co
powie, by skłonić ich do ustąpienia. To, jak uciszył
Magdę, było naprawdę zastanawiające. Jan Paweł
koniecznie musiał zobaczyć, co się dzieje... Wysunął się więc zza ścianki działowej i patrzył.

Graff nic nie robił. W jego wzroku nie było
groźby, nie próbował niczego wymusić. Spoglądał
uprzejmie na mamę, potem na ojca, znów na mamę, prześlizgując się po twarzy Magdy. Całkiem
jakby nie istniała – nawet jej ciało zdawało się
mówić: nie zwracajcie na mnie uwagi, naprawdę
wcale mnie tu nie ma.

Graff odwrócił głowę i popatrzył wprost na Jana Pawła.

Jan Paweł obawiał się, że ten człowiek powie
coś i narobi mu kłopotów, ale Graff przyglądał mu
się tylko przez moment, po czym znów wrócił
spojrzeniem do mamy i ojca.

– Rozumieją państwo, oczywiście... – zaczął.

– Nie, nie rozumiem – przerwał mu ojciec. – Nie zobaczy pan naszego syna, dopóki nie postanowimy, że może go pan zobaczyć, a w tym celu musi pan przyjąć nasze warunki.

Graff spojrzał na niego obojętnie.

– Nie jest żywicielem rodziny – zauważył. – Na jakie trudności może się pan powołać?

– Nie chcemy jałmużny – oświadczył gniewnie ojciec. – Nie zależy nam na rekompensacie.

– Chcę tylko porozmawiać z chłopcem – zapewnił Graff.

– Ale nie sam – zaznaczył ojciec.

– W naszej obecności – wyjaśniła mama.

– Mnie to nie przeszkadza. Ale mam wrażenie, że Magdalena siedzi na jego miejscu.

Po krótkim wahaniu Magda wstała i wyszła z domu. Drzwi trzasnęły tylko trochę głośniej niż zwykle.

Graff skinął na Jana Pawła, który wszedł do pokoju i usiadł na kanapie między rodzicami.

Kapitan zaczął opowiadać mu o Szkole Bojowej. Że poleci w kosmos, by się uczyć, jak być żołnierzem, a później pomóc w walce z robalami, kiedy przylecą dokonać kolejnej inwazji.

– Możesz pewnego dnia prowadzić flotylle do bitwy – mówił. – Albo dowodzić marines, którzy wyrąbują sobie drogę przez wrogi okręt.

– Nie mogę lecieć – stwierdził Jan Paweł.

– Dlaczego nie?

– Musiałbym opuszczać lekcje. Mama nas uczy, tutaj, w tym pokoju.

Graff nie odpowiedział. Studiował tylko pilnie twarz chłopca. Jan Paweł poczuł się nieswojo.

– Tam też będziesz miał nauczycieli – odezwała się kobieta z Floty. – W Szkole Bojowej.

Jan Paweł nawet na nią nie spojrzał. Powinien obserwować Graffa. Dzisiaj Graff miał całą władzę.

Wreszcie i on się odezwał.

– Uważasz, że nie byłoby sprawiedliwie, gdybyś ty trafił do Szkoły Bojowej, a twoja rodzina została tutaj i z wielkim trudem walczyła o środki do życia.

Jan Paweł nie pomyślał o tym. Ale skoro Graff sam zasugerował...

– Jest nas dziewięcioro. Mamie bardzo trudno uczyć nas wszystkich naraz.

– A gdyby Flota przekonała rząd polski...

– Polska nie ma swojego rządu – oznajmił Jan Paweł, po czym uśmiechnął się do ojca, który aż się rozpromienił.

– Obecne władze Polski – poprawił się spokojnie Graff. – Gdybyśmy ich przekonali, żeby znieśli sankcje dotyczące twoich braci i sióstr?

Jan Paweł zastanowił się. Spróbował sobie wyobrazić, jak by to było, gdyby wszyscy mogli pójść do szkoły. Lżej dla mamy. To dobrze.

Zerknął na ojca.

Ojciec zamrugał. Jan Paweł znał tę jego minę – próbował nie zdradzać, że jest rozczarowany. Czyli coś jest nie w porządku.

Oczywiście. Ojca też dotknęły sankcje. Andrzej tłumaczył kiedyś, że zabronili ojcu pracować w jego prawdziwym zawodzie. Powinien wykładać na uniwersytecie, a zamiast tego przez cały dzień siedział jako urzędnik przy komputerze, nocą zaś nielegalnie wykonywał różne prace fizyczne dla katolickiego podziemia. Jeśli mogą znieść sankcje wobec dzieci, to czemu nie wobec mamy i ojca?

– Dlaczego nie mogą zmienić wszystkich tych głupich zakazów?

Graff spojrzał na kobietę z Floty, potem na rodziców.

– Nawet gdybyśmy mogli – powiedział do nich – czy powinniśmy?

Mama pogładziła syna po plecach.

– Jan Paweł chciałby jak najlepiej, ale oczywiście nie możemy się na to zgodzić. Nawet w kwestii kształcenia dzieci.

Jan Paweł od razu się rozzłościł. Co to znaczy „oczywiście"? Gdyby tylko zadali sobie trochę trudu i spróbowali mu wytłumaczyć, nie robiłby teraz głupich błędów. Ale nie; nawet kiedy przyszli ci ludzie z Floty, dowodząc, że Jan Paweł nie jest głupim dzieciakiem, i tak traktowali go jak głupiego dzieciaka.

Nie okazał jednak, jaki jest wściekły. Z ojcem to i tak nigdy nie pomagało, a mama tylko się denerwowała i wtedy nie myślała najlepiej.

Dlatego w odpowiedzi zrobił tylko niewinną minę i szeroko otworzył oczy.

– Czemu? – zapytał.

– Zrozumiesz, kiedy będziesz starszy – odpowiedziała mama.

Chciał już zawołać: A kiedy ty zrozumiesz cokolwiek o mnie? Nawet kiedy przekonałaś się, że umiem czytać, dalej uważasz, że niczego nie wiem!

Z drugiej strony chyba rzeczywiście nie wiedział tego, co potrzebne. Inaczej by zrozumiał, co właściwie jest takie oczywiste dla dorosłych.

Jeśli rodzice nie chcą mu powiedzieć, może ten kapitan wytłumaczy.

Jan Paweł spojrzał wyczekująco na Graffa.

A Graff przedstawił mu wyjaśnienie:

– Wszyscy przyjaciele twoich rodziców są niesubordynowanymi katolikami. Gdyby twoi bracia i siostry nagle poszli do szkoły, gdyby twój ojciec wrócił na uniwersytet, co by sobie pomyśleli?

Czyli chodziło o sąsiadów... Jan Paweł z trudem potrafił uwierzyć, że rodzice skłonni są poświęcić własne dzieci, a nawet siebie, żeby tylko sąsiedzi nie mieli pretensji.

– Możemy się przeprowadzić – zauważył.

– Dokąd? – zapytał ojciec. – Są tylko niesubordynowani, jak my, i są tacy, którzy wyrzekli się wiary. To jedyny wybór. I wolę raczej, żebyśmy żyli w biedzie, tak jak teraz, niż żebyśmy przekroczyli tę granicę. Tu nie chodzi o sąsiadów, synku. Chodzi o nasze przekonania. Chodzi o wiarę.

Jan Paweł zrozumiał, że nic z tego nie będzie. Z początku myślał, że ten pomysł ze Szkołą Bojową da się wykorzystać, by poprawić rodzinie byt. Owszem, poleciałby w kosmos, porzucił dom i nie wracał całymi latami, gdyby to miało im jakoś pomóc.

– Nadal możesz lecieć – wtrącił Graff. – Nawet jeśli twoja rodzina nie chce uwolnić się od tych sankcji.

Wtedy ojciec wybuchnął. Nie krzyczał, ale mówił gorąco, z naciskiem.

– Chcemy uwolnić się od sankcji, ty głupcze! Tylko że nie chcemy być jedynymi, których one nie dotyczą! Chcemy, żeby Hegemonia przestała wmawiać katolikom, że muszą popełnić grzech

39

śmiertelny, wyprzeć się Kościoła. Żeby przestała zmuszać Polaków do zachowywania się jak... jak Niemcy!

Ale Jan Paweł znał tę tyradę i wiedział, że ojciec zwykle kończy zdanie, mówiąc „zmuszać Polaków do zachowywania się jak Żydzi, ateiści i Niemcy". To opuszczenie zdradziło, że ojciec woli uniknąć skutków wypowiadania się przy ludziach z Floty tak, jak wypowiada się przy innych Polakach. Jan Paweł czytał dość o historii, by wiedzieć dlaczego. I przyszło mu do głowy, że chociaż ojciec bardzo ucierpiał wskutek sankcji, może ten gniew i uraza uczyniły z niego człowieka, który naprawdę nie nadaje się już na uniwersytet. Ojciec poznał inne zasady i postanowił nie żyć w zgodzie z nimi. Nie chciał jednak, żeby wykształceni cudzoziemcy odkryli, że się do tych zasad nie stosuje. Nie chciał, by wiedzieli, że obciąża winą Żydów i ateistów. Zrzucanie winy na Niemców widocznie było w porządku.

I nagle Jan Paweł najbardziej na świecie zapragnął opuścić dom. Dostać się do szkoły, gdzie nie będzie musiał podsłuchiwać cudzych lekcji.

Jedyny kłopot polegał na tym, że wojna wcale go nie interesowała. Kiedy czytał o historii, pomijał te fragmenty. A przecież to była Szkoła Bojowa. Będzie musiał dużo się uczyć o wojnach, to pewne. Potem, jeśli skończy tę szkołę, będzie musiał służyć we Flocie. Wykonywać rozkazy mężczyzn i kobiet podobnych do tych dwojga oficerów Floty. Przez całe życie robić to, co każą mu inni.

Miał dopiero sześć lat, ale już wiedział: nienawidził robić tego, czego chcieli inni, jeśli był pewien, że nie mają racji. Nie chciał być żołnierzem.

Nie chciał zabijać. Nie chciał słuchać niemądrych ludzi.

Z drugiej strony nie chciał żyć nadal w takich warunkach. Prawie cały dzień wszyscy stłoczeni w mieszkaniu. Mama zawsze zmęczona. Żadne z dzieci nie uczy się tyle, ile by mogło. Nigdy dosyć jedzenia, zawsze tylko stare, wytarte ubrania, za mało ciepła zimą i zbyt gorąco latem.

Oni wszyscy wierzą, że jesteśmy bohaterami, jak święty Jan Paweł II za czasów nazistów i komunistów. Że walczą za wiarę przeciwko wszystkim kłamstwom i złu świata, jak święty Jan Paweł II jako papież.

A jeśli jesteśmy tylko uparci i głupi? Jeśli to inni mają rację i rzeczywiście w rodzinie nie powinno być więcej niż dwoje dzieci?

Wtedy bym się nie urodził...

Czy naprawdę jestem tutaj, bo Bóg tego chciał? Może Bóg chce, żeby rodziły się wszystkie dzieci, a reszta świata przez swe grzechy nie pozwala im się narodzić, co wymusiły prawa Hegemonii? Może jest jak w tej opowieści o Abrahamie i Sodomie, gdzie Bóg skłonny był ocalić miasto przed zniszczeniem, jeśli znajdzie się w nim dwudziestu sprawiedliwych, a potem nawet dziesięciu? Może to my właśnie jesteśmy tymi sprawiedliwymi i ratujemy świat od zagłady samym swoim istnieniem, tylko służąc Bogu i odmawiając pokłonu Hegemonowi?

Ale istnienie nie jest wszystkim, czego bym chciał, myślał Jan Paweł. Chcę coś robić. Chcę nauczyć się wszystkiego, wiedzieć wszystko, robić wszystko co dobre. Mieć wybór. I żeby moi bracia i siostry też mieli wybór. Nigdy już więcej nie uzyskam takiej władzy, by zmienić świat wokół siebie. W chwili kiedy ci ludzie z Floty postanowią, że już mnie nie chcą, szansa przeminie i drugiej nie dostanę. Muszę coś zrobić teraz.

– Nie chcę tu zostać – powiedział.

Czuł, jak ojciec sztywnieje obok na kanapie. Słyszał, jak mama wzdycha delikatnie, z głębi piersi.

– Ale nie chcę lecieć w kosmos – dodał.

Graff nie poruszył się. Zamrugał tylko.

– Nigdy nie chodziłem do szkoły. Nie wiem, czy mi się spodoba – tłumaczył Jan Paweł. – Wszyscy, których znam, są Polakami i katolikami. Nie wiem, jak to jest żyć między innymi ludźmi.

– Jeśli nie przystąpisz do programu Szkoły Bojowej – uprzedził Graff – nic nie możemy zrobić dla reszty.

– A nie moglibyśmy pojechać gdzieś i to wypróbować? – zapytał Jan Paweł. – Przeprowadzić się tam, gdzie moglibyśmy chodzić do szkoły i nikt by się nie przejmował, że jesteśmy katolikami i jest nas dziewięcioro rodzeństwa?

– Nie ma na świecie takiego miejsca – stwierdził z goryczą ojciec.

Jan Paweł spojrzał pytająco na Graffa.

– Twój ojciec częściowo ma rację. Rodzina z dziesięciorgiem dzieci zawsze wywoła urazy, dokądkolwiek byście wyjechali. A tutaj, ponieważ żyje tu tak wiele niesubordynowanych rodzin, podtrzymujecie się wzajemnie. Działa solidarność. W pewnym sensie będzie wam trudniej, jeśli opuścicie Polskę.

– W każdym sensie – oświadczył ojciec.

– Ale moglibyśmy ulokować was w dużym mieście, posyłać nie więcej niż dwoje twojego rodzeństwa do jednej szkoły. W ten sposób, jeśli tylko będą ostrożni, nikt się nie dowie, że pochodzą z niesubordynowanej rodziny.

– Jeśli zostaną kłamcami, chce pan powiedzieć – wtrąciła mama.

– Och, proszę o wybaczenie. Nie zdawałem sobie sprawy, że pani ani nikt z krewnych nigdy, ale to nigdy nie skłamaliście, by chronić dobro tej rodziny.

– Próbuje nas pan skusić. Chce pan podzielić rodzinę. Posłać nasze dzieci do szkół, gdzie nauczą się zaprzeczać wierze, pogardzać Kościołem.

– Droga pani – rzekł Graff. – Staram się nakłonić bardzo obiecującego chłopca, by zgodził się wstąpić do Szkoły Bojowej, ponieważ cały świat stanął wobec straszliwego przeciwnika.

– Doprawdy? – spytała drwiąco mama. – Wciąż słyszę o tych straszliwych przeciwnikach, o tych robalach, tych potworach z kosmosu, ale żadnego jeszcze nie widziałam.

– Przyczyna, dla której ich pani nie ogląda – tłumaczył cierpliwie Graff – jest taka, że odparliśmy ich dwie pierwsze inwazje. I jeśli je pani kiedyś zobaczy, będzie to oznaczało, że pokonały nas za trzecim razem. A nawet wtedy raczej ich pani nie zobaczy, gdyż zrobią z powierzchnią Ziemi rzeczy tak potworne, że nie będzie tu ani jednego żywego człowieka, zanim jeszcze pierwsze robale staną na naszej planecie. Chcemy, żeby pani syn pomógł nam temu zapobiec.

– A jeśli Bóg zesłał te potwory, żeby nas zabić? Może to jak za czasów Noego? Może świat jest tak zepsuty, że trzeba go zniszczyć?

– Cóż, jeśli tak jest w istocie, to przegramy wojnę, niezależnie od wszystkiego. I koniec. Ale jeśli Bóg chce, żebyśmy zwyciężyli i mieli jeszcze trochę czasu, by odpokutować za nasze grzechy? Czy sądzi pani, że należy wykluczyć taką możliwość?

– Niech pan nie dyskutuje z nami o teologii, jakby pan był wierzącym – wtrącił ojciec.

– Pan nie ma pojęcia, w co wierzę – odparł Graff. – Wie pan tylko tyle, że skłonni jesteśmy do wielkich ustępstw, żeby tylko sprowadzić pańskiego syna do Szkoły Bojowej, ponieważ uważamy go za wyjątkowego. Wierzymy także, że w tym domu nie rozwinie swych zdolności. Zmarnuje się.

Mama pochyliła się do przodu, a ojciec zerwał się na równe nogi.

– Jak pan śmie! – krzyknął.

Graff wstał także; w gniewie wyglądał groźnie i strasznie.

– Myślałem, że to wy jesteście tymi, którzy nie kłamią.

Przez moment milczeli obaj, mierząc się wzrokiem.

– Powiedziałem, że marnuje tu życie i to jest oczywisty fakt – odezwał się w końcu Graff cichym głosem. – Nie wiedzieliście nawet, że naprawdę czyta. Czy pan w ogóle rozumie, co robił ten chłopak? Czytał z pełnym zrozumieniem książki, z którymi kłopot mieliby pańscy studenci, profesorze Wieczorek. A wy o tym nie wiedzieliście. Robił to na waszych oczach, mówił wam, że to robi, a wy nadal nie chcieliście przyjąć tego do wiadomości, bo nie pasowało wam do waszej wizji świata. I w tym domu taki umysł jego ma zyskać wykształcenie? Na waszej liście grzechów liczy się to może jako drobny, wybaczalny grzeszek? Otrzymać dar od Boga i zmarnować go? Czy Jezus nie wyrażał się pogardliwie o rzucaniu pereł przed wieprze?

Tego ojciec nie potrafił już znieść. Uderzył Graffa.

Ale Graff był żołnierzem i bez trudu zablokował cios. Nie oddał uderzenia; użył tylko tyle siły, ile trzeba, żeby powstrzymać ojca, dopóki nie ochłonie. Ale i tak ojciec wylądował na podłodze, obolały, a mama, płacząc, klęczała przy nim.

Jan Paweł wiedział jednak, co zrobił Graff: specjalnie wybrał słowa, które rozgniewają ojca i sprawią, że straci panowanie nad sobą.

Ale po co? Co Graff chciał w ten sposób osiągnąć?

To proste. Chciał pokazać mu tę scenę. Pokazać poniżonego ojca i płaczącą nad nim mamę.

Po chwili kapitan odezwał się, patrząc chłopcu w oczy.

– Ta wojna to rozpaczliwa walka, Janie Pawle. Niewiele brakowało, żeby nas pokonali. Prawie zwyciężyli. Na szczęście mieliśmy geniusza, dowódcę nazwiskiem Mazer Rackham, który potrafił ich przechytrzyć, znaleźć ich słabe punkty. Tylko dzięki temu ledwie, ale naprawdę ledwie wygraliśmy. Kto będzie tym dowódcą następnym razem? Czy w ogóle obejmie tę funkcję? Czy wciąż będzie tkwił gdzieś w Polsce, pracując na dwóch nędznych posadach, o wiele poniżej jego możliwości intelektualnych? A wszystko dlatego, że w wieku sześciu lat wydawało mu się, że nie chce lecieć w kosmos.

Aha. O to chodziło. Graff chciał mu pokazać, jak wygląda porażka.

Ale ja już wiem, jak wygląda. I nie pozwolę się pokonać.

– Są jeszcze katolicy poza Polską? – zapytał Jan Paweł. – Niesubordynowani? Tak?

– Tak – przyznał Graff.

– Ale nie każdy kraj jest rządzony przez Hegemonię, jak Polska?

– Państwa subordynowane nadal są zarządzane według swych tradycyjnych systemów.

– A czy jest jakiś kraj, gdzie moglibyśmy mieszkać wśród innych niesubordynowanych katolików, a mimo to nie cierpieć takich ostrych sankcji jak tutaj? Gdzie stać nas byłoby na jedzenie, a tato mógłby pracować?

– Wszystkie państwa subordynowane wprowadziły sankcje wobec przeludniaczy. Dlatego właśnie nazywamy je subordynowanymi.

– Więc czy jest kraj, gdzie moglibyśmy być wyjątkiem, i nikt nie musiałby o tym wiedzieć?

– Kanada – zaczął wymieniać Graff. – Nowa Zelandia. Szwecja. Ameryka. Niesubordynowani, którzy nie wygłaszają mów na ten temat, żyją tam całkiem przyzwoicie. Nie bylibyście jedyną rodziną z dziećmi uczęszczającymi do różnych szkół. Władze zwykle przymykają oko, bo nie chcą karać dzieci za przewinienia rodziców.

– Gdzie jest najlepiej? – zapytał Jan Paweł. – Gdzie jest najwięcej katolików?

– W Ameryce. Najwięcej Polaków i najwięcej katolików. Poza tym Amerykanie i tak zawsze uważali, że prawo międzynarodowe dotyczy tylko innych, więc nie traktują zarządzeń Hegemonii aż tak poważnie.

– Możemy tam pojechać?

– Nie – odezwał się ojciec.

Siedział teraz z głową zwieszoną z bólu i poniżenia.

– Janie Pawle – rzekł z powagą Graff. – Nie chcemy, żebyś jechał do Ameryki. Chcemy, żebyś trafił do Szkoły Bojowej.

– On i tak nigdzie stąd nie wyjedzie – oznajmił ojciec. – Nieważne, co pan powie, nieważne, co pan obieca, nieważne, co Jan Paweł postanowi.

– A tak, jeszcze pan – mruknął Graff. – Przed chwilą dokonał pan bezpośredniego ataku na oficera Międzynarodowej Floty, co jest przestępstwem zagrożonym karą pozbawienia wolności na czas nie krótszy od trzech lat... Ale wie pan, sądy zwykle wydają surowsze wyroki na niesubordynowanych, którym udowodniono winę. Moim zdaniem dostanie pan siedem do ośmiu lat. Wszystko oczywiście jest zarejestrowane, całe zajście.

– Wszedł pan do naszego domu jak szpieg – powiedziała mama oskarżycielsko. – Sprowokował go pan.

– Powiedziałem prawdę, a wam się ona nie spodobała. Nie podniosłem ręki na profesora Wieczorka ani na nikogo z jego rodziny.

– Proszę – szepnął ojciec. – Niech mnie pan nie posyła do więzienia.

– Oczywiście, że tego nie zrobię. Nie chcę, żeby pan trafił do więzienia. Ale nie chcę też, żeby składał pan niemądre deklaracje o tym, co może, a co nie może się zdarzyć, niezależnie od tego, co powiem, co obiecam i co postanowi Jan Paweł.

Więc dlatego Graff rozdrażnił ojca. Teraz Jan Paweł zrozumiał. Chciał się upewnić, że ojciec nie będzie miał innej możliwości, niż zgodzić się na to, co Jan Paweł i Graff razem zdecydują.

– A czym pan mi zagrozi, żebym musiał zrobić to, co pan zechce? – zapytał Jan Paweł. – Tak jak grozi pan tacie?

– Nic by mi z tego nie przyszło, gdybyś poszedł z nami z przymusu.

– Nie pójdę z własnej woli, dopóki moja rodzina nie znajdzie się w miejscu, gdzie mogą być szczęśliwi.

– Nie ma takiego miejsca na świecie rządzonym przez Hegemonię – stwierdził ojciec.

Ale teraz mama nie pozwoliła mu mówić dalej. Delikatnie pogładziła go po twarzy.

– Gdzie indziej też możemy być dobrymi katolikami – powiedziała. – Wyjeżdżając stąd, nie odbierzemy chleba naszym sąsiadom. Nikogo tym nie skrzywdzimy. Popatrz tylko, co Jan Paweł chce dla nas zrobić. – Zwróciła się do syna. – Przepraszam, że cię nie rozumiałam. Przepraszam, że byłam taką złą nauczycielką.

Wybuchnęła płaczem.

Ojciec objął ją, przyciągnął do siebie i przytulił. Siedzieli tak na podłodze, pocieszając się wzajemnie.

Graff spojrzał na chłopca, unosząc pytająco brew, jakby chciał powiedzieć: usunąłem wszelkie przeszkody, więc... zrób, czego chcę.

Ale sprawy nie wyglądały jeszcze tak, jak by sobie życzył Jan Paweł.

– Pan mnie oszuka – powiedział. – Zabierze nas pan do Ameryki, a potem, jeśli dalej nie będę chciał iść do tej Szkoły, zagrozi pan, że odeśle nas wszystkich tutaj. Będzie jeszcze gorzej niż teraz. I w ten sposób zmusi mnie pan, żebym się zgodził.

Graff nie odpowiadał przez chwilę.

– Dlatego nie pojadę – dokończył Jan Paweł.

– To ty mnie oszukasz – odparł w końcu Graff. – Zgodzisz się, żeby was przenieść do Ameryki i zorganizować lepsze życie, a potem i tak odmówisz pójścia do Szkoły Bojowej. I będziesz chciał, żeby Międzynarodowa Flota pozwoliła twojej rodzinie zachować korzyści wynikające z naszej umowy, choć nie dotrzymasz swojej części.

Jan Paweł nie odpowiedział, gdyż nie było na to odpowiedzi. To właśnie zamierzał zrobić. Graff to wiedział i Jan Paweł nawet nie próbował zaprzeczać. Bo świadomość, że Jan Paweł planuje go oszukać, niczego w sytuacji Graffa nie zmieniała.

– Nie sądzę, żeby tak postąpił – wtrąciła kobieta.

Ale Jan Paweł wiedział, że kłamie. Poważnie się obawiała, że tak będzie. Ale jeszcze bardziej się obawiała, że Graff wyjdzie i nie dobiją targu. To wystarczyło Janowi Pawłowi za potwierdzenie: posłanie go do Szkoły Bojowej było dla tych ludzi naprawdę bardzo ważne. Zatem przystaną nawet na bardzo niekorzystną umowę, dopóki daje im choć odrobinę nadziei, że jednak się zgodzi.

Albo też wiedzą, że cokolwiek obiecają, mogą cofnąć swoje słowo, kiedy tylko zechcą. W końcu byli Międzynarodową Flotą, a Wieczorkowie to tylko niesubordynowana rodzina z niesubordynowanego kraju.

– Nie wiesz o mnie tego – powiedział Graff – że planuję z bardzo dużym wyprzedzeniem.

To przypomniało Janowi Pawłowi, co mówił Andrzej, kiedy uczył go grać w szachy. „Musisz planować z wyprzedzeniem, następny ruch, następny, i jeszcze następny, żeby zobaczyć, dokąd to wszystko prowadzi". Jan Paweł zrozumiał zasadę, kiedy tylko Andrzej mu ją wyjaśnił. Ale i tak przestał grać w szachy – nie obchodziło go, co się dzieje z małymi plastikowymi figurkami na planszy z sześćdziesięciu czterech kwadratów.

Graff grał w szachy, ale nie małymi plastikowymi figurkami. Jego planszą był świat. I chociaż Graff miał tylko stopień kapitana, najwyraźniej przybył tu z większymi uprawnieniami – i lepszym rozpoznaniem – niż ten pułkownik, który był ostatnim razem. Kiedy Graff mówił: „Planuję z bardzo dużym wyprzedzeniem", chciał powiedzieć – tak, słowa musiały to oznaczać – że skłonny jest od czasu do czasu poświęcić pionka, żeby wygrać całą partię. Jak w szachach.

Może chodziło mu o to, że skłonny jest okłamać Jana Pawła, a potem go oszukać? Ale nie, wtedy przecież nie musiałby niczego mówić. Powód mógł być tylko jeden: Graff nie zamierzał oszukiwać. Graff pozwalał oszukać siebie, świadomie wchodząc w układ, gdzie ta druga osoba mogła wygrać, i to wygrać całkowicie – o ile widział sposób, by gdzieś dalej, w przyszłości, nawet taką porażkę obrócić na własną korzyść.

– Musi pan złożyć nam obietnicę, której nie będzie pan mógł złamać – zaznaczył Jan Paweł. – Nawet jeśli nie polecę w kosmos.

– Jestem uprawniony do złożenia takiej obietnicy – zapewnił Graff.

Kobieta wyraźnie tak nie uważała, ale nie zabierała głosu.

– Czy Ameryka to dobre miejsce? – zapytał Jan Paweł.

– Mieszka tam bardzo dużo Polaków, którzy tak uważają. Ale nie jest to Polska.

– Chciałbym zobaczyć cały świat, zanim umrę – oświadczył Jan Paweł. Nigdy jeszcze nikomu o tym nie mówił.

– Zanim umrzesz... – wymruczała mama. – Dlaczego myślisz o śmierci?

Jak zwykle po prostu nie zrozumiała. Nie myślał przecież o śmierci. Myślał o tym, żeby nauczyć się wszystkiego, a oczywisty jest fakt, że ma na to tylko ograniczony czas. Dlaczego ludzie się niepokoją, kiedy tylko ktoś wspomni o umieraniu? Czyżby sądzili, że jeśli nie będą o tym mówić, śmierć ominie kilka osób i pozwoli im żyć wiecznie? Ile mama naprawdę ma wiary w Chrystusa, jeśli tak bardzo obawia się śmierci, że nie potrafi nawet o niej mówić ani słuchać, jak mówi jej sześcioletni syn?

– Wyjazd do Ameryki to tylko początek – zapewnił Graff. – Amerykańskie paszporty nie mają takich ograniczeń jak polskie.

– Porozmawiamy jeszcze o tym – obiecał Jan Paweł. – Proszę przyjść później.

– Czy pan oszalał? – zapytała Helena, gdy tylko oddalili się poza zasięg słuchu. – Przecież to oczywiste, co ten chłopak planuje.

– Tak na oczywistość, nie na szaleństwo.

– Te widy będą jeszcze bardziej kłopotliwe dla pana, niż poprzednie dla Sillaina.

– Nie będą – zapewnił Graff.

– Dlaczego? Bo jednak chce go pan oszukać?

– Żeby to zrobić, naprawdę musiałbym zwariować. – Zatrzymał się przy krawężniku, najwyraźniej zamierzając dokończyć tę rozmowę, zanim wrócą do furgonetki, gdzie czekała reszta zespołu. Czyżby zapomniał, że wszystko, co mówi, i tak jest rejestrowane?

Nie, wiedział o tym. Nie zwracał się tylko do niej.

– Kapitan Rudolf – rzekł. – Widziała pani, i wszyscy zobaczą: nie było żadnego sposobu, żeby skłonić tego chłopca, aby z własnej woli zgodził się lecieć w kosmos. On nie chce tam lecieć. Wojna go nie interesuje. Tyle właśnie osiągnęliśmy naszą idiotycznie represyjną polityką wobec państw niesubordynowanych. Mamy tu najlepszego kandydata, jakiego dotąd znaleźliśmy, ale nie możemy go wykorzystać, ponieważ przez całe lata tworzyliśmy kulturę, która nienawidzi Hegemonii, a zatem i Floty. Wkurzyliśmy miliony, dziesiątki milionów ludzi w imię głupich praw kontroli populacji, zaprzeczających kluczowym elementom ich wiary i ich identyfikacji społecznej. A ponieważ wszechświat jest statystycznie częściej skłonny do ironii niż nie, oczywiście nasz najlepszy kandydat na następnego dowódcę klasy Mazera Rackhama pojawił się właśnie wśród tych, których zdążyliśmy wkurzyć. Nie ja to zrobiłem i tylko durnie mogą mnie o to winić.

– Więc o co w tym wszystkim chodzi? Po co ta umowa, te pańskie obietnice? Jaki to ma sens?

– Żeby wydostać Jana Pawła Wieczorka z Polski, oczywiście.

– Ale co to za różnica, jeśli i tak nie trafi do Szkoły Bojowej?

– Wciąż jest... wciąż ma umysł, który przetwa-

rza ludzkie zachowania tak, jak niektórzy z auty-
stycznych geniuszy przetwarzają liczby albo słowa. Czy nie sądzi pani, że to dobry pomysł, żeby
zabrać go w jakieś miejsce, gdzie zdobędzie prawdziwe wykształcenie? I jak najdalej od miejsca,
gdzie byłby bez przerwy indoktrynowany niena-
wiścią do Hegemonii i Floty.

– Wydaje mi się, że przekracza to zakres pańskich uprawnień – uznała Helena. – Pracujemy
dla Szkoły Bojowej, nie jakiegoś Komitetu Budo-
wania Lepszej Przyszłości dzięki Przemieszczaniu
Dzieci w Inne Miejsca.

– Cały czas myślę o Szkole Bojowej – zapewnił
Graff.

– W której Jan Paweł Wieczorek nigdy się nie
znajdzie, jak sam pan przed chwilą przyznał.

– Zapomina pani o badaniach, które prowadzi-
my. Wyniki nie są jeszcze ostateczne w sensie na-
ukowym, ale wnioski wydają się oczywiste. Ludzie
osiągają szczyt zdolności dowódczych o wiele wcześniej, niż sądziliśmy. Większość jeszcze przed dwu-
dziestką. To wiek, kiedy poeci tworzą najbardziej
uczuciowe i rewolucyjne dzieła. I matematycy. Osiągają szczyt, a potem następuje spadek. Dryfują na
tym, czego się nauczyli, gdy byli jeszcze dość młodzi, by się uczyć. Wiemy z dokładnością do pięciu
lat, kiedy będzie nam potrzebny taki dowódca. Jan
Paweł Wieczorek będzie już za stary, kiedy otworzy
się to okno. Poza szczytem swych możliwości.

– Widzę, że otrzymał pan informacje, których
mnie nie udostępniono – zauważyła Helena.

– Albo sam się domyśliłem. Ale kiedy stało się
jasne, że Jan Paweł nigdy nie pójdzie do Szkoły
Bojowej, cel mojej misji uległ zmianie. Teraz naj-

ważniejsze jest, żeby Jana Pawła Wieczorka wywieźć z Polski do kraju subordynowanego i wypełnić złożoną mu obietnicę absolutnie, co do litery. Żeby zrozumiał, że dotrzymujemy słowa, nawet kiedy wiemy, że zostaliśmy oszukani.

– Ale jaki to ma sens?

– Pani kapitan, mówi pani bez zastanowienia.

Miał rację. Zastanowiła się więc.

– Skoro mamy więcej czasu, nim będziemy potrzebować dowódcy – powiedziała – to wystarczy nam czasu, żeby on się ożenił i miał dzieci, które zdążą dorosnąć do odpowiedniego wieku?

– Ledwo, ledwo, ale tak. Mamy akurat dość czasu. Jeżeli ożeni się młodo. Jeżeli ożeni się z kimś, kto jest bardzo, bardzo zdolny, żeby połączyły się dobre geny.

– Ale tego chyba nie zamierza pan kontrolować, prawda?

– Jest bardzo wiele stopni pośrednich na kontinuum pomiędzy kontrolowaniem czegoś i nierobieniem niczego.

– Naprawdę planuje pan z wyprzedzeniem...

– Może mnie pani uważać za kogoś w rodzaju Rumpelstillskina.

Roześmiała się.

– Dobrze, teraz już rozumiem. Spełnia pan pragnienie jego serca, dzisiaj. A długo, długo po tym, kiedy on już o wszystkim zapomni, wyskoczy pan nagle i zażąda jego pierworodnego.

Graff objął ją za ramię i razem ruszyli do zaparkowanej furgonetki.

– Tylko że ja nie zostawiłem mu takiej głupiej furtki, którą może się wymknąć, jeśli odgadnie moje imię.

Dla Geoffreya,
dzięki któremu pamiętam
jak młode i jak stare
mogą być dzieci

Podziękowania

Część tej książki pochodzi z mojego pierwszego opublikowanego opowiadania science fiction „Ender's Game". Ukazało się ono w 1977 roku, w sierpniowym numerze „Analogu" wydawanego przez Bena Bovę; jego wiara we mnie i w to opowiadanie stała się fundamentem mojej kariery.

Harriet McDougal z Tor jest najrzadziej spotykanym gatunkiem wydawcy – rozumiejącym utwór i pomagającym autorowi uczynić go takim, jakim by pragnął. Nie płacą jej tyle, ile powinni. Praca Harriet była nieco lżejsza dzięki nieocenionym wysiłkom mojego stałego redaktora, Kristine Card. Jej także nie płacę tyle, ile powinienem.

Wdzięczny jestem także Barbarze Bova, mojemu przyjacielowi i agentowi w chudych, i z rzadka tłustych, latach oraz Tomowi Doherty, mojemu wydawcy, który pozwolił się przekonać, by wydać tę książkę w „ABA" w Dallas, co dowodzi albo jego wspaniałej intuicji, albo tego, jak zmęczony może być człowiek na konwencie.

Rozdział 1

Trzeci

– *Patrzyłem przez jego oczy, słuchałem przez jego uszy i mówię ci, że to on. A w każdym razie nie znajdziemy już nikogo lepszego.*

– *To samo mówiłeś o bracie.*

– *Brat nie przeszedł testów. Z innych powodów. Zdolności nie miały tu nic do rzeczy.*

– *To samo było z siostrą. Co do niego także istnieją wątpliwości. Jest zbyt miękki, zbyt chętnie poddaje się cudzej woli.*

– *Nie wtedy, kiedy ten ktoś jest jego wrogiem.*

– *Więc co mamy robić? Przez cały czas otaczać go nieprzyjaciółmi?*

– *Jeśli będzie trzeba...*

– *Mówiłeś chyba, że lubisz tego dzieciaka.*

– *Jeśli dorwą go robale, to przy nich wydam mu się ukochanym wujkiem.*

– *No dobra. W końcu ratujemy świat. Bierzmy go.*

Pani od monitora uśmiechnęła się ślicznie, pogładziła go po włosach i powiedziała:

– Przypuszczam, Andrew, że masz już absolutnie dosyć tego obrzydliwego czujnika. Mam dla ciebie dobrą nowinę. Dzisiaj go zabierzemy. Wyjmiemy go zaraz i nic nie poczujesz.

Ender kiwnął głową. Naturalnie, to było kłamstwo, że nie poczuje bólu. Ale ponieważ dorośli powtarzali je zawsze, kiedy miało go boleć, mógł uznać to stwierdzenie za ścisłą prognozę. Czasami na kłamstwach można polegać bardziej niż na prawdzie.

– Podejdź, Andrew. Usiądź tutaj, na stole. Doktor zaraz do ciebie przyjdzie.

Wyjmą czujnik. Ender próbował sobie wyobrazić mały aparacik, który zniknie mu z karku. Będę przewracał się w łóżku i nic nie będzie uciskać. Nie będę czuł, jak mnie swędzi i rozgrzewa się pod prysznicem.

I Peter przestanie mnie nienawidzić. Wrócę do domu i pokażę mu, że nie mam już czujnika i że to nie moja wina. Będę zwyczajnym dzieckiem. Wszystko się ułoży. Daruje mi, że nosiłem czujnik o cały rok dłużej od niego. Zostaniemy...

Przyjaciółmi chyba nie. Nie, Peter jest zbyt niebezpieczny. Łatwo wpada w gniew. Ale braćmi. Nie wrogami, nie przyjaciółmi, tylko braćmi – takimi, którzy potrafią żyć w jednym domu. Przestanie mnie nienawidzić, zostawi w spokoju. I kiedy zechce grać w robale i astronautów, może nie będę musiał się bawić, może pozwoli mi zwyczajnie poczytać.

Ale Ender wiedział, nawet gdy o tym wszystkim myślał, że Peter nie zostawi go w spokoju. W oczach Petera, kiedy był w tym gniewnym nastroju, było coś takiego, jakiś błysk... wiedział, że Peter na pewno nie zostawi go w spokoju. Muszę poćwiczyć na pianinie, Ender. Mógłbyś przewracać mi strony? Co, dzidziuś z czujnikiem jest zbyt zajęty, żeby pomóc własnemu bratu? Może jest za mądry? Musisz zabić paru robali, astronauto? Nie, nie, nie chcę twojej pomocy. Sam sobie poradzę, ty bękarcie, ty mały Trzeci.

– To potrwa tylko chwilkę, Andrew – powiedział doktor.

Ender kiwnął głową.

– Został zaprojektowany tak, żeby dał się wyjąć. Bez żadnych infekcji, bez urazów. Poczujesz lekkie łaskotanie. Czasem ludzie mówią, że mają wrażenie braku. Będziesz się za czymś rozglądał, czegoś szukał, ale nic nie znajdziesz i nie będziesz pamiętał, co to było. Więc ci powiem. Będziesz szukał czujnika, a jego nie będzie. Po kilku dniach uczucie minie.

Doktor przekręcił mu coś na karku. Igła bólu przebiła nagle Endera od szyi do lędźwi. Czuł, jak ciało wstrząsa się i wygina do tyłu; głowa uderzyła o blat. Wiedział, że kopie nogami, że jedną ręką aż do bólu ściska drugą.

– Deedee! – krzyknął doktor. – Chodź tu natychmiast! – wbiegła zdyszana pielęgniarka. – Musimy rozluźnić mu mięśnie. Daj mi to, zaraz! Na co czekasz!

Coś przeszło z rąk do rąk, Ender nie wiedział, co to było. Przetoczył się na bok i spadł ze stołu.

– Niech pan go łapie – wrzasnęła pielęgniarka.

– Przytrzymaj go...

– Niech pan go trzyma, doktorze. Dla mnie jest za silny...

– Nie wszystko! Serce może nie wytrzymać...

Ender poczuł, jak igła wbija mu się w kark, tuż ponad kołnierzykiem. Paliło, ale gdziekolwiek doszedł ten płomień, jego mięśnie rozkurczały się wolno. Mógł już zapłakać ze strachu i bólu.

– Jak się czujesz, Andrew? – pytała pielęgniarka.

Andrew nie mógł sobie przypomnieć, jak się mówi. Podnieśli go z podłogi i położyli na stole. Sprawdzili puls, zrobili jeszcze inne rzeczy. Nie rozumiał, co się dzieje.

Doktor trząsł się cały; głos mu drżał.

– Zostawiają dzieciakowi to paskudztwo na trzy lata, więc czego się spodziewają? Mogliśmy go wyłączyć, rozumie pani? Mogliśmy wyczepić mózg już na zawsze.

– Kiedy środek przestanie działać? – spytała pielęgniarka.

– Proszę go zatrzymać jeszcze przez godzinę. Jeśli nie zacznie mówić za kwadrans, proszę mnie wezwać. Mogłem go wyczepić do końca. Nie mam mózgu robala.

• • •

Wrócił na lekcję panny Pumphrey ledwie piętnaście minut przed końcowym dzwonkiem. Wciąż jeszcze czuł się trochę niepewnie.

– Dobrze się czujesz, Andrew? – spytała panna Pumphrey.

Kiwnął głową.

– Zasłabłeś?

Pokręcił.

– Nie wyglądasz za dobrze.

– Nic mi nie jest.

– Lepiej usiądź.

Ruszył do swojej ławki, ale zatrzymał się. Czego właściwie szukał? Nie mógł sobie przypomnieć.

– Twoje miejsce jest dalej – powiedziała panna Pumphrey.

Usiadł, ale wiedział, że szuka czegoś innego, czegoś, co utracił. Później znajdę.

– Twój czujnik – szepnęła dziewczynka z tyłu.

Andrew wzruszył ramionami.

– Jego czujnik – powtórzyła innym.

Andrew przesunął palcami po szyi. Trafił na bandaż. Czujnika nie było. Teraz niczym nie różnił się od pozostałych.

– Jesteś spłukany, Andy? – spytał chłopak, siedzący w sąsiednim rzędzie, trochę z tyłu. Nie pamiętał jego imienia. Peter. Nie, to był ktoś inny.

– Panie Stilson, mógłby pan nie przeszkadzać? – spytała panna Pumphrey. Stilson skrzywił się.

Panna Pumphrey mówiła o mnożeniu. Ender bawił się na komputerze rysując konturową mapę górzystej wyspy i każąc potem wyświetlać ją w trzech wymiarach ze wszystkich stron. Nauczycielka dowie się, oczywiście, że nie uważał, ale nie będzie mu zwracać uwagi. Zawsze znał odpowiedź, nawet wtedy, gdy sądziła, że nie uważa.

W rogu ekranu pojawiło się słowo i zaczęło marsz wokół krawędzi. Z początku widział je do góry nogami i od tyłu, ale wiedział, co oznacza na długo przedtem, nim dotarło do dolnego brzegu i odwróciło się we właściwą stronę: TRZECI.

Ender uśmiechnął się. To on wymyślił sposób na przekazywanie wiadomości tak, by płynęły po ekranie. Chociaż nieznany wróg chciał go urazić, metoda wyrażała uznanie dla jego pomysłowości. To nie jego wina, że był Trzecim. To był pomysł rządu, oni wydali zezwolenie – jak inaczej Trzeci, taki jak Ender, mógłby trafić do szkoły? A teraz zabrali mu czujnik. Eksperyment zatytułowany Andrew Wiggin nie udał się mimo wszystko. Był pewien, że gdyby tylko mogli, cofnęliby to uchylenie zakazu, dzięki któremu się urodził. Nie udało się, więc można skasować próbkę.

Zadzwonił dzwonek. Wszyscy wyłączali swoje ekrany albo pośpiesznie wpisywali jakieś notki. Niektórzy zrzucali lekcje i dane do domowych komputerów. Mała grupka zebrała się przy drukarkach, czekając na wydruk czegoś, co chcieli pokazać. Ender rozłożył palce nad dziecięcą klawiaturą w rogu i zastanawiał się, jakby to było, gdyby miał dłonie tak duże, jak dorośli. To musi być głupie uczucie, takie wielkie i niezgrabne ręce, grube, krótkie paluchy i tłuste dłonie. Oczywiście, mają większe klawiatury, ale jak mogą tymi paluchami wykreślić cienką linię? Ender potrafił to robić tak precyzyjnie, że rysował spiralę o siedemdziesięciu dziewięciu zwojach, od środka do brzegu ekranu, a linie ani razu nie krzyżowały się ani nie nakładały. Przynajmniej miał co robić, gdy nauczycielka nudziła o arytmetyce. Arytmetyka! Valentine nauczyła go arytmetyki, kiedy miał trzy lata.

– Lepiej się czujesz, Andrew?

– Tak, psze pani.

– Spóźniasz się na autobus.

Ender kiwnął głową i wstał. Wszyscy już wyszli. Ale na pewno czekają, ci źli. Nie miał już czujnika, widzącego to, co on widział, słyszącego to, co słyszał. Mogli mówić, co tylko chcieli. Mogli go nawet uderzyć – nikt już ich nie zobaczy i nie przyjdzie Enderowi z pomocą. Posiadanie czujnika miało swoje dobre strony, których będzie mu brakowało.

Oczywiście, był tam Stilson. Nie był większy niż reszta dzieci, ale większy od Endera. I miał ze sobą kilku innych. Jak zawsze.

– Cześć, Trzeci.

Nie odpowiadaj. To nie ma sensu.

– Trzeci, mówiliśmy do ciebie. Słyszysz, Trzeci, ty miłośniku robali? Mówiliśmy do ciebie.

Nie wiem, co odpowiedzieć. Cokolwiek powiem, tylko pogorszy sprawę. Więc będę milczał.

– Ty, Trzeci, gnojku, oblałeś, co? Myślałeś, że jesteś lepszy od wszystkich, ale straciłeś swojego pisklaczka, Trzeciaczku, i został ci tylko bandaż na szyi.

– Przepuścicie mnie? – spytał Ender.

– Czy go przepuścimy? Czy powinniśmy go przepuścić? – wszyscy się zaśmiali. – Jasne, że cię przepuścimy. Najpierw przepuścimy ci rękę, potem tyłek, potem może jeszcze kawałek kolana.

Pozostali wołali już chórem.

– Straciłeś pisklaka, Trzeciaku. Straciłeś pisklaka, Trzeciaku.

Stilson popchnął go jedną ręką. Ktoś z tyłu odepchnął go z powrotem.

– Karuzela co niedziela – odezwał się czyjś głos.

– Tenis!

– Ping-pong!

To nie mogło się dobrze skończyć. Ender uznał więc, że lepiej będzie, jeśli to nie on zostanie najbardziej nieszczęśliwym w tej grze. Kiedy Stilson znowu wyciągnął ramię, by go popchnąć, spróbował je złapać. Chybił.

– Ojej, chcesz się bić, Trzeciaku? Chcesz się ze mną bić?

Ci z tyłu złapali Endera, żeby go przytrzymać.

Ender nie miał ochoty na śmiech, ale się roześmiał.

– Aż tylu was trzeba, żeby załatwić jednego Trzeciego?

– Jesteśmy ludźmi, nie Trzeciakami, gnojku! A ty masz tyle siły, co pierdnięcie.

Ale puścili go. A gdy tylko to zrobili, Ender kopnął wysoko i mocno, trafiając Stilsona w sam mostek. Tamten upadł. Ender był zaskoczony – nie sądził, że uda mu się powalić Stilsona jednym uderzeniem nogi. Nie przyszło mu do głowy, że przeciwnik nie traktuje tej walki poważnie, nie jest przygotowany na prawdziwie desperacki cios.

Na moment tamci odstąpili, a Stilson leżał nieruchomo. Oni wszyscy zastanawiali się, czy jeszcze żyje. Ender jednak myślał o tym, jak uniknąć zemsty. Powstrzymać ich od kolejnej napaści jutro. Muszę zwyciężyć raz na zawsze. Inaczej codziennie będę walczył i za każdym razem będzie gorzej.

Miał wprawdzie tylko sześć lat, ale znał niepisane prawa męskiej walki. Nie wolno atakować, kiedy przeciwnik leży bezradnie na ziemi. Tylko zwierzę mogłoby to zrobić.

Zatem Ender podszedł do rozciągniętego na plecach Stilsona i kopnął go znowu, w żebra, z całej siły. Stilson jęknął i przetoczył się na bok. Ender obszedł go dookoła i kopnął w krocze. Stilson nie potrafił nawet stęknąć, zwinął się tylko w pół i łzy pociekły mu po twarzy.

Ender spojrzał zimno na pozostałych.

– Może marzy się wam, że napadniecie mnie wszyscy na raz. Prawdopodobnie dołożylibyście mi solidnie. Ale zapamiętajcie, co robię z tymi, którzy chcą mi zrobić krzywdę. Od tej chwili przez cały czas będziecie się zastanawiać, kiedy was dorwę i jak źle się to skończy.

Kopnął Stilsona w twarz. Krew z nosa rozlała się po ziemi.

– Nie tak źle – powiedział. – Gorzej.

Odwrócił się i odszedł. Nikt się nie ruszył. Skręcił w korytarz, prowadzący do przystanku. Słyszał, jak chłopcy z tyłu mruczą:

– O, rany! Ale oberwał!

Ender oparł czoło o mur i płakał, póki nie przyjechał autobus. Jestem taki jak Peter. Wystarczy mi zabrać czujnik i od razu jestem taki jak Peter.

Rozdział 2

Peter

– No dobra. Już po wszystkim. Co z nim?

– Przyzwyczajasz się, kiedy żyjesz wewnątrz czyjegoś ciała przez parę lat. Teraz patrzę na jego twarz i nie wiem, co się dzieje. Nie mam wprawy w ocenie wyrazu jego twarzy. Mam wprawę w wyczuwaniu go.

– Daj spokój, nie rozmawiamy o psychoanalizie. Jesteśmy żołnierzami, nie szamanami. Przed chwilą widziałeś, jak pobił szefa gangu.

– Był dokładny. Nie pobił go zwyczajnie, ale rozbił na miazgę. Jak Mazer Rackham przy...

– Oszczędź sobie. A zatem w opinii komitetu chłopak przechodzi.

– W zasadzie. Zobaczymy, co zrobi ze swoim bratem teraz, kiedy nie ma czujnika.

– Z bratem... nie boisz się tego, co brat zrobi z nim?

– Sam mi mówiłeś, że w tym interesie nie da się uniknąć ryzyka.

– Przeleciałem parę starych taśm. Nic nie poradzę, lubię tego chłopaka. Obawiam się, że go załatwimy.

– Naturalnie, że tak. To nasz zawód. Jesteśmy zły-

mi czarownicami. Obiecujemy pierniczki, a potem pożeramy te bachory żywcem.

– Przykro mi, Ender – szepnęła Valentine oglądając bandaż na jego szyi.

Ender dotknął ściany i drzwi zasunęły się za nim.

– Ja się nie przejmuję. Dobrze, że już go nie ma.

– Czego nie ma? – Peter wszedł do saloniku żując chleb z masłem orzechowym.

Ender nie widział swego brata jako ślicznego dziesięcioletniego chłopca, tak jak dorośli. O ciemnych, gęstych, kędzierzawych włosach i twarzy, która mogłaby należeć do Aleksandra Wielkiego. Ender patrzył na niego wyłącznie po to, by wykryć gniew albo nudę, niebezpieczne nastroje regularnie prowadzące do bólu. Właśnie teraz, gdy Peter dostrzegł bandaż, pojawiła się w jego oczach iskra gniewu.

Valentine także ją zauważyła.

– Teraz jest taki jak my – powiedziała szybko, by go uspokoić, zanim zdąży uderzyć.

Peter jednak nie pozwolił się uspokoić.

– Jak my? Dopiero teraz wyjęli mu to draństwo, kiedy ma sześć lat. Kiedy ty je straciłaś? Miałaś trzy lata. Ja nie skończyłem pięciu, kiedy mi je zabrali. On prawie przeszedł, ten szczeniak, ten mały robal.

Wszystko w porządku, myślał Ender. Mów, Peter, mów. Może się wygadasz.

– Ale teraz twoje anioły stróże już cię nie pilnują – stwierdził Peter. – Nie sprawdzają, czy coś cię boli, nie słuchają, co mówię, nie patrzą, co z tobą robię. I co ty na to? No co?

Ender wzruszył ramionami.

Peter nagle uśmiechnął się i klasnął w ręce, jakby czymś ucieszony.

– Chodź, pobawimy się w robali i astronautów.

– Gdzie mama? – spytała Valentine.

– Wyszła. Teraz ja tu jestem szefem – odparł Peter.

– Chyba zadzwonię do taty.

– Dzwoń sobie. Wiesz, że nigdy go nie ma.

– Zagram – powiedział Ender.

– Będziesz robalem – oświadczył Peter.

– Może chociaż raz pozwolisz mu być astronautą – wtrąciła Valentine.

– Nie pchaj nosa w nie swoje sprawy, skarżypyto – przerwał jej Peter. – Chodź na górę, wybierzemy broń.

Ender wiedział, że nie będzie to dobra zabawa. Problem nie polegał na tym, kto wygra. Kiedy chłopaki grały na korytarzach, całymi grupami, robale nigdy nie wygrywały i czasem walka szła na ostro. Ale tutaj, w mieszkaniu, gra zacznie się ostro i robal nie będzie mógł się zwyczajnie wycofać i odejść, jak zrobiły robale w prawdziwej wojnie. Robal musiał grać, póki astronauta nie uzna, że wystarczy.

Peter otworzył dolną szufladę i wyjął maskę robala. Matka była zła, kiedy ją kupił, ale tata powiedział, że wojna nie zniknie, gdy ukryje się maski robali i zabroni dzieciom bawić się zabawkowymi pistoletami laserowymi. Lepiej już rozgrywać te gry wojenne i mieć większą szansę przeżycia, gdyby robale nadleciały znowu.

Jeżeli przeżyję tę grę, pomyślał Ender. Założył maskę. Zamknęła go niby dłoń przyciśnięta do twarzy. Ale to nie jest prawdziwe bycie robalem. One nie noszą takiej twarzy jak maski, to jest ich twarz. Ciekawe, czy na swojej planecie robale zakładają maski ludzi i też się bawią? Jak nas wtedy nazywają? Mięczakami, bo w porównaniu z nimi człowiek jest taki miękki i śliski?

– Pilnuj się, Mięczaku – rzucił Ender.

Ledwo widział brata przez wycięte otwory. Peter uśmiechał się.

– Mięczaku, co? No dobra, robalu-brzydalu, zobaczymy, czy można ci rozwalić to twoje ryło.

Ender nie mógł uniknąć ciosu. Dostrzegł tylko, że Peter lekko przenosi ciężar ciała. Maska ograniczała pole widzenia. Nagle poczuł ból i ucisk uderzenia z boku głowy; stracił równowagę i upadł.

– Nie widzisz za dobrze, robalu, co? – spytał Peter.

Ender zaczął zdejmować maskę. Peter wcisnął mu stopę w krocze.

– Nie ściągaj maski – powiedział.

Ender włożył maskę na miejsce i odsunął ręce.

Peter nacisnął mocniej. Ból przeszył Endera; zwinął się w pół.

– Leż spokojnie, robalu. Zrobimy ci wiwisekcję, robalu. Nareszcie udało nam się złapać jednego z was żywego i sprawdzimy, jak działasz w środku.

– Przestań, Peter – odezwał się Ender.

– Przestań, Peter. Bardzo dobrze. Widzę, że potraficie zgadywać nasze imiona. Umiecie mówić, jakbyście byli słodkimi, małymi chłopcami, żebyśmy byli dla was mili. Ale to się nie uda. Od razu mogę was rozpoznać. Ty miałeś udawać człowieka, mały Trzeci, ale naprawdę jesteś robalem i teraz to wyszło na jaw.

Podniósł stopę, cofnął się o krok i przyklęknął, opierając kolano o brzuch Endera, tuż poniżej mostka. Naciskał je coraz mocniej. Coraz trudniej było oddychać.

– Mógłbym cię zabić w ten sposób – szepnął. – Naciskać i naciskać, aż byś nie żył. Potem mógłbym powiedzieć, że nie wiedziałem, że robię ci krzywdę, że tylko się bawiliśmy. Uwierzyliby mi i wszystko skończyłoby się świetnie. A ty byś nie żył. Wszystko byłoby świetnie.

Ender nie mógł odpowiedzieć; kolano wyciskało mu z płuc powietrze. Peter może mówić poważnie; prawdopodobnie nie, ale jednak może.

– Mówię poważnie – oświadczył Peter. – Cokolwiek myślisz, ja mówię poważnie. Zgodzili się na ciebie tylko dlatego, że ja byłem bardzo obiecujący. Ale się nie sprawdziłem. Tobie szło lepiej. A ja nie chcę lepszego młodszego brata, Ender. Nie chcę Trzeciego.

– Wszystko powiem – zawołała Valentine.

– Nikt ci nie uwierzy.

– Uwierzą.

– W takim razie, słodka mała siostrzyczko, też jesteś już trupem.

– Oczywiście – stwierdziła Valentine. – W to na pewno uwierzą. „Nie wiedziałem, że to zabije Andrewa. A kiedy już nie żył, nie wiedziałem, że to zabije też Valentine".

Ucisk trochę zelżał.

– Tak. Więc nie dzisiaj. Ale pewnego dnia wy dwoje nie będziecie razem. I zdarzy się wypadek.

– Umiesz tylko gadać – oświadczyła Valentine.
– Nie myślisz tak naprawdę.

– Nie?

– I wiesz dlaczego tak nie myślisz? – spytała. – Bo chcesz się kiedyś dostać do rządu. Chcesz wygrać wybory. Nikt cię nie wybierze, kiedy ktoś z twoich przeciwników wygrzebie informację o tym, jak twój brat i siostra oboje zginęli w podejrzanych okolicznościach, kiedy byli jeszcze mali. Zwłaszcza po liście, jaki umieściłam w tajnych aktach, do otwarcia w przypadku mojej śmierci.

– Nie wciskaj mi kitu – burknął Peter.

– Ten list mówi: nie umarłam śmiercią naturalną. Zabił mnie mój brat, Peter, i jeśli nie zabił jeszcze Andrewa, zrobi to wkrótce. Nie dość, żeby cię skazać, ale wystarczy, byś nigdy nie został wybrany.

– Teraz ty jesteś jego czujnikiem – oświadczył Peter. – Lepiej go pilnuj, dniem i nocą. Lepiej bądź przy nim.

– Nie jesteśmy głupi, Ender ani ja. Mieliśmy wyniki nie gorsze od ciebie. Czasem nawet lepsze. Jesteśmy takimi cudownymi, udanymi dziećmi. Wcale nie jesteś mądrzejszy, tylko większy.

– Wiem o tym. Ale nadejdzie dzień, kiedy nie będzie cię przy nim, kiedy zapomnisz. A potem nagle przypomnisz sobie i popędzisz na pomoc, a jemu nic się nie stanie. Następnym razem nie będziesz się martwić tak bardzo i nie przybiegniesz tak szybko. I za każdym razem jemu nic się nie stanie. Pomyślisz, że zmieniłem się. Będziesz pamiętać, że to mówiłem, ale pomyślisz, że zapomniałem. Miną lata. Aż nagle zdarzy się straszliwy wypadek i ja znajdę jego ciało, będę płakał nad nim i szlochał, a ty przypomnisz sobie tę rozmowę, Vally, ale będzie ci wstyd, że pamiętasz. Będziesz pewna, że się zmieniłem, że to naprawdę był wypadek, że jesteś okrutna wspominając, co powiedziałem kiedyś w dziecięcej kłótni. Tyle że to właśnie będzie prawda. Zachowam to na później. On umrze, a ty nie zrobisz nic, zupełnie nic. Na razie możesz wierzyć, że jestem tylko największy.

– Największy osioł – oświadczyła Valentine.

Peter zerwał się na nogi i ruszył do niej. Zrobiła krok do tyłu. Ender zdjął maskę. Peter rzucił się na łóżko i wybuchnął śmiechem, głośnym i szczerym. Łzy stanęły mu w oczach.

– Rany, jesteście świetni! Najwięksi frajerzy na planecie Ziemia.

– Teraz nam powie, że to tylko żarty – stwierdziła Valentine.

– Nie żarty, ale gra. Mogę sprawić, że uwierzycie we wszystko. Będziecie tańczyć jak kukiełki – po czym odezwał się sztucznie grubym głosem: – Zabiję was, posiekam na drobne kawałeczki i wyrzucę na śmietnik – znów się roześmiał. – Najwięksi frajerzy systemu słonecznego.

Ender stał nieruchomo, patrzył, jak Peter się śmieje i myślał o Stilsonie, o tym, jakie to uczucie trafić w miękkie ciało. Tu był ktoś, komu by się coś takiego przydało. Ktoś, komu się należało.

– Ender, nie – szepnęła Valentine, jak gdyby potrafiła czytać w myślach.

Peter przewrócił się nagle na bok, zeskoczył z łóżka i przyjął pozycję obronną.

– Tak, Ender – powiedział. – Kiedy tylko zechcesz, Ender.

Ender podniósł prawą nogę i zdjął but. Podniósł go do góry.

– Widzisz tutaj, na czubku? To krew, Peter.

– Ooh! Ratunku, zaraz zginę! Ender zabił bandytę z korkowca i zaraz mnie też zabije!

Nic do niego nie docierało. Peter był w głębi serca zabójcą i nikt o tym nie wiedział z wyjątkiem Valentine i Endera.

Wróciła mama i rozczuliła się nad Enderem z powodu czujnika. Wrócił ojciec i zaczął powtarzać, jaka to cudowna niespodzianka, że mają takie wspaniałe dzieci, aż rząd zlecił im trójkę, a teraz nie chce żadnego, więc mogą zostać ze wszystkimi trzema, wciąż mieć Trzeciego... aż Ender miał ochotę krzyczeć wiem, że jestem Trzeci, wiem dobrze, jeśli chcesz to sobie pójdę, żebyś nie musiał się wstydzić, przepraszam, że zabrali mi czujnik i teraz masz troje dzieci bez żadnego wytłumaczenia, jakie to kłopotliwe, przepraszam, przepraszam.

Leżał w łóżku i wpatrywał się w ciemność. Nad sobą słyszał Petera, przewracającego się i wiercącego niespokojnie. Potem Peter zsunął się z posłania i wyszedł z pokoju. Ender usłyszał szum spłuczki w toalecie, a potem dostrzegł w drzwiach sylwetkę brata.

Myśli, że śpię. Chce mnie zabić.

Peter podszedł do łóżka i rzeczywiście nie wspiął się na swoje posłanie. Zamiast tego stanął przy głowie Endera.

Ale nie sięgnął po poduszkę, by go udusić. Nie miał broni.

– Ender – szepnął. – Przepraszam cię, przepraszam, wiem, jakie to uczucie, przepraszam, jestem twoim bratem i kocham cię.

Dopiero kiedy długo potem równy oddech wskazał, że Peter zasnął, Ender odwinął z szyi bandaż. I po raz drugi tego dnia rozpłakał się.

Rozdział 3

Graff

– *Siostra jest naszym najsłabszym ogniwem. On naprawdę ją kocha.*

– *Wiem. Może wszystko zepsuć od samego początku. Nie będzie chciał jej zostawić.*

– *Więc co zrobisz?*

– *Przekonam go, że bardziej pragnie pójść z nami niż z nią zostać.*

– *Jak tego dokonasz?*

– *Będę kłamał.*

– *A jeśli to nie podziała?*

– *Wtedy powiem prawdę. Wiesz, że w sytuacjach awaryjnych mamy do tego prawo. Nie da się wszystkiego zaplanować.*

Przy śniadaniu Ender nie był głodny. Zastanawiał się, jak będzie w szkole. Jak – po wczorajszej walce – potoczy się spotkanie ze Stilsonem. Co zrobią jego kumple. Pewnie nic, ale nigdy nie wiadomo. Nie miał ochoty tam iść.

– Nic nie jesz, Andrew – odezwała się mama.

Wszedł Peter.

– Cześć, Ender. Dzięki, że zostawiłeś swój brudny ręcznik pod prysznicem.

– Specjalnie dla ciebie – mruknął Ender.

– Andrew, musisz coś zjeść.

Ender pokazał, że będzie musiała nakarmić go przez kroplówkę.

– Bardzo zabawne – stwierdziła mama. – Staram się dbać o moje genialne dzieci, ale one nie zwracają na to uwagi.

– To twoje geny zrobiły z nas geniuszy, mamo – wtrącił Peter. – Z pewnością nie mamy nic z taty.

– Słyszałem – oświadczył tato, nie odrywając wzroku od ekranu, wyświetlającego wiadomości.

– Zmarnowałoby się, gdybyś nie słyszał.

Stół zapiszczał. Ktoś czekał pod drzwiami.

– Kto to? – spytała mama.

Tato przycisnął klawisz i na ekranie pojawił się mężczyzna. Miał na sobie wojskowy mundur, jedyny, który jeszcze coś znaczył, MF, Międzynarodowej Floty.

– Myślałem, że ta sprawa już się skończyła – mruknął tato.

Peter w milczeniu zalał mlekiem swoją owsiankę.

A Ender pomyślał: Może jednak nie będę musiał dziś iść do szkoły.

Tato wystukał kod zamka i wstał.

– Zobaczę, o co chodzi – powiedział. – Jedzcie.

Zostali na miejscach, ale nie jedli. Po krótkiej chwili tato wrócił i skinął na mamę.

– Wpadłeś w bagno – stwierdził Peter. – Dowiedzieli się, co zrobiłeś Stilsonowi i teraz ześlą cię do Pasa.

– Mam sześć lat, tumanie. Jestem młodociany.

– Jesteś Trzeci, gnojku. Nie masz żadnych praw.

Weszła Valentine w aureoli nieuczesanych włosów wokół twarzy.

– Gdzie mama i tata? Fatalnie się czuję. Nie mogę iść do szkoły.

– Znowu ustny egzamin? – domyślił się Peter.

– Zamknij się.

– Trochę luzu, nie przejmuj się. Mogło być gorzej.

– Nie wiem, w jaki sposób.

– To mógłby być egzamin analny.

– Ha ha – powiedziała zimno Valentine. – Gdzie mama i tata?

– Rozmawiają z facetem z MF.

Odruchowo spojrzała na Endera. W końcu od lat już czekali, aż ktoś przyjdzie i powie, że się nadaje, że jednak jest potrzebny.

– Słusznie, popatrz na niego – burknął Peter. – Chociaż wiesz, może jednak chodzi im o mnie. Mogli w końcu zrozumieć, że to ja jestem najlepszy.

Ambicja Petera została zraniona, więc zachowywał się obrzydliwie, jak zwykle.

Drzwi otworzyły się.

– Ender – zawołał tato. – Pozwól do nas.

– Tak mi przykro, Peter – drażniła się Valentine.

Tato spojrzał groźnie.

– Nie ma w tym nic zabawnego.

Ender poszedł za nim do salonu. Oficer MF wstał, gdy weszli, ale nie wyciągnął ręki.

– Andrew – odezwała się mama obracając na palcu ślubną obrączkę. – Nie sądziłam, że wdasz się w bójkę.

– Ten chłopak, Stilson, jest w szpitalu – oznaj-

76

mił ojciec. – Naprawdę mu dołożyłeś, Ender. Butem. To nie była szczególnie czysta walka.

Ender pokręcił głową. Oczekiwał, że w sprawie Stilsona przyjdzie ktoś ze szkoły, nie oficer floty. Sprawa była poważniejsza, niż sądził. Mimo wszystko nie wiedział, jak mógłby postąpić inaczej.

– Czy potrafiłbyś jakoś wyjaśnić swoje zachowanie, młody człowieku? – spytał oficer.

Ender znowu pokręcił głową. Nie wiedział, co powiedzieć i nie chciał wydać się gorszy, niż wynikało to już z jego wyczynów. Przyjmę każdą karę, pomyślał. Niech to się już skończy.

– Jesteśmy skłonni rozważyć okoliczności łagodzące – oświadczył oficer. – Ale muszę przyznać, że nie wygląda to najlepiej. Kopanie w podbrzusze, kopanie w twarz i klatkę piersiową, kiedy już leżał... można by pomyśleć, że naprawdę cię to bawiło.

– Wcale nie – szepnął Ender.

– Więc czemu to zrobiłeś?

– Była tam jego banda.

– Tak? Czy to wszystko tłumaczy?

– Nie.

– Powiedz, czemu go kopałeś. Przecież był już pokonany.

– Kiedy go przewróciłem, wygrałem pierwszą bitwę. Chciałem wygrać od razu wszystkie następne, żeby mnie zostawili w spokoju – nie mógł nic poradzić, był zbyt przestraszony, zbyt zawstydzony własnymi postępkami. Znowu się rozpłakał. Nie lubił płakać i rzadko to robił; teraz, w ciągu niecałej doby płakał już trzeci raz. I za każdym razem było gorzej. Zalewać się łzami przed mamą, tatą i tym człowiekiem – to potworne. – Zabraliście czujnik – powiedział. – Musiałem sam o siebie zadbać, prawda?

– Ender, powinieneś poprosić o pomoc kogoś dorosłego... – zaczął ojciec.

Oficer jednak wstał i wyciągając rękę podszedł do Endera.

– Nazywam się Graff, Enderze. Pułkownik Hyrum Graff. Jestem szefem szkolenia wstępnego Szkoły Bojowej w Pasie. Przyjechałem, żeby ci zaproponować wstąpienie do tej szkoły.

Jednak.

– Przecież czujnik...

– Ostatnią próbą było sprawdzenie, jak się zachowasz bez niego. Nie zawsze to robimy, ale w twoim przypadku...

– I zdałem?

Mama nie mogła uwierzyć.

– Przez niego ten mały Stilson jest w szpitalu. Co byście zrobili, gdyby go zabił? Dostałby medal?

– Nie chodzi o to, co zrobił, pani Wiggin, ale dlaczego – Graff podał jej teczkę z papierami. – Oto wymagane dokumenty. Syn państwa uzyskał akceptację Służby Doboru. Naturalnie, mamy zgodę państwa na piśmie, udzieloną w dniu potwierdzenia poczęcia. Inaczej nie mógłby się urodzić. Od owej chwili należał do nas, pod warunkiem, że się zakwalifikuje.

– To niezbyt ładnie z waszej strony – odezwał się drżącym głosem tato. – Pozwoliliście nam wierzyć, że możemy go zatrzymać, a potem jednak chcecie go nam odebrać.

– I to przedstawienie z chłopakiem Stilsonów – dodała mama.

– To nie było przedstawienie, pani Wiggin. Dopóki nie znaliśmy motywacji Endera, nie mogliśmy być pewni, że nie jest kolejnym... musieliśmy wiedzieć, co oznaczały jego działania. A przynajmniej, co Ender myślał, że oznaczają.

– Czy musi pan nazywać go tym głupim przezwiskiem? – mama zaczęła płakać.

– Przykro mi, pani Wiggin, ale on sam tak siebie nazywa.

– Co ma pan zamiar zrobić, panie pułkowniku? – spytał tato. – Wyjść po prostu razem z nim?

– To zależy – odparł Graff.

– Od czego?

– Czy Ender zechce ze mną pójść.

Szloch mamy zmienił się w śmiech pełen goryczy.

– Och, więc jednak jest jakiś wybór. Jak to miło!

– Wy dwoje dokonaliście tego wyboru w chwili poczęcia Endera. On nie decydował o niczym. Poborowi tworzą niezłe mięso armatnie, ale na oficerów potrzebni są ochotnicy.

– Oficerów? – spytał Ender. Na dźwięk jego głosu wszyscy nagle zamilkli.

– Tak – potwierdził po chwili Graff. – Szkoła Bojowa szkoli przyszłych dowódców statków kosmicznych, komandorów flotylli i admirałów flot.

– Nie oszukujmy się! – wtrącił gniewnie ojciec. – Ilu chłopców ze Szkoły Bojowej rzeczywiście obejmuje dowództwo statku?

– Niestety, panie Wiggin, ta informacja jest tajna. Mogę natomiast powiedzieć, że wszyscy, którzy przetrzymali pierwszy rok, uzyskali dyplom oficera. I żaden nie służył na niższym stanowisku niż pierwszy oficer pojazdu międzyplanetarnego. Nawet w formacjach obrony systemowej, w granicach Układu Słonecznego, można otrzymać wysoką szarżę.

– A ilu udaje się przetrzymać pierwszy rok? – spytał Ender.

– Wszystkim, którzy tego chcą – odparł Graff.

Niewiele brakowało, by Ender zawołał: Ja chcę. Ale ugryzł się w język. Owszem, nie musiałby wracać do szkoły, ale to był głupi argument. Za kilka dni wszyscy zapomną o sprawie. Peter zostałby daleko, co było o wiele ważniejsze, bo mogło okazać się kwestią życia i śmierci. Ale zostawić mamę i tatę, a przede wszystkim zostawić Valentine... Zostać żołnierzem... Ender nie lubił walki. Nie podobała mu się walka w stylu Petera, silni przeciwko słabym, a jeszcze bardziej walka w jego własnym stylu, sprytni przeciwko głupcom.

– Wydaje mi się – oświadczył Graff – że powinniśmy odbyć z Enderem rozmowę w cztery oczy.

– Nie – powiedział ojciec.

– Zanim go zabiorę, pozwolę wam jeszcze z nim porozmawiać – zapewnił Graff. – Właściwie nie możecie mnie powstrzymać.

Ojciec patrzył na niego przez chwilę, po czym wstał i wyszedł z pokoju. Matka zatrzymała się na moment, by ścisnąć Endera za ramię. Wychodząc zamknęła za sobą drzwi.

– Ender – zaczął Graff. – Jeśli polecisz ze mną, nie wrócisz tu przez bardzo długi czas. W Szkole Bojowej nie ma wakacji. Ani odwiedzin. Pełny cykl szkolenia trwa do chwili, kiedy skończysz szesnaście lat. Pierwszą przepustkę dostajesz, pod pewnymi warunkami, kiedy masz dwanaście. Wierz mi, Enderze, w ciągu sześciu lat ludzie bardzo się zmieniają. Twoja siostra, Valentine, będzie kobietą, gdy ją znowu zobaczysz – jeśli pójdziesz ze mną. Będziecie sobie obcy. Nadal będziesz ją kochał, ale znał jej już nie będziesz. Sam widzisz, nie próbuję udawać, że to łatwe.

– A mama i tata?

– Wiem o tobie sporo, Enderze. Przez dłuższy czas obserwowałem dyski czujnika. Nie będziesz tęsknił za matką i ojcem, w każdym razie nie bardzo i nie długo. Oni też nie będą tęsknić.

Ender poczuł łzy w oczach. Odwrócił głowę, ale nie podniósł ręki, by je wytrzeć.

– Oni naprawdę cię kochają. Ale musisz zrozumieć, ile udręki kosztowało ich twoje poczęcie. Pamiętaj, że przyszli na świat w religijnych rodzinach. Twój ojciec został ochrzczony imieniem Jan Paweł Wieczorek. Katolik. Siódmy z dziewięciorga dzieci.

Dziewięcioro dzieci. To było nie do pomyślenia. Zbrodnia.

– Tak, no cóż, ludzie robią różne rzeczy dla religii. Wiesz, jakie są sankcje, Enderze. Wtedy nie były jeszcze tak surowe, ale i nie lekkie. Tylko pierwsza dwójka miała prawo do darmowej edukacji. Podatki rosły z każdym następnym dzieckiem. Kiedy twój ojciec skończył szesnaście lat, skorzystał z Ustawy o Niepraworządnych Rodzinach i odszedł. Zmienił nazwisko, wyrzekł się religii i przyrzekł nigdy nie mieć więcej niż dozwolone dwoje dzieci. Był szczery. Pamiętał cały wstyd i prześladowania, jakie przeszedł – przysiągł, że żadne z jego dzieci nie będzie tego przeżywać. Rozumiesz?

– Nie chciał mnie.

– Wiesz, że dziś nikt już nie chce Trzeciego. Trudno oczekiwać, by twoi rodzice byli zachwyceni. Ale to specjalny przypadek. Oboje wyrzekli się religii – twoja matka była mormonką – ale ich odczucia pozostały ambiwalentne. Wiesz, co oznacza: ambiwalentne?

– Że czują tak i tak.

– Wstydzą się pochodzenia z niepraworządnych rodzin. Ukrywają to. Twoja matka nie chce się nawet przyznać, że urodziła się w Utah, żeby nikt nie powziął podejrzeń. Ojciec ukrywa polskie pochodzenie, ponieważ Polska nadal nie przestrzega prawa i jest z tego powodu objęta międzynarodowymi sankcjami. Widzisz więc, że Trzeci, nawet urodzony na polecenie rządu, niszczy wszystko, co próbowali osiągnąć.

– Wiem.

– Ale sprawa jest bardziej złożona. Ojciec nadał wam imiona świętych. Więcej nawet, ochrzcił was, gdy tylko matka wróciła po porodzie do domu. Ona nie chciała się zgodzić. Kłócili się o to za każdym razem, nie dlatego, że nie chciała chrztu, ale nie chciała, byście byli katolikami. Twoi rodzice tak naprawdę nie wyrzekli się religii. Patrzą na ciebie i widzą powód do dumy, ponieważ udało się im obejść prawo i mieć Trzeciego. Jednocześnie jednak jesteś dowodem tchórzostwa, gdyż nie mają odwagi, by posunąć się dalej i kontynuować niepraworządność, choć w ich odczuciu jest słuszna. Jesteś też powodem towarzyskiej kompromitacji. Na każdym kroku przeszkadzasz ich wysiłkom, zmierzającym do asymilacji z normalnym, praworządnym społeczeństwem.

– Skąd pan to wszystko wie?

– Obserwowaliśmy twojego brata i siostrę. Byłbyś zdumiony wiedząc, jak czułymi instrumentami są dzieci. Mieliśmy połączenie z twoim mózgiem. Słyszeliśmy wszystko, co ty słyszałeś, nieważne, czy słuchałeś uważnie, czy nie. Czy rozumiałeś, czy nie. My rozumieliśmy.

– Więc rodzice kochają mnie i nie kochają?

– Kochają. Problem w tym, czy chcą ciebie tutaj. Twoja obecność jest nieustannym zakłóceniem. Źródłem napięcia. Czy to rozumiesz?

– To nie ja powoduję napięcia.

– Nie chodzi o to, co robisz. Chodzi o samo twoje istnienie. Brat nienawidzi cię, gdyż jesteś żywym dowodem na to, że on sam nie był dość dobry. Rodzice odpychają cię ze względu na przeszłość, od której próbują uciec.

– Valentine mnie kocha.

– Całym sercem. Całkowicie, nieodwołalnie. Jest ci oddana, a ty ją podziwiasz. Mówiłem, że to nie będzie łatwe.

– Jak tam jest?

– Ciężka praca. Nauka, jak tutaj w szkole, tyle że dużo więcej czasu poświęcamy na matematykę i komputery. Historia wojskowości. Strategia i taktyka. A przede wszystkim Sala Treningowa.

– Co to jest?

– Gry wojenne. Chłopcy zorganizowani są w armie. Dzień po dniu, w nieważkości toczą się bitwy. Nikt nie zostaje ranny, ale zwycięstwa i porażki mają znaczenie. Każdy zaczyna jako zwykły żołnierz, wykonujący rozkazy. Starsi chłopcy będą twoimi oficerami. Ich obowiązkiem jest szkolić was i dowodzić w bitwach. Więcej nie mogę ci powiedzieć. To jak zabawa w robale i astronautów, tyle że masz broń, która działa, żołnierzy, którzy walczą razem z tobą i że cała twoja przyszłość i przyszłość ludzkości zależy od tego, jak dobrze będziesz walczył. To ciężkie życie. Nie będziesz miał normalnego dzieciństwa. Zresztą, z twoim umysłem i startując jako Trzeci i tak byś go nie miał.

– Sami chłopcy?

– Kilka dziewcząt. Nieczęsto udaje im się przejść przez testy. Zbyt wiele wieków ewolucji działa przeciwko nim. Żadna z nich zresztą nie będzie podobna do Valentine. Ale znajdziesz tam braci, Ender.

– Takich jak Peter?

– Peter nie został przyjęty, dokładnie z tych powodów, z jakich go nienawidzisz.

– Wcale go nie nienawidzę, tylko...

– Boisz się go. No cóż, Peter nie był taki zły. Najlepszy, jakiego znaleźliśmy od bardzo dawna. Prosiliśmy twoich rodziców, by jako następne dziecko wybrali córkę – i tak zrobili – w nadziei, że Valentine będzie taka jak Peter, tylko łagodniejsza. Okazała się zbyt łagodna. Wtedy poprosiliśmy o ciebie.

– Żebym był pół Peterem i pół Valentine.

– Jeżeli wszystko się uda.

– I jestem?

– O ile możemy to stwierdzić. Mamy bardzo dobre testy, Ender, ale one też nie mówią nam wszystkiego. Właściwie, kiedy przychodzi do konkretów, nie mówią nam prawie niczego. Zawsze jednak są lepsze niż nic – Graff pochylił się i ujął dłonie Endera w swoje. – Enderze Wiggin, gdyby chodziło o lepszą i szczęśliwszą przyszłość dla ciebie, powiedziałbym ci: zostań w domu. Zostań, rośnij i bądź szczęśliwy. Są gorsze rzeczy niż być Trzecim, niż mieć starszego brata, który nie może się zdecydować, czy jesteś istotą ludzką czy szakalem. Szkoła Bojowa to jedna z tych gorszych rzeczy. Ale jesteś nam potrzebny. Robale mogą wydawać się tylko grą, jednak ostatnim razem niewiele brakowało, by nas wykończyli. Mogli nas załatwić na zimno ze swoją przewagą sił i uzbrojenia. Jedyne, co nas ocaliło to fakt, że mieliśmy najbardziej błyskotliwego dowódcę, jakiego kiedykolwiek znaleźliśmy. Nazwij to losem, wyrokiem boskim, idiotycznym szczęściem, ale mieliśmy Mazera Rackhama. Teraz jednak już go nie mamy, Ender. Wyskrobaliśmy wszystko, co mogła wyprodukować ludzkość. Stworzyliśmy flotę, przy której tamta, jaką wysłali przeciw nam ostatnim razem, wygląda jak dziecinna zabawka. Mamy też nowe typy broni. Ale nawet to może nie wystarczyć. Ponieważ przez osiemdziesiąt lat, które minęły od ostatniej wojny, oni mieli tyle samo czasu na przygotowania. Potrzebujemy najlepszych ludzi i potrzebujemy ich szybko. Może nie uda nam się z tobą, a może tak. Może załamiesz się pod wpływem stresu, może zrujnuję ci życie i będziesz mnie nienawidził za to, że przyszedłem dziś do tego domu. Ale jeśli tylko istnieje szansa, że dzięki twojej obecności we flocie ludzkość przetrwa, a robale już na zawsze zostawią nas w spokoju, mam zamiar cię o to prosić. Poleć ze mną.

Ender nie mógł skupić spojrzenia na pułkowniku Graffie. Mężczyzna wydawał się odległy i tak mały, że Ender mógłby chwycić go pincetą i wrzucić do kieszonki. Zostawić tu wszystko i odlecieć do miejsca, gdzie będzie bardzo ciężko, bez Valentine, bez mamy i taty.

A potem przypomniał sobie filmy o robalach, które wszyscy musieli oglądać przynajmniej raz w roku. Masakra Chin. Bitwa o Pas. Śmierć, cierpienie i groza. I Mazer Rackham, jego niewiarygodne manewry, zniszczenie wrogiej floty dwa razy większej i potężniejszej niż jego własna przy użyciu maleńkich ziemskich stateczków, tak słabych i kruchych. Jak gdyby dzieci wygrały z dorosłymi. I zwycięstwo.

– Boję się – oświadczył cicho Ender. – Ale polecę z panem.

– Powiedz to jeszcze raz – polecił Graff.

– Po to się urodziłem, prawda? Jeśli odmówię, to po co w ogóle żyję?

– To za mało – stwierdził Graff.

– Nie chcę iść – rzekł Ender. – Ale pójdę.

Graff kiwnął głową.

– Możesz jeszcze zmienić zdanie. Do chwili, gdy wsiądziesz ze mną do mojego wozu, możesz zmienić zdanie. Potem jesteś w dyspozycji Międzynarodowej Floty. Rozumiesz?

Ender przytaknął.

– Dobrze. Chodźmy im powiedzieć.

Matka płakała. Ojciec przycisnął Endera mocno. Peter uścisnął mu dłoń i powiedział:

– Ty szczęściarzu! Ty mały, durny pierdzielu!

Valentine ucałowała go, pozostawiając na policzku swe łzy.

Nie musiał się pakować. Nie było nic, co mógłby ze sobą zabrać.

– Szkoła zapewni ci wszystko, co będzie potrzebne, od munduru po materiały szkolne. Co do zabawek... jest tylko jedna zabawa.

– Do widzenia – powiedział Ender. Podniósł dłoń, wziął za rękę pułkownika Graffa i wyszedł razem z nim.

– Zabij dla mnie paru robali! – krzyknął Peter.

– Kocham cię, Andrew! – zawołała matka.

– Będziemy pisać – obiecał ojciec.

A kiedy wsiadał do wozu, czekającego cicho w tunelu, usłyszał rozpaczliwy krzyk Valentine:

– Wróć do mnie! Będę cię zawsze kochała!

Rozdział 4

Start

– Z Enderem musimy zachować delikatną równowagę. Izolować go na tyle, by pozostał twórczy – w przeciwnym razie zaadaptuje się do systemu i stracimy go. A równocześnie musimy mieć gwarancję, że zachowa zdolności dowódcze.

– Jeśli zdobędzie swój stopień, będzie dowodził.

– To nie takie proste. Mazer Rackham potrafił poprowadzić swoją małą flotę i zwyciężyć. Zanim rozpocznie się ta wojna, flota będzie zbyt wielka, nawet dla geniusza. Za dużo małych stateczków. On musi gładko współpracować ze swoimi podkomendnymi.

– Jasne. Musi być genialny i miły.

– Nie miły. Miły pozwoli robalom załatwić nas ostatecznie.

– Więc chcesz go odizolować?

– Zanim dolecą do Szkoły, będzie całkowicie odseparowany od innych chłopców.

– W to nie wątpię. Będę tu na was czekał. Widziałem wideo tego, co zrobił z tym chłopakiem, Stilsonem. Wcale nie słodkiego dzidziusia mi tu przywozisz.

– *Nie masz racji. On jest słodszy niż dzidziuś. Ale nie przejmuj się. Szybko go oczyścimy z tej słodyczy.*

– *Czasami odnoszę wrażenie, że lubisz łamać tych małych geniuszy.*

– *To sztuka, a ja jestem w tym bardzo dobry. Czy jednak lubię? Może... Wtedy, kiedy składają z powrotem rozrzucone kawałki i stają się od tego doskonalsi.*

– *Jesteś potworem.*

– *Dzięki. Czy to oznacza, że dostanę podwyżkę?*

– *Tylko medal. Budżet nie jest niewyczerpany.*

Powiedzieli, że nieważkość może powodować dezorientację, zwłaszcza u dzieci, u których wyczucie kierunku nie jest jeszcze całkiem pewne. Ender jednak był zdezorientowany, zanim jeszcze opuścił strefę ziemskiej grawitacji. Zanim prom rozpoczął procedurę startową.

W grupie było wraz z nim dziewiętnastu chłopców. Razem wyszli z autobusu i ustawili się w windzie. Rozmawiali, żartowali, przechwalali się i wybuchali śmiechem. Ender milczał. Dostrzegł, że Graff i pozostali oficerowie przyglądają się im uważnie. Analizują. Wszystko, co robimy, ma znaczenie, pojął Ender. To, że oni się śmieją. A ja nie.

Przez chwilę rozważał pomysł zachowywania się tak, jak pozostali. Tyle że nie mógł sobie przypomnieć żadnego kawału, a opowiadane przez innych nie wydawały mu się śmieszne. Jakikolwiek był powód wesołości tych chłopców, nie było w niej miejsca dla Endera. Bał się, a lęk wywoływał powagę.

Ubrali go w mundur, jednoczęściowy. Czuł się głupio bez paska zapiętego w talii. W tym stroju miał wrażenie, że jest nagi albo okryty workiem. Ciągle pracowały telewizyjne kamery, przycupnięte niby jakieś zwierzaki na ramionach otaczających ich ludzi. Ci ludzie poruszali się wolno i zwinnie jak koty, żeby przekaz płynął bez szarpnięć. Ender zauważył, że sam także porusza się płynnie.

Wyobraził sobie, że udziela wywiadu. Dziennikarz pyta go: Jak się pan czuje, panie Wiggin? Właściwie zupełnie dobrze, jestem tylko trochę głodny. Głodny? Ach tak, nie dają wam jeść dwadzieścia godzin przed startem. To interesujące. Nie wiedziałem. Szczerze mówiąc, wszyscy jesteśmy głodni. I przez cały czas Ender i reporter szliby płynnie przed obiektywami kamer. Po raz pierwszy miał ochotę się roześmiać. Inni chłopcy też się właśnie śmiali, choć z innych powodów. Myślą, że to ich dowcipy, pomyślał Ender. Ale ja się śmieję z czegoś o wiele bardziej zabawnego.

– Wejdźcie po trapie pojedynczo – polecił oficer. – Kiedy trafiecie do przedziału z pustymi fotelami, siądźcie gdzie bądź. Tam nie ma okien.

To był żart. Chłopcy wybuchnęli śmiechem.

Ender znalazł się przy końcu, ale nie na samym końcu. Kamery telewizji nie wycofały się jednak. Czy Valentine zobaczy, jak znikam we włazie promu? Zastanowił się, czy jej nie pomachać, nie podbiec do reportera i spytać: „Czy mogę pożegnać się z Valentine?” Nie wiedział, że scena zostałaby wycięta z taśmy, gdyż chłopcy odlatujący do Szkoły Bojowej powinni być bohaterami. Bohaterowie nie tęsknią za nikim. Ender nie miał pojęcia o cenzurze, ale wiedział, że rozmowa z reporterem byłaby błędem.

Przeszedł krótkim trapem do włazu. Zauważył, że ściana po prawej stronie jest wyłożona dywanem jak podłoga. Wtedy poczuł się zdezorientowany. Gdy pomyślał, że ściana jest podłogą, odniósł wrażenie, że chodzi po ścianie. Dotarł do drabinki i spostrzegł, że pionową płaszczyznę za nią też pokrywa dywan.

Wspinam się po podłodze. Ręka za ręką, krok za krokiem. Potem, tak dla zabawy, wyobraził sobie, że czołga się po podłodze w dół. Zmiana w umyśle nastąpiła niemal natychmiast – przekonał sam siebie wbrew świadectwu grawitacji. Zauważył, że mocno ściska poręcze fotela, choć obiektywnie siedzi na nim pewnie.

Inni chłopcy podskakiwali trochę, szturchali się i krzyczeli. Ender odszukał pasy bezpieczeństwa i domyślił się, jak je zapiąć w pachwinach, pasie i na ramionach. Wyobraził sobie statek wiszący do góry dnem pod powierzchnią Ziemi i potężne palce ciążenia trzymające ich mocno na miejscu. I tak się wyśliźniemy, pomyślał. Odpadniemy od planety.

Wtedy nie pojął jeszcze znaczenia tego faktu. Później jednak przypomniał sobie, że właśnie wtedy, przed odlotem z Ziemi, pomyślał o niej jako o planecie, takiej jak inne, niekoniecznie jego planecie.

– Już zapiąłeś? – odezwał się Graff. Stał na drabince.

– Leci pan z nami? – spytał Ender.

– Normalnie nie przylatuję szukać rekrutów – wyjaśnił oficer. – Jestem czymś w rodzaju dowódcy. Administratorem Szkoły. No, powiedzmy dyrektorem. Powiedzieli, że jeśli nie wrócę, wyrzucą mnie z pracy – uśmiechnął się.

Ender odpowiedział uśmiechem. Obok Graffa czuł się pewniej. Graff był dobry. I był dyrektorem Szkoły Bojowej. Ender trochę się rozluźnił. Będzie miał przyjaciela.

Przypięto pasami pozostałych chłopców, przynajmniej tych, którzy nie poradzili sobie sami, jak Ender. Potem odczekali godzinę, gdy ekran telewizyjny w przedniej części kabiny informował ich o szczegółach lotu promem, historii lotów kosmicznych i ich możliwej karierze na wielkich okrętach MF. Strasznie nudny program. Ender widywał już takie filmy.

Wtedy jednak nie siedział przypięty pasami we wnętrzu promu. Nie wisiał głową w dół na brzuchu Ziemi.

Start nie był aż taki trudny. Trochę tylko przerażający. Kilka wstrząsów i moment paniki, że może to pierwszy nieudany start w historii promów. Filmy nie wyjaśniały, czego powinno się oczekiwać leżąc na plecach w miękkim fotelu.

A potem było już po wszystkim i naprawdę wisiał na pasach, bez ciążenia.

Ponieważ jednak zdążył się już zreorientować, nie zdziwił się, gdy Graff wszedł po drabince odwrotnie, jak gdyby schodził ku dziobowi promu. Nie przejął się też, gdy Graff wsunął nogi pod dywan i odepchnął rękami tak, że nagle przekręcił się w górę i stanął niby w zwyczajnym samolocie.

Reorientacje przekraczały możliwości niektórych chłopców. Jeden z nich zakrztusił się nagle i Ender zrozumiał, czemu nie wolno było nic jeść przez ostatnie dwadzieścia godzin – wymioty w zerowej grawitacji nie są przyjemnością.

Dla Endera jednak zabawa Graffa z ciążeniem była śmieszna. Poprowadził ją dalej i wyobraził sobie pułkownika wiszącego głową w dół z przejścia między fotelami, potem sterczącego ze ściany. Grawitacja może być skierowana w każdym kierunku, jakim zechcę. Mogę postawić Graffa na głowie, a on nawet tego nie zauważy.

– Co jest takiego zabawnego, Wiggin?

Głos Graffa był ostry i zagniewany. Co zrobiłem, pomyślał Ender. Czyżbym się głośno roześmiał?

– Zadałem pytanie, żołnierzu! – warknął Graff.

Ach tak. To początek szkolenia. Ender oglądał w telewizji programy wojskowe i wiedział, że zawsze na początku dużo krzyczą. Dopiero potem oficer i żołnierz zostają przyjaciółmi.

– Tak jest, sir.

– Więc odpowiedz!

– Wyobraziłem sobie pana wiszącego głową w dół za nogi. Pomyślałem, że to śmieszne.

Wyjaśnienie brzmiało głupio. Graff spoglądał na niego zimno.

– Przypuszczam, że dla ciebie to jest śmieszne. Czy jeszcze dla kogoś?

Przeczące mruknięcia.

– A dlaczego? – Graff spojrzał na chłopców z pogardą. – Same tępaki w tej grupie. Pustogłowi kretyni. Tylko jeden z was miał dość rozumu, by pojąć, że w zerowej grawitacji kierunki są takie, jakie sobie wyobrazi. Zrozumiałeś, Shafts?

Chłopiec kiwnął głową.

– Otóż nie. Naturalnie, że nie. Jesteś nie tylko durniem, ale i kłamcą. Tylko jedna osoba w tej grupie ma w głowie trochę mózgu i tą osobą jest

Ender Wiggin. Przyjrzyjcie mu się uważnie, maluchy. Zostanie dowódcą, kiedy wy będziecie jeszcze sikać w pieluchy. Bo on wie, jak powinno się myśleć w zero-grawitacji, a wy tylko macie ochotę się wyrzygać.

Ender uznał, że nie tak powinno przebiegać to przedstawienie. Graff miał się do niego przyczepić, a nie ustawić jako najlepszego. Powinni na początku być uważani za nieprzyjaciół, by potem zostać przyjaciółmi.

– Większość z was wyleci. Przyzwyczajajcie się do tej myśli, maluchy. Większość skończy w Szkole Bojowej, bo nie ma dość mózgu na pilotaż w dalekim kosmosie. Większość nie jest warta ceny przelotu, bo brak wam tego, co niezbędne. Niektórym może się udać. Niektórzy okażą się coś warci dla ludzkości. Ale nie liczcie na to. Ja stawiam tylko na jednego.

Nagle Graff wykonał salto w tył, chwycił drabinkę i odepchnął się stopami. Stał na rękach, jeśli podłogę uznać za dół. Wisiał, jeśli za górę. Wolno przesunął się na swoje miejsce i znikł.

– Chyba masz to już załatwione – szepnął siedzący obok chłopiec.

Ender pokręcił głową.

– Aha, nie chcesz nawet ze mną rozmawiać?

– Nie prosiłem go, żeby to wszystko powiedział.

Poczuł ostry ból na czubku głowy, potem jeszcze raz. Jakiś chichot z tyłu. Chłopak za nim musiał rozpiąć pasy. Znowu uderzenie w głowę. Dajcie mi spokój, pomyślał Ender. Nic wam nie zrobiłem.

I znów cios. Śmiech chłopców. Czy Graff tego nie widzi? Nie ma zamiaru przerwać tej zabawy?

Uderzenie. Mocniejsze. Zabolało naprawdę. Gdzie jest Graff?

Wtedy zrozumiał. Graff umyślnie spowodował taką sytuację. Było gorzej niż w tych programach. Kiedy sierżant się czepia, wszyscy cię lubią. Ale jeśli oficerowie cię wybiorą, wszyscy inni zaczynają nienawidzić.

– Hej, pierdzielu – napłynął z tyłu czyjś szept. Znowu ktoś uderzył go w głowę. – Podoba ci się? Co, supermózgu, jest zabawnie? – jeszcze jeden cios, tym razem tak silny, że Ender jęknął cicho.

Jeśli to Graff go wystawił, nie może liczyć na pomoc, o ile sam sobie nie pomoże. Czekał do chwili, gdy zdawało się, że nadejdzie kolejny cios. Teraz, pomyślał. I rzeczywiście, uderzenie nastąpiło. Zabolało, ale Ender próbował już wyczuć następne. Teraz. Dokładnie w tej chwili. Mam cię, pomyślał.

Kiedy zbliżał się kolejny cios, Ender sięgnął obiema rękami nad głowę, chwycił przeciwnika za nadgarstek i pociągnął z całej siły.

W warunkach normalnego ciążenia chłopiec uderzyłby o oparcie zarabiając siniaka na piersi. W zero-grawitacji przeleciał nad fotelem i pomknął w stronę sufitu. Tego Ender nie przewidział. Nie zdawał sobie sprawy, jak brak ciążenia wzmacnia nawet dziecięce siły. Tamten poszybował w powietrzu, odbił się od stropu, potem w dół, od czyjegoś fotela i popłynął przejściem wymachując rękami, aż z krzykiem uderzył w ścianę kabiny i znieruchomiał z nienaturalnie wywiniętym lewym ramieniem.

Trwało to ledwie kilka sekund. Znalazł się Graff, chwycił chłopca w powietrzu i zwinnie pchnął go w stronę drugiego mężczyzny z załogi.

– Lewa ręka. Chyba złamana – powiedział.

Po chwili ranny dostał zastrzyk i zawisł nieruchomo nad fotelami. Oficer wypełnił powietrzem szynę usztywniającą.

Ender czuł mdłości. Chciał tylko złapać tamtego za ramię. Nie. To nieprawda, chciał mu zrobić krzywdę, pociągnął go z całej siły. Nie sądził, że stanie się to, czego pragnął, lecz tamten odczuwał dokładnie taki ból, jaki Ender chciał mu sprawić. Zdradziła go zerowa grawitacja, to wszystko. Jestem jak Peter. Dokładnie taki sam. I Ender poczuł do siebie nienawiść.

Graff pozostał w kabinie.

– Co z wami, tępaki? Czy wasze malutkie móżdżki nie pojęły jednego drobnego faktu? Sprowadzono was tutaj, żeby z was zrobić żołnierzy. W dawnych szkołach, w rodzinach, byliście może wspaniali i twardzi, może sprytni. Ale my wybraliśmy najlepszych z najlepszych i nie spotkacie tu innych. A kiedy wam mówię, że Ender Wiggin jest najlepszy w tej grupie, to weźcie to pod uwagę, matoły. Nie zaczepiajcie go. Mali chłopcy ginęli już w Szkole Bojowej. Czy wyrażam się jasno?

Zapadła cisza. Chłopiec siedzący obok Endera skrupulatnie starał się go nie dotykać.

Nie jestem zabójcą, powtarzał sobie Ender. Nie jestem Peterem. Cokolwiek on powie, ja jestem inny. Tylko się broniłem. Wytrzymałem bardzo długo. Byłem cierpliwy. Nie jestem taki, jak on opowiada.

Odezwał się głośnik informując, że zbliżają się do szkoły. Dwadzieścia minut zajmie deceleracja i dokowanie. Ender wstał jako ostatni. Tamci chętnie pozwolili mu wyjść na końcu, wspiąć się w górę w kierunku, który przy wsiadaniu był dołem. Graff czekał na końcu wąskiej rury, prowadzącej z promu do serca Szkoły Bojowej.

– Jak minął lot? – zapytał uprzejmie.

– Myślałem, że jest pan moim przyjacielem – Ender nie zdołał stłumić drżenia głosu.

Graff wyglądał na zdziwionego.

– Skąd ci to przyszło do głowy?

– Bo pan... bo pan był dla mnie miły i rozmawiał uczciwie... nie kłamał.

– Teraz też nie będę kłamał – odparł Graff. – Moja praca nie polega na tym, żeby być przyjacielem. Polega na tym, by wyszkolić najlepszych żołnierzy świata. W całej historii świata. Potrzebujemy Napoleona. Aleksandra. Tylko, że Napoleon w końcu przegrał, a Aleksander wypalił się i umarł młodo. Potrzebujemy Juliusza Cezara, tyle że on stał się dyktatorem i zginął z tego powodu. Moja praca polega na wyszkoleniu takiego człowieka oraz kobiet i mężczyzn, których będzie potrzebował do pomocy. Nigdzie nie jest powiedziane, że mam się przyjaźnić z dziećmi.

– Przez pana będą mnie nienawidzić.

– Więc? Co na to poradzisz? Wczołgasz się w ciemny kącik? Zaczniesz całować ich po tyłkach, żeby cię znowu polubili? Jest tylko jeden sposób, żeby przestali cię nienawidzić. Musisz być tak dobry, że nie będą w stanie cię ignorować. Powiedziałem, że jesteś najlepszy. I lepiej dla ciebie, jeśli to się okaże prawdą.

– A jak nie dam rady?

– To niedobrze. Posłuchaj, Ender, przykro mi, jeśli czujesz się samotny i przerażony. Ale tam, w przestrzeni, są robale. Dziesięć miliardów, sto miliardów, milion miliardów robali, o ile potrafimy to ocenić. I tyle samo ich statków, też o ile możemy to ocenić. Z bronią, której zasad nie rozumiemy. I pełnych chęci, by użyć tej broni i zniszczyć nas. Tu nie chodzi o świat, Ender. To tylko my. Ludzkość. Jeśli wziąć pod uwagę resztę Ziemi, to możemy zniknąć, a planeta się dostosuje, ewolucja postąpi o kolejny krok. Ale ludzkość nie chce zginąć. Jako gatunek ewoluowaliśmy, by przeżyć. Robimy to tak, że wysilamy się, wysilamy, i w końcu, raz na kilka pokoleń, rodzi się geniusz. Taki, który wymyśla koło. I światło. I lot. Który buduje miasto, tworzy naród, imperium. Rozumiesz, co mówię?

Enderowi zdawało się, że tak, ale nie był pewien, więc milczał.

– Nie. Oczywiście, że nie. Powiem więc wprost. Istoty ludzkie są wolne z wyjątkiem przypadków, kiedy potrzebuje ich ludzkość. Być może potrzebuje ciebie. Żebyś coś zrobił. Sądzę, że potrzebuje mnie. Żebym sprawdził, do czego się nadajesz. Obaj możemy dokonać rzeczy godnych potępienia, Ender, ale jeśli ludzkość przetrwa, to byliśmy dobrymi narzędziami.

– I tylko tyle? Narzędziami?

– Pojedyncze ludzkie istoty zawsze są tylko narzędziami, których używają inni, byśmy wszyscy mogli przeżyć.

– To kłamstwo.

– Nie. Tylko połowa prawdy. O drugą połowę możesz się martwić, kiedy wygramy tę wojnę.

– Skończy się, zanim dorosnę – stwierdził Ender.

– Mam nadzieję, że się mylisz – odparł Graff. – Nawiasem mówiąc, nie pomagasz sobie rozmawiając ze mną. Inni chłopcy na pewno już sobie opowiadają, jak to stary Ender Wiggin został z tyłu, żeby się podlizywać Graffowi. Jeśli rozejdzie się plotka, że jesteś pupilkiem szefa, będziesz załatwiony na dobre. Lepiej idź sobie i zostaw mnie samego.

– Do widzenia – rzucił Ender i przeciągnął się na rękach przez rurę, w której zniknęli pozostali.

Graff przyglądał mu się przez chwilę.

Jeden ze stojących w pobliżu nauczycieli zapytał:

– Czy to ten?

– Bóg jeden wie – odparł Graff. – Ale jeśli to nie Ender, to lepiej będzie, jeśli szybko znajdziemy tego właściwego.

– Może nie istnieje – mruknął nauczyciel.

– Może. Wtedy jednak, Anderson, okaże się, że Bóg jest robalem. Możesz się na mnie powołać w tej sprawie.

– Zrobię to.

Przez chwilę stali w milczeniu.

– Anderson.

– Mmm?

– Ten dzieciak się myli. Jestem jego przyjacielem.

– Wiem.

– On jest czysty. Dobry, aż do samego serca.

– Czytałem raporty.

– Anderson, pomyśl tylko, co mamy z nim zrobić.

Anderson nie chciał się poddać.

– Mamy z niego zrobić najlepszego dowódcę wojskowego w historii.

– I złożyć na jego barkach los świata. Dla jego własnego dobra, mam nadzieję, że to nie on. Naprawdę.

– Nie można tracić ducha. Robale mogą nas załatwić, zanim on skończy szkolenie.

– Masz rację – uśmiechnął się Graff. – Pocieszyłeś mnie.

Rozdział 5
Gry

– Podziwiam cię. Złamanie ręki – to było mistrzowskie pociągnięcie.

– To był wypadek.

– Naprawdę? A ja już cię pochwaliłem w raporcie.

– Za ostre. Ten drugi bachor może zostać bohaterem. To zdarzenie może rozpieprzyć szkolenie całej masie dzieciaków. Miałem nadzieję, że zawoła o pomoc.

– Zawoła o pomoc? Zdawało mi się, że to właśnie cenisz w nim najbardziej: że sam rozwiązuje swoje problemy. Kiedy już będzie w przestrzeni, otoczony flotami przeciwnika, nikt mu nie pomoże, kiedy zawoła.

– Kto mógł przypuszczać, że ten drań zejdzie z fotela? I że tak pechowo walnie o przepierzenie?

– Masz kolejny przykład głupoty wojskowych. Gdybyś miał trochę rozumu, zrobiłbyś prawdziwą karierę, na przykład sprzedając polisy ubezpieczeniowe.

– Ty też, geniuszu.

– Musimy pogodzić się z faktem, że jesteśmy

101

ludźmi drugiego rzutu. I los ludzkości spoczywa w naszych rękach. To daje cudowne poczucie siły, nieprawdaż? Zwłaszcza że jeśli tym razem przegramy, nikt nas nie będzie krytykował.

– Nie myślałem w ten sposób. Może nie przegrywajmy.

– Zobaczymy, jak Ender sobie z tym poradzi. Jeżeli już go straciliśmy, jeżeli nie da rady, to kto będzie następny?

– Przygotuję listę.

– Tymczasem pomyśl, jak go odzyskać.

– Mówiłem ci. Jego izolacji nie można przerwać. Nie może uwierzyć, że ktokolwiek mu kiedykolwiek pomoże. Nigdy. Gdyby choć raz pomyślał, że istnieje proste wyjście z sytuacji, byłby skończony.

– Masz rację. To by było potworne. Gdyby uwierzył, że ma przyjaciela.

– Może mieć przyjaciół. Nie wolno mu mieć rodziców.

Kiedy zjawił się Ender, pozostali chłopcy zdążyli już wybrać sobie posłania. Zatrzymał się w drzwiach sypialni szukając ostatniego pustego łóżka. Sufit był niski – mógłby dosięgnąć go ręką. Pokój dziecinny, dolne materace leżały po prostu na podłodze. Chłopcy przyglądali mu się z ukosa. Oczywiście, wolne pozostało tylko posłanie na dole, po prawej stronie, zaraz za drzwiami. Przez chwilę Ender pomyślał, że zajmując najgorsze miejsce daje zgodę na to, by później się nad nim znęcali. Ale nie mógł przecież nikogo wyrzucić.

Uśmiechnął się więc szeroko.

– Dzięki – zawołał. Wcale nie ironicznie. Zupełnie szczerze, jak gdyby zarezerwowali mu najlepsze posłanie. – Już myślałem, że będę musiał prosić o dolne łóżko przy drzwiach.

Usiadł i obejrzał szafkę, która stała otwarta w nogach posłania. Do wewnętrznej powierzchni drzwi przylepiono jakąś kartkę.

POŁÓŻ DŁOŃ NA SKANERZE W GÓRZE
POSŁANIA I DWUKROTNIE POWTÓRZ
SWOJE IMIĘ I NAZWISKO.

Ender odszukał skaner, płytę półprzezroczystego plastyku, przyłożył do niej lewą dłoń i powiedział:

– Ender Wiggin. Ender Wiggin.

Skaner rozbłysnął zielenią. Ender zamknął szafkę i spróbował ją otworzyć. Nie potrafił. Położył dłoń na płycie skanera i powtórzył: – Ender Wiggin. Drzwiczki odskoczyły. Otworzyły się także trzy pozostałe półki.

Na jednej leżały cztery kombinezony, takie same jak ten, który miał na sobie, i jeden biały. Na drugiej był mały komputer, taki jak w szkole. Widocznie nauka jeszcze się nie skończyła.

Na największej półce znalazł nagrodę. Na pierwszy rzut oka wyglądała jak skafander próżniowy, kompletny, z hełmem i rękawicami. Tyle że to nie był skafander. Brakowało uszczelek. Mimo to okrywał całe ciało. Miał grube podkładki. I był trochę sztywny.

Razem z nim leżał miotacz. Wyglądał jak laser, bo na końcu miał grube, przezroczyste szkło. Ale na pewno nie pozwoliliby dzieciom używać groźnej broni...

– To nie jest laser – odezwał się mężczyzna.

103

Ender podniósł głowę. Był młody i sympatyczny. – Ale daje dość wąski promień. Dobrze zogniskowany. Można wycelować i uzyskać trzycalowy krążek światła na ścianie odległej o sto metrów.

– Do czego służy? – spytał Ender.

– To taka zabawa, w którą gramy w wolnym czasie. Czy ktoś jeszcze otworzył szafkę? – mężczyzna rozejrzał się. – To znaczy, czy wykonaliście instrukcje i zakodowaliście swoje dłonie i głosy? Bez tego nie dostaniecie się do szafek. Ten pokój jest waszym domem mniej więcej przez pierwszy rok w Szkole Bojowej, więc wybierzcie sobie posłanie, które wam odpowiada i trzymajcie się go. Zwykle pozwalamy wam wybrać dowódcę i lokujemy go na dolnym łóżku przy drzwiach, ale to miejsce zostało najwyraźniej zajęte. Teraz nie można już zmienić kodów. Zastanówcie się zatem, kogo chcielibyście wybrać. Obiad za siedem minut. Idźcie za świetlnymi punktami w podłodze. Wasz kod barwny to czerwony żółty żółty. Kiedykolwiek będziecie musieli gdzieś dojść, trasa będzie oznaczona tymi kolorami: czerwony żółty żółty, trzy światełka obok siebie. Idźcie, gdzie wam wskażą. Jaki jest wasz kod, chłopcy?

– Czerwony żółty żółty.

– Bardzo dobrze. Nazywam się Dap. Przez najbliższe parę miesięcy będę waszą mamą.

Chłopcy wybuchnęli śmiechem.

– Śmiejcie się, jeśli wam wesoło, ale pamiętajcie. Jeśli któryś zgubi się w Szkole, co jest zupełnie możliwe, niech nie otwiera drzwi. Niektóre prowadzą na zewnątrz – znów śmiech. – Powiedzcie komukolwiek, że wasza mama to Dap i wezwą mnie. Albo powiedzcie, jakie są wasze kolory, a wyświetlą wam trasę do domu. Jeśli macie problemy, przyjdźcie do mnie. Pamiętajcie, jestem jedyną osobą, której płacą za to, żeby była dla was miła. Ale bez przesady. Niech który wystawi buźkę, a połamię mu kości. Jasne?

Znów wybuchnęli śmiechem. Dap miał pełen pokój przyjaciół. Łatwo jest sobie zdobyć przerażone dzieci.

– Czy ktoś mi powie, gdzie jest dół?

Powiedzieli.

– Zgadza się. Ale to jest kierunek na zewnątrz. Stacja wiruje i dlatego wydaje się, że tam jest dół. Naprawdę podłoga zakrzywia się w tamtą stronę. Gdybyście szli dostatecznie długo, wrócicie do punktu startowego. Lepiej nie próbujcie. Ponieważ tam są kwatery nauczycieli, a dalej pokoje starszych dzieciaków. A starsze dzieciaki nie lubią, gdy Starterzy wpychają swoje nosy do ich spraw. Możecie oberwać. Właściwie na pewno oberwiecie. Nie przychodźcie wtedy do mnie z płaczem. Jasne? To Szkoła Bojowa, nie żłobek.

– Więc co powinniśmy wtedy robić? – spytał jeden z chłopców, mały czarny dzieciak, zajmujący górne łóżko niedaleko Endera.

– Jeśli nie lubicie obrywać, sami wymyślcie, jak tego uniknąć. Ale ostrzegam – zabójstwa są wykroczeniem przeciw regulaminowi. Tak samo jak umyślne zranienie. Jak rozumiem, po drodze trafiła się próba zabójstwa. Złamana ręka. Gdyby coś takiego miało się powtórzyć, kogoś wymrożą. Zrozumiano?

– Co to znaczy: wymrożą? – spytał chłopiec z ręką w napompowanych łupkach.

– Na mróz. Wystawią na zimno. Odeślą na Ziemię. Koniec ze Szkołą Bojową.

Nikt nie patrzył na Endera.

– Zatem, chłopcy, jeśli chcecie sprawiać kłopoty, przynajmniej róbcie to z głową. Jasne?

Dap wyszedł. Nadal nikt nie patrzył na Endera.

Ender poczuł narastający gdzieś w brzuchu strach. Ten chłopak, któremu złamał rękę – nie czuł żalu, że złamał mu rękę – on był jak Stilson. I tak samo zaczynał już zbierać swój gang – małą grupkę dzieci, raczej z tych większych. Stali w kącie pokoju, śmiali się i od czasu do czasu któryś odwracał głowę, by spojrzeć na Endera.

Ender z całego serca pragnął wrócić do domu. Co to wszystko ma wspólnego z ratowaniem świata? Nie miał już czujnika. Znów był sam przeciw gangowi, tyle że teraz oni mieszkali w tym samym pokoju. Znowu Peter, tylko bez Valentine.

Lęk pozostał. Przy obiedzie w mesie nikt nie usiadł obok niego. Inni rozmawiali: o wielkiej tablicy wyników na ścianie, o jedzeniu, o dużych chłopcach. Ender mógł tylko patrzeć.

Tablica wyników wyświetlała pozycje zespołów, zapisy zwycięstw i porażek, łącznie z najświeższymi rezultatami. Niektórzy duzi chłopcy najwyraźniej zakładali się o wyniki ostatnich starć. U dwóch grup, Mantykory i Żmii, nie było rezultatu – kartka błyskała tylko. Ender uznał, że pewnie grają właśnie teraz.

Zauważył, że więksi chłopcy podzieleni są na zespoły, różniące się mundurami. Noszący inne mundury rozmawiali ze sobą, ale w zasadzie grupy trzymały się osobno. Starterzy – jego własna grupa i dwie, może trzy trochę starsze – nosili gładkie, niebieskie kombinezony. Starsi ubrani byli w kostiumy bardziej ozdobne. Ender próbował zgadywać, jak nazywają się poszczególne grupy. Skorpion i Pająk były łatwe. Tak samo Płomień i Fala.

Jakiś starszy chłopak podszedł i usiadł obok niego. Sporo starszy – miał dwanaście, może trzynaście lat. Zaczynał już wyglądać jak mężczyzna.

– Cześć – rzucił.

– Cześć – odpowiedział Ender.

– Jestem Mick.

– Ender.

– To imię?

– Odkąd byłem całkiem mały. Siostra tak na mnie mówiła.

– Niezłe imię. Ender. Kończący. Jak leci?

– Można wytrzymać.

– Ender, jesteś robalem swojej grupy?

Ender wzruszył ramionami.

– Zauważyłem, że jesz sam. Każda grupa ma kogoś takiego. Dzieciaka, którego nikt nie lubi. Czasem myślę, że nauczyciele robią to celowo. Oni nie są zbyt mili. Sam do tego dojdziesz.

– Jasne.

– Więc jesteś robalem?

– Chyba tak.

– Spokojnie. Nie ma co się rozczulać – oddał Enderowi ciastko i zabrał budyń. – Jedz to, co odżywcze. Będziesz silniejszy – wziął się do budyniu.

– A co z tobą?

– Ja? Jestem nikim. Jestem pierdnięciem w klimatyzacji. Zawsze tutaj, ale zwykle nikt mnie nie zauważa.

107

Ender uśmiechnął się niepewnie.

– Tak, to śmieszne, ale to wcale nie dowcip. Niczego nie osiągnę. Rosnę i pewnie niedługo odeślą mnie do innej szkoły. Nie ma siły, żeby do Szkoły Taktyki. Widzisz, nigdy nie byłem dowódcą. Tylko ci, co zostali dowódcami mają szansę.

– Jak można zostać dowódcą?

– Gdybym wiedział, czy byłbym taki, jaki jestem? Ilu chłopaków w moim wieku tu widzisz?

Niewielu. Ender nie powiedział tego głośno.

– Paru. Jestem tylko prawie wymrożonym mięsem robali. Kilku z nas. Inni zostali dowódcami. Wszyscy z mojej grupy mają już swoje zespoły. Ja nie.

Ender pokiwał głową.

– Posłuchaj, mały. Robię ci przysługę. Szukaj kumpli. Liż im tyłki, jeśli będzie trzeba, ale jeśli zaczną tobą pogardzać... wiesz, o co mi chodzi?

Ender znowu kiwnął głową.

– Nie, wcale nie wiesz. Wy, Starterzy, jesteście wszyscy tacy sami. Nic nie wiecie. Mózgi jak kosmos. Pustka absolutna. I kiedy coś was trafia, rozpadacie się na kawałki. Słuchaj, kiedy skończycz tak samo jak ja, pamiętaj, że cię ostrzegałem. To ostatnia rzecz, którą ktokolwiek zrobi tu dla ciebie.

– Więc czemu mi to mówisz? – spytał Ender.

– A czym ty jesteś, szczekaczko? Zamknij się i jedz.

Ender zamknął się i zaczął jeść. Nie lubił Micka. I wiedział, że na pewno nie skończy jak on. Może tego właśnie chcieli nauczyciele, ale Ender nie miał zamiaru podporządkować się ich planom.

108

Nie będę robalem swojej grupy, myślał. Nie po to zostawiłem Valentine, mamę i tatę, żeby tu przylecieć i dać się wymrozić.

Kiedy podnosił do ust widelec, czuł wokół siebie rodzinę, tak jak zawsze. Po prostu wiedział, w którą stronę odwrócić głowę, żeby zobaczyć mamę, próbującą oduczyć Valentine siorbania. Wiedział, gdzie jest tato, przeglądający wiadomości na stołowym ekranie i udający, że bierze udział w rozmowie. Peter, który na niby wyjmował z nosa zielony groszek... nawet Peter mógł być zabawny.

Myślenie o nich okazało się błędem. Poczuł, jak gdzieś w krtani narasta szloch. Powstrzymał go z wysiłkiem; nie widział talerza.

Nie może się rozpłakać. Nie miał tu szansy na współczucie. Dap nie był mamą. Jakakolwiek oznaka słabości odkryje Stilsonom i Peterom, że można go złamać. Ender zrobił to, co zawsze, gdy Peter zaczynał się nad nim znęcać. Zaczął liczyć potęgi dwójki. Jeden, dwa, cztery, osiem, szesnaście, trzydzieści dwa, sześćdziesiąt cztery. I dalej, póki potrafił ogarnąć te liczby: 128, 256, 512, 1024, 2048, 4096, 8192, 16384, 32768, 65536, 131072, 262144. Przy 67108864 stracił pewność – czy nie zgubił jednej cyfry? Powinien być już w dziesiątkach milionów, setkach milionów czy zwyczajnie w milionach? Próbował podwajać od początku i znów się zgubił. 1342 coś. 16? Czy 17738? Nie pamiętał. Zaczął znowu. Tyle podwojeń, ile zmieści umysł. Ból minął. Łzy zniknęły. Nie będzie płakał.

Wytrzymał do nocy, kiedy przygasły światła i z daleka słyszał kilku chłopców łkających za mamą, tatą albo psem. Nie umiał się powstrzymać.

Jego wargi ułożyły się w imię Valentine. Słyszał jej śmiech, tuż obok, na korytarzu. Widział mamę przechodzącą obok drzwi i zaglądającą do środka, by się upewnić, że wszystko jest w porządku. Tata śmiał się oglądając wideo. Wszystko było takie wyraźne i już nigdy nie powróci. Będę stary, kiedy ich znowu zobaczę, co najmniej dwunastoletni. Dlaczego się zgodziłem? Po co zrobiłem z siebie głupka? Powrót do szkoły to w końcu drobiazg. Codzienne spotkania ze Stilsonem.

I Peter. Peter to siusiak. Ender wcale się go nie bał.

Chcę wrócić do domu, szepnął.

Lecz jego szept był szeptem, jakiego używał, gdy jęczał z bólu, a Peter się nad nim znęcał. Dźwięk docierał ledwie do jego własnych uszu, a czasem nawet nie tak daleko.

Niechciane łzy mogły spłynąć na poduszkę, lecz szloch był tak delikatny, że łóżko nawet nie drgnęło; tak cichy, że nikt nie mógł go usłyszeć. Ból jednak był wyraźny, tkwił w gardle i twarzy, parzył w pierś i oczy. Chcę do domu.

Dap zjawił się tej nocy i przeszedł cicho między posłaniami, tu i tam dotykając kogoś dłonią. Tam, gdzie szedł, słychać było więcej płaczu. Odrobina czułości w tym przerażającym miejscu wystarczała, by wywołać łzy. Ale nie u Endera. Kiedy nadszedł Dap, jego płacz był już przeszłością i twarz miał suchą – oszukańcza twarz, którą pokazywał mamie i tacie, gdy Peter był wobec niego okrutny, a Ender bał się to okazać. Dzięki ci za to, Peter. Za suche oczy i bezgłośny szloch. Nauczyłeś mnie, jak ukrywać to, co czuję. Teraz potrzebuję tego bardziej niż kiedykolwiek.

• • •

Rutyna szkolna. Codziennie długie godziny lekcji. Wykłady. Liczby. Historia. Widea zażartych bitew w przestrzeni, Marines zalewających własną krwią korytarze statków robali. Holo czystych potyczek flot, kłębków świetlistego kurzu, gdy statki skutecznie niszczyły się nawzajem wśród nocy. Tyle do nauczenia. Ender pracował tak ciężko jak pozostali. Wszyscy walczyli po raz pierwszy w życiu i po raz pierwszy w życiu współzawodniczyli z dziećmi tak samo inteligentnymi jak oni sami.

Gra – po to tylko żyli. To wypełniało im czas między przebudzeniem a zaśnięciem.

Dap pokazał im pokój gier już drugiego dnia. Znajdował się na górze, wysoko nad pokładem, na którym mieszkali i pracowali. Wspinali się po drabinach aż malała grawitacja i tam, w jaskini, widzieli oślepiające światła ekranów.

Niektóre z nich znali. W niektóre nawet grywali w domach. Łatwe i trudne. Ender minął dwuwymiarowe gry wideo i zaczął studiować te, które zajmowały większych chłopców, holograficzne gry z obiektami zawieszonymi w powietrzu. Był jedynym Starterem w tej części sali i od czasu do czasu któryś ze starszych odpychał go. Co ty tu robisz? Spływaj. Odlatuj. I oczywiście Ender odlatywał; przy niskim ciążeniu odrywał się od podłogi i szybował, dopóki nie zderzył się z czymś lub kimś.

Za każdym razem jednak jakoś się wyplątywał i wracał, zwykle w inne miejsce, by obejrzeć grę pod innym kątem. Był za mały, żeby widzieć przyrządy, obejrzeć, jak się gra. To nie miało znaczenia. To, co chciał zobaczyć, było w powietrzu. Sposób drążenia tuneli w ciemności, korytarzy światła, których szukały wrogie statki i podążały za nimi bezlitośnie, aż schwytały pojazd gracza. Tam mógł zastawiać pułapki: miny, dryfujące bomby, pętle w przestrzeni, zmuszające przeciwnika do krążenia bez końca. Niektórzy gracze byli sprytni. Inni szybko przegrywali.

Ender wolał jednak, gdy dwóch chłopców grało przeciwko sobie. Musieli wtedy wykorzystywać swoje tunele i szybko stawało się jasne, który był coś wart w strategii.

Po godzinie gra zaczynała być nudna. Ender rozumiał już jej reguły. Znał zasady, których przestrzegał komputer, więc wiedział, że gdy tylko opanuje przyrządy, zawsze zdoła przechytrzyć przeciwnika. Wejść w spiralę, gdy wróg jest w takiej pozycji; w pętlę, gdy w takiej. Czekaj w zasadzce. Załóż siedem pułapek i wciągnij go w ten sposób. Gra nie niosła już wyzwania, pozostawała jedynie kwestia rozgrywki tak długo, aż maszyna zaczynała przemieszczać swe siły w takim tempie, że ludzki refleks nie mógł jej sprostać. Żadnej zabawy. Chciałby zagrać z innymi chłopcami. Byli tak wyćwiczeni w grach z komputerem, że nawet kiedy grali między sobą usiłowali go naśladować. Myśleli jak maszyny, nie jak ludzie.

Mogę ich pokonać. Mogę z nimi wygrać.

– Chciałbym z tobą zagrać – zaproponował temu, który właśnie zwyciężył.

– Rany, co to jest? – spytał chłopak. – Jakiś chrabąszcz czy robal?

– Przyleciało nowe stado krasnoludków – wyjaśnił inny.

– Ale to mówi. Wiedziałeś, że umieją mówić?

– Rozumiem – stwierdził Ender. – Boisz się grać ze mną do dwóch wygranych.

– Pobić cię będzie równie łatwo jak wysikać się pod prysznicem – oświadczył chłopak.

– Ale nie tak przyjemnie – dodał inny.

– Jestem Ender Wiggin.

– Posłuchaj uważnie, gamoniu. Jesteś nikim. Jasne? Nikim. I zostaniesz nikim aż do pierwszego trafienia. Jasne?

Slang starszych chłopców miał własny rytm i Ender szybko go pojął.

– Jeśli jestem nikim, to niby czemu boisz się zagrać do dwóch wygranych?

Grupka wyraźnie traciła cierpliwość.

– Wykończ tę ofermę i chodźmy.

Ender zajął miejsce przy obcych sobie przyrządach. Jego dłonie były trochę małe, ale przyciski okazały się niezbyt skomplikowane. Po kilku próbach wiedział już, które uruchamiają odpowiednie typy uzbrojenia. Poruszeniami kierował zwykły manipulator kulowy. Początkowo reagował wolno i jego przeciwnik – wciąż nie wiedział, jak ma na imię – uzyskał przewagę. Szybko się jednak uczył i pod koniec radził sobie całkiem nieźle.

– Zadowolony jesteś, Starterze?

– Do dwóch wygranych.

– Nie gramy do dwóch zwycięstw.

– Pokonałeś mnie, kiedy pierwszy raz dotknąłem przyrządów – oświadczył Ender. – Jeżeli nie umiesz tego powtórzyć, to nie jesteś lepszy ode mnie.

Zagrali znowu i tym razem Ender okazał się dość zręczny, by przeprowadzić kilka manewrów, jakich tamten najwyraźniej nigdy jeszcze nie widział. Standardowe reakcje nie wystarczyły. Ender nie wygrał łatwo, ale wygrał.

Starsi chłopcy przestali się wtedy śmiać i żartować. Trzecia gra przebiegała w absolutnej ciszy. Ender wygrał ją szybko i efektownie.

– Chyba czas, żeby zmienili maszynę – stwierdził jeden z chłopców. – Każdy głąb zaczyna na niej wygrywać.

Żadnych gratulacji. Zupełna cisza odprowadzała Endera.

Nie odszedł daleko. Zatrzymał się w pobliżu i patrzył, jak kolejni gracze próbują stosować taktykę, którą im pokazał. Każdy głąb? Ender uśmiechnął się do siebie. Będą mnie pamiętać.

Czuł się lepiej. Zwyciężył i to ze starszymi. Może nie z najlepszymi, ale przestał się bać, że wrzucono go na zbyt głęboką wodę, że nie da sobie rady w Szkole Bojowej. Musi tylko obserwować rozgrywkę i rozumieć, jak się wszystko odbywa. Potem może wykorzystać system i nawet go przewyższyć.

Właśnie wyczekiwanie i obserwacja kosztowały najwięcej. Wtedy musiał się starać, by wytrzymać. Chłopiec, któremu złamał rękę, chciał się zemścić. Ender szybko się dowiedział, że ma na imię Bernard. Wymawiał to imię z francuskim akcentem, ponieważ Francuzi ze swym aroganckim Separatyzmem upierali się, by naukę Standardu zaczynać w wieku czterech lat, kiedy wzorce języka ojczystego są już utrwalone. Akcent sprawiał, że Bernard wydawał się kimś niezwykłym i interesującym; złamana ręka czyniła z niego męczennika, a wrodzony sadyzm – naturalnym przywódcą dla tych wszystkich, którzy lubili zadawać ból innym.

Ender stał się ich wrogiem.

Drobiazgi. Kopali jego łóżko za każdym razem, gdy wchodzili lub wychodzili. Popychali go, kiedy niósł tacę z jedzeniem. Podkładali nogę na schodach. Ender szybko się nauczył, by wszystko chować w szafce, przechodzić szybko, utrzymywać równowagę. Maladroit nazwał go kiedyś Bernard i to przezwisko przylgnęło do niego na stałe.

Czasami Ender czuł wściekłość. Nie na Bernarda, oczywiście – on taki już był, że lubił się znęcać. Endera gniewało to, że wielu innych tak chętnie mu się podporządkowało. Musieli przecież wiedzieć, że zemsta Bernarda nie była sprawiedliwa. Że to on pierwszy uderzył na promie, a Ender odpowiedział tylko siłą na siłę. Jeżeli wiedzieli, to nie okazywali tego swym zachowaniem; jeśli nie wiedzieli, powinni sami zrozumieć, że Bernard to żmija.

W końcu Ender nie był jego jedynym celem. Bernard budował swoje królestwo.

Ender stał poza grupą i obserwował, jak Bernard ustanawia hierarchię. Niektórzy chłopcy byli mu potrzebni i tym podlizywał się bezwstydnie. Inni chętnie zostawali pomocnikami i robili wszystko, co im kazał, choć traktował ich z pogardą.

Niektórych jednak irytowała władza Bernarda.

Ender przyglądał się uważnie i wiedział, kto nie cierpi uzurpatora. Shen był mały, ambitny i łatwo było go rozdrażnić. Bernard odkrył to szybko i nazwał Shena Glistą.

– Dlatego, że jest taki mały – wyjaśnił. – I jeszcze się buja. Patrzcie, jak kołysze tyłkiem przy chodzeniu.

Shen wściekał się, ale oni śmiali się tylko głośniej.

– Spójrzcie na jego tyłek. Jak leci, Glisto?

Ender nie rozmawiał z Shenem – stałoby się jasne, że zbiera konkurencyjną grupę. Siedział po prostu z komputerem na kolanach i starał się wyglądać, jakby studiował.

Ale nie uczył się. Instruował komputer, żeby co trzydzieści sekund przesyłał wiadomość w system przerywania. Wiadomość, krótka i treściwa, przeznaczona była dla wszystkich. Trudność polegała tylko na tym, by ukryć, od kogo pochodziła, tak jak robili to nauczyciele. Informacje od chłopców kończyły się zawsze automatycznie włączanym imieniem nadawcy. Enderowi nie udało się jeszcze złamać systemu zabezpieczenia, więc nie mógł udawać, że jest nauczycielem. Zdołał za to założyć zbiór nie istniejącego ucznia, którego dla zabawy nazwał Bogiem.

Dopiero kiedy wiadomość była gotowa, spróbował pochwycić spojrzenie Shena. Tamten, razem z pozostałymi, przyglądał się, jak Bernard i jego poplecznicy nabijają się z nauczyciela matematyki, który często przerywał w pół zdania i rozglądał się, jak gdyby wysiadł z autobusu na niewłaściwym przystanku i nie bardzo wiedział, gdzie jest.

W końcu jednak Shen spojrzał w jego stronę. Ender skinął mu głową, wskazał komputer i uśmiechnął się. Shen nie zrozumiał. Ender uniósł komputer i raz jeszcze wskazał ekran. Shen sięgnął po własny komputer. Wtedy Ender wysłał wiadomość. Shen odebrał ją niemal natychmiast, przeczytał i wybuchnął śmiechem. Spojrzał na Endera jakby chciał zapytać: Czy to ty? Ender wzruszył ramionami, co miało oznaczać: Nie wiem kto, ale ja na pewno nie.

Shen zaśmiał się znowu, a kilku chłopców nie związanych z grupą Bernarda sięgnęło po komputery. Co trzydzieści sekund wiadomość pojawiała się u wszystkich, przepływała wokół ekranów i znikała. Wszyscy się śmiali.

– Z czego się śmiejecie? – spytał Bernard. Ender starał się zachować powagę udając lęk, jaki czuli inni. Naturalnie, Shen uśmiechał się wyzywająco. Trwało to tylko chwilę; potem Bernard polecił jednemu ze swoich podać sobie komputer. Razem odczytali tekst:

```
SCHOWAJ TYŁEK. BERNARD PATRZY.
                              —BÓG
```

Bernard poczerwieniał z wściekłości.
– Kto to zrobił?
– Bóg – odparł Shen.
– Ty na pewno nie. Glisty nie mają dość rozumu.

Tekst Endera przestał się pojawiać po pięciu minutach. Po chwili na jego ekranie pojawiła się wiadomość od Bernarda.

```
WIEM, ŻE TO TY.
                        —BERNARD
```

Ender nie podniósł głowy. Zachowywał się tak, jakby niczego nie zauważył. Bernard chce mnie przyłapać. Nic nie wie.

Naturalnie, nie miało to znaczenia. Tym bardziej zechce go ukarać, by odbudować swój autorytet. Nie mógł pozwolić, by się z niego śmiali. Musiał udowodnić, że on tu jest najważniejszy. Dlatego ktoś przewrócił Endera pod prysznicem, a jeden z chłopców Bernarda udał, że potknął się o niego i wbił mu łokieć w żołądek. Ender zniósł to w milczeniu. Nie był jeszcze gotów do otwartej wojny. Nie reagował.

Lecz w innej wojnie, wojnie komputerów, wyprowadził już kolejny atak. Kiedy wrócił z kąpieli, wściekły Bernard kopał łóżka i krzyczał:

– Zamknijcie się! Nie napisałem tego!

Na wszystkich ekranach bez przerwy płynęły litery:

```
UWIELBIAM TWÓJ TYŁECZEK.
POZWÓL MI GO POCAŁOWAĆ.
                    —BERNARD
```

– Nie wysyłałem tej wiadomości! – wrzeszczał Bernard. Kiedy zamieszanie trwało już dość długo, w drzwiach pojawił się Dap.

– O co chodzi? – spytał.

– Ktoś wysyła teksty i podpisuje je moim imieniem – wyjaśnił ponuro Bernard.

– Jakie teksty?

– Nieważne jakie!

– Dla mnie ważne – Dap wziął komputer chłopca, zajmującego posłanie nad Enderem, spojrzał na ekran i uśmiechnął się.

– Ciekawe – stwierdził.

– Czy nie ma pan zamiaru ustalić, kto to zrobił? – zapytał Bernard.

– Och, wiem, kto to zrobił – odparł Dap.

Tak, pomyślał Ender. System daje się złamać zbyt łatwo. Chcą, żebyśmy go łamali, przynajmniej częściowo. Wiedzą, że to ja.

– Więc kto? – krzyknął Bernard.

– Krzyczysz na mnie, żołnierzu? – spytał bardzo spokojnie Dap.

Nastrój w sali uległ gwałtownej zmianie. Wściekłość Bernarda i jego najbliższych przyjaciół oraz ledwie skrywana radość pozostałych ustąpiła miejsca powadze. Oto miał przemówić ktoś obdarzony autorytetem.

– Nie, sir – powiedział Bernard.

– Wszyscy wiedzą, że system automatycznie włącza do informacji imię nadawcy.

– Ja tego nie pisałem!

– Krzyczysz? – powtórzył Dap.

– Wczoraj ktoś nadał wiadomość podpisaną BÓG – poinformował Bernard.

– Naprawdę? Nie wiedziałem, że jest wpisany do systemu – Dap odwrócił się i wyszedł, a cała sala ryknęła śmiechem.

● ● ●

Próba przejęcia rządów skończyła się klęską Bernarda – tylko niewielu pozostało jeszcze przy nim. Fakt, że byli to ci najgorsi i Ender wiedział, że dopóki nie zakończy obserwacji, nie będzie mu lekko. Mimo to zabawa z komputerem zrobiła swoje. Wpływy Bernarda zostały ograniczone, a wszyscy chłopcy, którzy byli cokolwiek warci, uwolnili się spod nich. Co najważniejsze, Ender dokonał tego nie posyłając przeciwnika do szpitala. Ten sposób był dużo lepszy.

Zajął się na poważnie projektowaniem systemu bezpieczeństwa dla własnego komputera, jako że blokady wbudowane w system okazały się niewystarczające. Jeżeli sześciolatek potrafił je przełamać, wstawiono je tam najwyraźniej jako rodzaj zabawy, a nie poważne zabezpieczenie. Kolejna gra, jaką wymyślili dla nas nauczyciele. A w tej jestem naprawdę dobry.

– Jak to zrobiłeś? – spytał go przy śniadaniu Shen.

Ender zwrócił uwagę, że po raz pierwszy inny Starter z jego klasy usiadł z nim przy posiłku.

– Co zrobiłem? – zapytał.

– Nadałeś wiadomość z fałszywym podpisem. Na dodatek z podpisem Bernarda! To było świetne. Teraz nazywają go Tyłkookiem. Okiem przy nauczycielach, ale i tak wszyscy wiedzą, na co patrzy.

– Biedny Bernard – mruknął Ender. – A jest taki wrażliwy.

– Daj spokój, Ender. Włamałeś się do systemu. Jak?

Ender potrząsnął głową i uśmiechnął się.

– Dzięki, że uważasz mnie za tak zdolnego. Po prostu pierwszy to zauważyłem i tyle.

– Dobra, nie musisz mi mówić – stwierdził Shen. – Ale i tak to było świetne – przez chwilę jedli w milczeniu. – Czy naprawdę kręcę tyłkiem, kiedy chodzę?

– Nie – odparł Ender. – Tylko trochę. Po prostu nie rób takich dużych kroków.

Shen pokiwał głową.

– Tylko Bernard mógł na to zwrócić uwagę.

– Świnia – oświadczył Shen.

120

Ender wzruszył ramionami.

– W zasadzie świnie nie są takie złe.

– Masz rację – zaśmiał się Shen. – Byłem niegrzeczny wobec świń.

Roześmiali się razem, a po chwili dołączyli do nich jeszcze dwaj Starterzy. Izolacja Endera dobiegła końca. Wojna dopiero się zaczynała.

Rozdział 6

Napój Olbrzyma

– *W przeszłości przeżyliśmy wiele rozczarowań, całymi latami forsowaliśmy pewnych kandydatów z nadzieją, że dadzą sobie radę. I nie dali. U Endera miłe jest to, że postanowił chyba dać się wymrozić w ciągu pierwszych sześciu miesięcy.*

– *Czyżby?*

– *Nie widzisz, co się dzieje? Wpakował się w Napój Olbrzyma przy grze myślowej. Czy on ma skłonności samobójcze? Nigdy o tym nie wspominałeś.*

– *Każdy kiedyś łapie się na Olbrzyma.*

– *Ale Ender nie chce go zostawić. Jak Pinual.*

– *Każdy zachowuje się czasem jak Pinual. Ale nikt oprócz niego się nie zabił. Nie sądzę, żeby istniał jakiś związek z Napojem Olbrzyma.*

– *Moje życie od tego zależy. Zresztą, popatrz co zrobił ze swoją grupą startową.*

– *Sam wiesz, że to nie jego wina.*

– *Nie interesuje mnie to. Jego czy nie, zatruwa tę grupę. Oni powinni być sobie coraz bliżsi, a w miejscu, gdzie stoi Ender, zieje otchłań szeroka na milę.*

– *I tak nie mam zamiaru zostawiać go tam dłużej.*

122

– Więc lepiej zmień zamiary. Grupa choruje, a on jest źródłem zarazy. Zostanie, dopóki jej nie wyleczy.

– To ja byłem źródłem zarazy. Ja go wyizolowałem. Zresztą skutecznie.

– Daj mu trochę czasu. Zobaczymy, jak sobie poradzi.

– Nie mamy czasu.

– Nie mamy czasu, by popędzać tego dzieciaka, gdy ma taką samą szansę stać się potworem jak wojskowym geniuszem.

– Czy to rozkaz?

– Zapis jest włączony. Zawsze jest, więc nie narażasz swojej dupy. Idź do diabła.

– Jeśli to rozkaz, to...

– Rozkaz. Trzymaj go gdzie jest, póki się nie przekonamy, jak załatwi sprawy w swojej grupie startowej. Graff, przez ciebie dostanę wrzodów.

– Nie dostałbyś, gdybyś zostawił mi Szkołę i zajął się flotą.

– Flota czeka na dowódcę. Dopóki go nie dostarczysz, nie mam się tam czym zajmować.

Wsuwali się do sali treningowej niezgrabnie, niby dzieci pierwszy raz wprowadzone na basen. Kurczowo trzymali się uchwytów. Zero-grawitacja była czymś przerażającym, powodującym utratę orientacji. Szybko się przekonali, że lepiej w ogóle nie używać nóg.

Co gorsze, skafandry ograniczały swobodę. Trudniej było o precyzyjne ruchy, ponieważ materiał poddawał się odrobinę wolniej, stawiał minimalnie większy opór niż ubrania, jakie nosili do tej pory.

Trzymając uchwyt Ender wolno zgiął kolana. Zauważył, że skafander nie tylko był niewygodny, ale także wzmacniał efekt ruchu. Trudno było zacząć ruch, ale potem nogawki sunęły dalej, ze sporą siłą, gdy mięśnie przestały już pracować. Kiedy pchnie się tak mocno, skafander zareaguje dwukrotnie silniej. Przez pewien czas będę niezgrabny. Lepiej zacząć od razu.

Zatem, nie puszczając uchwytu, odepchnął się mocno stopami.

Natychmiast zatoczył pętlę, nogi przeleciały mu nad głową i uderzył plecami o ścianę. Odbicie zdawało się jeszcze silniejsze, palce nie wytrzymały uchwytu. Wirując poleciał przez salę.

Przez moment starał się zachować dawną orientację góra-dół i szukał ciążenia, którego nie było. Potem zmusił się do zmiany nastawienia. Spadał na ścianę. Tam był dół. Natychmiast odzyskał kontrolę. Nie leciał, tylko spadał. Nurkował. Mógł wybrać sposób uderzenia o powierzchnię.

Spadam zbyt szybko, żebym się utrzymał, ale mogę zmniejszyć siłę uderzenia i odbić pod kątem, jeśli przetoczę się przy upadku i odbiję nogami...

Nie poszło dokładnie według planu. Wprawdzie odbił się, ale pod innym kątem niż przewidywał. Nie miał czasu na myślenie. Trafił w inną ścianę zbyt szybko, by się przygotować. Teraz znowu mknął przez salę w stronę innych chłopców, wciąż kurczowo trzymających uchwyty. Tym razem udało mu się zwolnić na tyle, by pochwycić klamrę. Zatrzymał się pod jakimś wariackim kątem w stosunku do pozostałych, ale znów zmienił orientację i jego zdaniem wszyscy leżeli na podłodze, nie wisieli na ścianie, a on sam nie stał nogami w górę, w każdym razie nie bardziej niż oni.

– Co ty wyprawiasz? Chcesz się zabić? – spytał Shen.

– Sam spróbuj – odparł Ender. – Skafander chroni od urazów, a odbicia możesz kontrolować nogami, o tak – zademonstrował ruchy, które uprzednio wykonywał.

Shen pokręcił głową. Nie miał ochoty na żadne szaleńcze wybryki. Za to inny chłopiec odbił się od ściany. Zaczął od fikołka, więc odleciał nie tak szybko jak Ender, ale jednak szybko. Ender nie musiał nawet patrzeć, by wiedzieć, że to Bernard. A zaraz za nim najlepszy przyjaciel Bernarda, Alai.

Ender przyglądał się, jak płyną przez wielką salę. Bernard z wysiłkiem starał się zorientować ciało zgodnie z kierunkiem, gdzie jego zdaniem była podłoga. Alai poddał się i rozluźnił, gotów do odbicia. Nic dziwnego, że Bernard na promie złamał rękę, pomyślał Ender. Spina się w locie. Wpada w panikę. Zapamiętał tę informację do późniejszego wykorzystania.

I jeszcze jedną. Alai nie odbił się w tę samą stronę co Bernard. Celował w sam róg sali. Ich trasy oddalały się coraz bardziej, i gdy Bernard wylądował i odbił się niezdarnie od ściany, Alai dotknął lekko trzech płaszczyzn w pobliżu kąta, wytracił niemal całą prędkość i odpłynął w nieoczekiwanym kierunku. Krzyczał z radości, tak samo jak obserwujący go chłopcy. Niektórzy zapomnieli o braku ciążenia i puścili klamry, by zaklaskać. Teraz dryfowali wolno we wszystkie strony i wymachiwali rękami, jak przy pływaniu.

To jest problem, stwierdził Ender. Co się stanie, jeśli zaczniesz dryfować? Nie ma się od czego odepchnąć.

Miał wielką ochotę odsunąć się od ściany i rozwiązać to zadanie metodą prób i błędów. Widział jednak pozostałych, widział ich nieskuteczne wysiłki i nie miał pojęcia, co takiego mógłby zrobić, czego oni jeszcze nie zrobili.

Trzymając się jedną ręką podłogi, drugą bawił się nieuważnie miotaczem-zabawką, umocowanym do skafandra tuż pod ramieniem. Potem przypomniał sobie ręczne wyrzutnie rakiet, jakich czasem używali marines przy ataku na wrogie umocnienia. Wyciągnął miotacz i obejrzał dokładnie. Może w sali treningowej zacznie działać. Nie miał żadnej instrukcji, żadnych napisów na przyciskach. Spust był oczywisty – Ender bawił się zabawkowymi karabinami niemal od niemowlęctwa, jak zresztą prawie wszystkie dzieci. Na rękojeści znalazł dwa przyciski, do których łatwo mógł sięgnąć kciukiem, a także kilka innych pod lufą, praktycznie nieosiągalnych, jeśli nie używał obu rąk. Najwyraźniej tamtych dwóch należało używać szybko.

Wymierzył pistolet w podłogę i pociągnął za spust. Broń rozgrzała się natychmiast i od razu ostygła, gdy tylko cofnął palec. W miejscu, gdzie celował, pojawił się mały krążek światła.

Wcisnął czerwony przycisk na górze rękojeści i znów przycisnął spust. Rezultat okazał się identyczny.

Nacisnął biały guzik. Miotacz wyemitował szeroki promień, oświetlając spory obszar, choć nie tak intensywnie jak poprzednio. Pozostał przy tym chłodny.

Czerwony guzik sprawia, że broń działa jak laser – choć to nie laser, tak przynajmniej twierdził Dap. Biały przycisk zmienia ją w lampę. Żadna z tych rzeczy nie będzie szczególnie pomocna w manewrowaniu.

Wszystko więc zależy od startu, od wyjściowego kursu. Co oznacza, że muszą być bardzo dobrzy w kierowaniu skokami i odbiciami, gdyż w przeciwnym razie wszyscy skończą zawieszeni w środku pustki. Ender rozejrzał się. Kilku chłopców zbliżyło się do ścian i wymachiwało rękami, próbując złapać któryś z uchwytów. Większość ze śmiechem zderzała się ze sobą, paru trzymało się za ręce i wirowało dookoła. Bardzo niewielu trzymało się spokojnie klamer, jak Ender, i obserwowało resztę.

Zauważył, że jednym z nich był Alai. Zatrzymał się na ścianie całkiem blisko. Pod wpływem nagłego impulsu Ender odepchnął się od klamry i popłynął ku niemu. Już w powietrzu zaczął się zastanawiać, co powie. Alai był przyjacielem Bernarda. Co Ender miał mu do powiedzenia?

Teraz jednak nie mógł już zmienić kursu. Patrzył więc prosto przed siebie i wypróbowywał ruchy nóg i rąk, pozwalające zachować kontrolę nad ułożeniem ciała. Zbyt późno zdał sobie sprawę z tego, że wycelował za dokładnie. Nie wyląduje obok Alai – trafi prosto w niego.

– Tutaj! Złap mnie za rękę – krzyknął Alai.

Ender wyciągnął dłoń. Alai wyhamował jego pęd i pomógł w miarę łagodnie wylądować na ścianie.

– To było dobre – stwierdził Ender. – Powinniśmy przećwiczyć takie rzeczy.

– Tak właśnie myślałem, ale oni wolą się wygłupiać tam, na środku. A co się stanie, jeśli wszyscy się tam znajdziemy? Powinniśmy odpychać się od siebie w przeciwne strony.

– Zgadza się.

– Spróbujmy, dobrze?

To było przyznanie, że może jednak nie wszystko jest w porządku. Czy to dobrze, jeśli zrobimy coś razem? W odpowiedzi Ender chwycił Alai za nadgarstek i przygotował się do pchnięcia.

– Gotów? – spytał Alai.

– Już!

Odepchnęli się z różną siłą, więc zaczęli krążyć wokół siebie. Ender zrobił kilka gestów rękami, potem przesunął nogę. Zwolnili. Powtórzył operację. Wirowanie ustało. Teraz płynęli równo.

– Ostry łeb, Ender – stwierdził Alai. To była najwyższa pochwała. – Odepchnijmy się, zanim wpadniemy w tę bandę.

– I spotkajmy się w tamtym kącie – Ender nie chciał, by ten most do obozu wroga runął.

– Kto ostatni, zbiera pierdnięcia w butelkę – rzucił Alai.

Powoli i spokojnie ustawili się naprzeciw siebie, z rozłożonymi ramionami i nogami, dłoń w dłoń, kolano w kolano.

– A jak sknocimy? – spytał Alai.

– Ja też nigdy jeszcze tego nie robiłem – odparł Ender.

Pchnęli. Odlecieli od siebie szybciej, niż oczekiwali. Ender wpadł na kilku chłopców i skończył lot na innej ścianie, niż się spodziewał. Chwilę trwało, nim się przeorientował i znalazł kąt, gdzie mieli się spotkać z Alai. Alai już tam leciał. Ender wyliczył kurs, wiążący się z dwoma odbiciami, omijający za to największe grupki chłopców.

Kiedy dotarł do rogu, Alai już czekał. Wsunął ramiona pod dwie sąsiednie klamry i udawał, że drzemie.

– Wygrałeś.

– Chętnie obejrzę twoją kolekcję pierdnięć.

– Trzymam ją w twojej szafce. Nie zauważyłeś?

– Myślałem, że to moje skarpetki.

– Nie nosimy już skarpetek.

– Fakt – przypomnienie, że obaj są daleko od domu osłabiło nieco radość z opanowania sztuki lotu.

Ender wyjął pistolet i pokazał, czego się dowiedział o działaniu dwóch przycisków.

– Co by się stało, gdyby w kogoś wycelować? – spytał Alai.

– Nie wiem.

– Może sprawdzimy?

Ender pokręcił głową.

– Możemy kogoś zranić.

– Myślałem, że strzelimy sobie nawzajem w stopę albo co. Nie jestem Bernardem. Nie torturuję kotów dla przyjemności.

– Och.

– To nie może być niebezpieczne, bo nie daliby tych miotaczy dzieciom.

– Jesteśmy żołnierzami.

– Strzel mi w stopę.

– Nie, ty strzel do mnie.

– Razem strzelimy.

Tak zrobili. Ender poczuł, że nogawka kombinezonu sztywnieje natychmiast, unieruchamiając kostkę i kolano.

– Zamarzłeś?

– Zesztywniałem jak decha.

– To chodź, zamrozimy kogoś – zaproponował Alai. – Rozegramy pierwszą wojnę. My przeciwko nim.

Uśmiechnęli się obaj.

– Lepiej poprośmy też Bernarda – rzekł po chwili Ender.

Alai uniósł brwi.

– Tak?

– I Shena.

– Tego małego, skośnookiego kręcityłka?

Ender uznał, że Alai żartuje.

– Daj spokój. Nie wszyscy możemy być czarnuchami.

Alai wyszczerzył zęby.

– Mój dziadek zabiłby cię za to.

– Mój prapradziadek najpierw by go sprzedał.

– Dobra. Poszukajmy Bernarda i Shena, a potem zamrozimy tych miłośników robali.

W ciągu dwudziestu minut wszyscy w sali byli sztywni oprócz Endera, Alai, Bernarda i Shena. Cała czwórka siedziała przy ścianie krzycząc z radości, dopóki nie przybył Dap.

– Widzę, że nauczyliście się już posługiwać sprzętem – stwierdził. Przycisnął coś na trzymanym w ręku sterowniku. Wszyscy popłynęli wolno w stronę ściany, na której stał. Potem przeszedł między zamrożonymi chłopcami i dotykając ich zmiękczał skafandry. Podniosła się wrzawa skarg, że to nieuczciwe, że Bernard i Alai strzelali do nich, kiedy jeszcze nie byli gotowi.

– A dlaczego nie byliście gotowi? – zdziwił się Dap. – Mieliście na sobie skafandry tak samo długo jak oni. Tyle samo czasu fruwaliście dookoła jak pijane kaczki. Przestańcie jęczeć i zaczynamy.

Ender zauważył, że Bernard i Alai z założenia dowodzili bitwą. Nie przeszkadzało mu to. Bernard wiedział, że to on i Alai razem nauczyli się używać miotaczy. I że byli przyjaciółmi. Mógł wierzyć, że Ender przyłączył się do jego grupy. Ale to nie była prawda. Ender wszedł do nowej grupy: grupy Alai. Bernard także się w niej znalazł.

Nie dla wszystkich było to oczywiste. Bernard nadal się puszył i wysyłał swoich pomocników z poleceniami. Alai jednak poruszał się teraz swobodnie po całej sali, a kiedy Bernard był wściekły, potrafił uspokoić go kilkoma żartami. Kiedy wybierali dowódcę, Alai przeszedł niemal bez sprzeciwów. Bernard chodził ponury przez pewien czas, potem pogodził się z faktami i wszyscy zajęli miejsca w nowym układzie. Skończył się podział na zamkniętą grupkę Bernarda i wyrzutków Endera – Alai stał się pomostem.

● ● ●

Ender siedział na łóżku z komputerem na kolanach. Był czas na zajęcia własne i Ender zajmował się Grą Swobodną – zmienną, wariacką rozgrywką, gdzie szkolny komputer wprowadzał nowe elementy i budował labirynty, które można było poznawać. Istniała możliwość powrotu do zdarzeń, które się polubiło, przynajmniej przez pewien czas – pozostawione zbyt długo znikały, zastępowane czymś innym.

Czasem gra była zabawna. Czasem wciągająca i musiał reagować szybko, by nie stracić życia. Zginął już mnóstwo razy, ale takie już były

131

gry – trzeba było umierać, zanim się złapało, o co chodzi.

Jego postać na ekranie zaczynała akcję jako mały chłopiec. Na chwilę zmieniała się w wielkiego niedźwiedzia. Teraz był myszą o długich, delikatnych rękach. Przebiegał pod wielkimi meblami. Sporo czasu poświęcił na zabawę z kotem, ale teraz zaczynała go nudzić – była za łatwa, za dobrze znał wszystkie meble.

Nie przejdę przez dziurę, powiedział sobie. Mam dość tego Olbrzyma. To głupia gra i nie da się w nią wygrać. Każdy wybór jest błędny.

Mimo to przechodził przez mysią dziurę i niewielki mostek w ogrodzie. Unikał kaczek i zabaw z nurkującymi moskitami – kiedyś go to bawiło, ale było zbyt proste, a gdy za długo gonił kaczki, zmieniał się w rybę, czego nie lubił. Za bardzo przypominało to zamrożenie w sali treningowej, zesztywniałe ciało i oczekiwanie na koniec szkolenia, by Dap go rozmiękczył. Dlatego, jak zwykle, ruszył w górę falujących wzgórz.

Grunt zaczął się obsuwać. Na początku zasypywało go często i kończył jako przesadnie wielka plama krwi pod ogromnym głazem. Teraz jednak opanował sztukę biegu po zboczu, coraz wyżej, unikając niebezpieczeństwa.

I, jak zwykle, obsunięcia gruntu przestawały być zwykłymi kamienistymi lawinami. Zbocze pękało i zamiast skały widział biały chleb, rosnący jak ciasto, gdy skórka pęka i odpada na boki. Było miękkie i gąbczaste. Jego figurka poruszała się wolniej. A kiedy zeskoczył już z chleba, znajdował się na stole. Za nim leżał gigantyczny bochen, obok gigantyczna osełka masła. A sam Olbrzym patrzył na niego opierając brodę o blat. Figurka Endera sięgała mu mniej więcej do brwi.

– Chyba odgryzę ci głowę – stwierdził Olbrzym tak, jak zawsze.

Tym razem, zamiast uciekać czy zwyczajnie stać i czekać, co nastąpi, Ender podszedł swoją figurką do twarzy Olbrzyma i kopnął go w brodę.

Olbrzym wystawił język i Ender przewrócił się.

– Może zagramy w zgadywanki? – zaproponował. Jak widać, niezależnie co by zrobił, Olbrzym grał wyłącznie w zgadywanki. Durny komputer. Ma w pamięci miliony możliwych scenariuszy, a Olbrzym zna tylko jedną idiotyczną grę.

Olbrzym, jak zwykle, postawił na stole dwie wielkie szklanice, sięgające Enderowi po kolana. Jak zawsze, wypełniały je dwa różne płyny. Komputer był na tyle dobry, że płyny nigdy się nie powtarzały i nie mógł zapamiętać, który jest który. Tym razem w jednej szklanicy była gęsta ciecz podobna do śmietany, w drugiej coś, co syczało i bulgotało.

– W jednym naczyniu jest trucizna, w drugim nie – oznajmił Olbrzym. – Jeśli odgadniesz prawidłowo, zabiorę cię do Krainy Baśni.

Odgadywanie polegało na tym, by wsadzić głowę do jednej ze szklanic i napić się. Nigdy jeszcze mu się nie udało przeżyć. Czasem głowa się rozpuszczała. Czasem stawał w ogniu. Innym razem padał na blat, zieleniał i gnił. Wynik zawsze był obrzydliwy i Olbrzym zawsze się śmiał.

Ender wiedział, że zginie, cokolwiek wybierze. Po pierwszej śmierci jego postać pojawi się na stole Olbrzyma, żeby grać znowu. Po drugiej wróci na wzgórza i ruchome zbocza. Potem na mostek w ogrodzie. Potem do mysiej dziury. A później, jeśli znów wróci do Olbrzyma, zechce zgadywać i zginie, ekran pociemnieje, wokół popłyną litery „Koniec Gry Swobodnej" i Ender będzie leżał drżący, aż wreszcie zaśnie. Gra była nieuczciwa, ale Olbrzym ciągle opowiadał o Krainie Baśni, jakiejś głupiej Krainie Baśni dla trzylatków, gdzie pewnie żyła jakaś głupia Mama Gęś albo Pacman albo Piotruś Pan i nie warto było się tam pchać, tyle że musiał znaleźć sposób na pokonanie Olbrzyma i dostać się tam.

Wypił śmietankowy płyn. Natychmiast zaczął się nadymać i unosić jak balon. Olbrzym śmiał się. Ender znowu zginął.

Zagrał powtórnie i tym razem płyn stężał jak beton przytrzymując jego głowę. Olbrzym rozciął go wzdłuż kręgosłupa, wyrwał kości jak z ryby i zaczął pożerać, gdy jego nogi i ręce jeszcze drgały.

Pojawił się znowu na wzgórzach, postanawiając nie iść dalej. Pozwolił nawet, by zasypała go lawina. Chociaż jednak drżał z chłodu i oblewał się potem, w następnym życiu poszedł w górę, zbocza zmieniły się w chleb i znowu stał na stole Olbrzyma z dwoma szklanicami przed sobą.

Przyglądał się płynom. Jeden się pienił, drugi falował jak morze. Starał się odgadnąć, jaką śmierć znajdzie w każdym z nich. Pewnie wypłynie ryba, jak z oceanu, i mnie zeżre. A w tym pienistym się uduszę. Nie cierpię tej gry. Jest nieuczciwa. Głupia. Oszukana.

Zamiast wsunąć głowę do jednego z naczyń, kopnął je, potem drugie i uskoczył przed palcami Olbrzyma, krzyczącego: „Oszust! Oszust!" Skoczył na jego twarz, wspiął się po wargach i nosie, po czym zaczął dłubać w olbrzymim oku. Szło mu łatwo, jakby kopał w białym serze. I kiedy Olbrzym wrzeszczał, postać Endera wryła się do środka, coraz głębiej i głębiej.

Olbrzym padł na wznak. Sceneria zmieniała się podczas upadku, a kiedy już leżał na ziemi, dookoła pojawiły się niezwykłe, splątane drzewa. Nadleciał nietoperz i wylądował na nosie martwego Olbrzyma. Ender wyprowadził z oka swoją postać.

– Jak się tu dostałeś? – spytał nietoperz. – Nikt tu nigdy nie trafia.

Ender, naturalnie, nie mógł odpowiedzieć. Schylił się więc, wziął garść materii z oka Olbrzyma i podał ją nietoperzowi. Ten przyjął dar i odleciał krzycząc:

– Witaj w Krainie Baśni!

Udało mu się. Teraz powinien rozpocząć zwiedzanie. Powinien zejść z twarzy Olbrzyma i sprawdzić, co udało mu się w końcu osiągnąć.

Zamiast tego wyłączył się z systemu, schował komputer do szafki, zdjął ubranie i naciągnął koc na ramiona. Nie chciał zabijać Olbrzyma. To miała być gra, nie wybór pomiędzy własną obrzydliwą śmiercią i jeszcze gorszym morderstwem. Jestem mordercą, nawet wtedy, kiedy się bawię. Peter byłby ze mnie dumny.

Rozdział 7

Salamandra

– *Czy to nie przyjemnie dowiedzieć się, że Ender potrafi dokonać rzeczy niemożliwych?*

– *Śmierć gracza zawsze przyprawiała mnie o mdłości. Uważam, że Napój Olbrzyma jest najbardziej perwersyjną częścią gry myślowej. Ale tak uderzyć w oko... czy to na pewno jemu chcemy powierzyć naszą flotę?*

– *Liczy się to, że wygrał grę, której nie da się wygrać.*

– *Przypuszczam, że zechcesz go przenieść.*

– *Czekaliśmy, żeby sprawdzić, jak załatwi tę sprawę z Bernardem. Załatwił ją idealnie.*

– *Rozumiem, że gdy tylko poradzi sobie z jedną sytuacją, natychmiast stawiasz go w innej, takiej, z którą nie może sobie poradzić. Nie pozwolisz mu odpocząć?*

– *Będzie miał miesiąc czy dwa, może nawet trzy, ze swoją grupą startową. To spory okres czasu w życiu dziecka.*

– *Nigdy nie odnosisz wrażenia, że ci chłopcy nie są dziećmi? Obserwuję, jak się zachowują, jak rozmawiają, i wcale nie wydają mi się dzieciakami.*

– To najzdolniejsze dzieci na świecie. Każde na swój sposób.

– Mimo to, czy nie powinny zachowywać się jak dzieci? One nie są... normalne. Działają, jakby tworzyły historię. Jak Napoleon i Wellington. Cezar i Brutus.

– Próbujemy ocalić świat, nie leczyć zranione serca. Za bardzo im współczujesz.

– Generał Levy nikogo nie żałował. Wszystkie wideo to potwierdzają. Ale nie krzywdź tego chłopca.

– Chyba żartujesz.

– Chciałem powiedzieć: nie krzywdź go bardziej, niż to konieczne.

Przy obiedzie Alai usiadł naprzeciw Endera.

– W końcu wykapowałem, jak wysłałeś tę wiadomość. Podpisaną imieniem Bernarda.

– Ja? – zdziwił sie Ender.

– Daj spokój. Niby kto inny? Na pewno nie Bernard. A Shen nie jest taki dobry z komputerem. Wiem też, że to nie ja. Więc kto jeszcze pozostaje? Nieważne. Wymyśliłem, jak założyć zbiór nowego ucznia. Stworzyłeś takiego, co się nazywa Bernard–puste, B–E–R–N–A–R–D–spacja, żeby komputer nie wyrzucił nazwy jako powtórzenia istniejącej.

– Sądzę, że dałoby się to zrobić – przyznał Ender.

– Dobra, dobra. Da się to zrobić. Ale tobie udało się właściwie już pierwszego dnia.

– Albo komu innemu. Może to Dap nie chciał, żeby Bernard za bardzo obrósł w piórka.

– Przekonałem się jeszcze o czymś. Nie da się tego przeprowadzić z twoim imieniem.

– Czyżby?

– Cokolwiek zawiera „Ender", zostaje odrzucone. I nie można się dostać do twoich plików. Założyłeś własny system zabezpieczeń.

– Może.

Alai uśmiechnął się.

– Wszedłem w program i skasowałem czyjeś zbiory. Złapią mnie i wykryją, że złamałem system. Potrzebuję ochrony, Ender. Potrzebuję twojej metody.

– Jeśli ci ją podam, będziesz wiedział, jak się to robi, wejdziesz i skasujesz mnie.

– Powiedziałeś: mnie? – powtórzył Alai. – Ja, twój najlepszy kumpel?

– Dobra – roześmiał się Ender. – Założę ci zabezpieczenie.

– Zaraz?

– Pozwolisz, że zjem do końca?

– Nigdy nie zjadasz do końca.

To była prawda. Po posiłku na tacy Endera zawsze zostawało jedzenie. Ender spojrzał na swój talerz i uznał, że ma dość.

– No to chodźmy.

Kiedy wrócili do sali, Ender przykucnął przy łóżku.

– Przynieś swój komputer – powiedział. – Pokażę ci, jak to zrobić.

Gdy jednak Alai wrócił, Ender siedział nieruchomo przed zamkniętą szafką.

– Co jest?

W odpowiedzi Ender przyłożył dłoń do czytnika. Nielegalna próba dostępu – poinformował ekran. Szafka pozostała zamknięta.

– Ktoś cię robi w jajo, przyjemniaczku – stwierdził Alai. – Ktoś wyżarł ci buźkę.

– Jesteś pewien, że chcesz jeszcze poznać mój system zabezpieczenia? – Ender wstał i odszedł powoli.

– Ender! – zawołał Alai.

Ender obejrzał się. Alai trzymał w ręku małą kartkę papieru.

– Co to jest?

– Nie wiesz? – zdziwił się Alai. – Leżało na twoim łóżku. Musiałeś na tym usiąść.

Ender wziął kartkę.


```
ENDER WIGGIN
PRZYDZIELONY DO ARMII
SALAMANDRY DOWÓDCA BONZO
MADRID WYKONAĆ NATYCHMIAST
KOD ZIELONY—ZIELONY—BRĄZOWY
PRZEDMIOTY OSOBISTE
NIE PODLEGAJĄ TRANSFEROWI
```


– Jesteś sprytny, Ender, ale w sali treningowej nie radzisz sobie lepiej ode mnie.

Ender potrząsnął głową. Awansowanie go teraz było najgłupszą rzeczą, jaką potrafiłby wymyślić. Nikt nie awansuje, zanim nie skończy ośmiu lat. A on nie miał nawet siedmiu. Starterzy są zwykle wcielani do armii razem tak, że wszystkie oddziały dostają nowe dzieciaki równocześnie. Na innych łóżkach nie leżały żadne kartki.

Akurat teraz, kiedy wszystko zaczynało się układać. Kiedy Bernard przestał się kłócić ze wszystkimi, nawet z Enderem. I kiedy Ender naprawdę zaprzyjaźnił się z Alai. Kiedy życie stało się do wytrzymania.

Wyciągnął rękę, by podnieść Alai z łóżka.

– Armia Salamandry toczy teraz bitwę – stwierdził Alai.

Ender był wściekły. To przeniesienie było nieuczciwe. Poczuł łzy w oczach. Nie wolno ci płakać, powiedział sobie.

Alai także widział jego łzy, ale miał dość taktu, by o nich nie mówić.

– Te pierdziele, Ender, nie pozwoliły ci nawet niczego zabrać.

Ender uśmiechnął się i jednak nie rozpłakał.

– Myślisz, że powinienem się rozebrać i pójść tam na golasa?

Alai wybuchnął śmiechem.

Pod wpływem impulsu Ender uścisnął go mocno, jak gdyby stała przy nim Valentine. Nawet o niej pomyślał, i o tym, że chciałby wrócić do domu.

– Nie chcę iść – oświadczył.

Alai także go objął.

– Ja ich rozumiem, Ender. Jesteś najlepszy. Pewnie chcą szybko nauczyć cię wszystkiego.

– Wcale nie chcą – odparł Ender. – Chciałem się dowiedzieć, jak to jest mieć przyjaciela.

Alai z powagą kiwnął głową.

– Zawsze będziesz przyjacielem, najlepszym ze wszystkich – powiedział i uśmiechnął się nagle. – Idź, rozwal kupę robali.

– Jasne.

Nagle Alai pocałował go w policzek i zarumieniony szepnął do ucha:

– Salaam.

Potem odwrócił się i odszedł w stronę swojego posłania na drugim końcu sali. Ender domyślił się, że pocałunek i słowo były w jakiś sposób zakazane. Może religijne tabu? A może słowo to miało wielkie osobiste znaczenie dla samego Alai. Cokolwiek oznaczało, Ender wiedział, że Alai odsłonił się przed nim, jak kiedyś matka Endera, gdy był jeszcze bardzo mały, zanim jeszcze wszczepili mu czujnik. Myśląc, że śpi, położyła wtedy dłonie na jego głowie i odmówiła modlitwę. Ender nie mówił o tym z nikim, nawet z nią samą, zachował jednak wspomnienie świętości, tego, jak chciała wyrazić swoją miłość, gdy sądziła, że nikt, nawet sam Ender, nie widzi tego ani nie słyszy. To właśnie dał mu Alai: dar tak wspaniały, że sam Ender nie potrafił pojąć jego znaczenia.

Po czymś takim nic już nie można było powiedzieć. Alai odszedł w stronę swego posłania. Raz jeszcze obejrzał się na Endera. Popatrzyli na siebie ze zrozumieniem. Potem Ender wyszedł.

W tej części szkoły nie było żadnych tras kodowanych zielono-zielono-brązowo. Musiał znaleźć ścieżkę w którymś z obszarów ogólnie dostępnych. Reszta chłopców niedługo skończy obiad; nie chciał przechodzić obok stołówki. Sala gier powinna być prawie pusta.

W jego obecnym stanie gry nie pociągały go wcale. Podszedł więc do rzędu ekranów pod ścianą i włączył swoją osobistą rozgrywkę. Szybko przeszedł do Krainy Baśni. Olbrzym nie żył, gdy przybył na miejsce. Musiał ostrożnie zsunąć się ze stołu, przeskoczyć na nogę krzesła i spaść na ziemię. Przez chwilę widział szczury pożerające martwe ciało, ale kiedy zabił jednego szpilką z podartej koszuli Olbrzyma, zostawiły go w spokoju.

Ciało Olbrzyma było już w zasadzie przegniłe. Małe gryzonie pożarły wszystko, co mogły pożreć. Robaki wykonały swoje zadanie pozostawiając wysuszoną mumię, zęby wyszczerzone w martwym uśmiechu, puste oczy i zakrzywione palce. Ender pamiętał, jak wdzierał się w oko, żywe jeszcze, złośliwe i inteligentne. Był zagniewany i sfrustrowany, chętnie dokonałby tego mordu po raz drugi. Olbrzym jednak stał się częścią krajobrazu i wściekłość na niego nie miała sensu.

Ender przechodził zawsze przez most do zamku Królowej Kier, gdzie znajdował dość gier i zabaw. Jednak tym razem nie pociągały go wcale. Wyminął ciało Olbrzyma i poszedł wąwozem w górę, gdzie strumień wypływał z lasu. Był tam plac zabaw ze zjeżdżalniami, huśtawkami, drabinkami i karuzelami. I tuzin dzieci, bawiących się ze śmiechem. Ender podszedł i stwierdził, że w grze stał się dzieckiem, choć na ogół jego figurka była postacią dorosłego. Był nawet mniejszy niż inne dzieci.

Stanął w kolejce do zjeżdżalni. Pozostali nie zwracali na niego uwagi. Wspiął się na sam szczyt i spojrzał, jak chłopiec przed nim zsuwa się długą spiralą aż do ziemi. Potem sam usiadł i zaczął zjazd.

Trwało to tylko chwilę, po czym przeleciał przez rynnę i wylądował na ziemi pod drabinką. Zjeżdżalnia nie chciała go utrzymać.

Drabinki też nie. Wspinał się kawałek, po czym okazywało się, że jeden z prętów jest niematerialny i spadał. Jechał na diabelskim młynie, póki nie zbliżył się do szczytu, potem znów spadał. Na karuzeli nie mógł się niczego złapać, więc gdy tylko zaczynał się kręcić odpowiednio szybko, siła odśrodkowa wyrzucała go na zewnątrz.

Śmiech innych dzieci był złośliwy i obraźliwy. Okrążyły go pokazując sobie palcami, zanim nie wróciły do własnych zabaw.

Ender miał ochotę je pobić, powrzucać do strumienia. Zamiast tego odszedł w las. Znalazł ścieżkę, która szybko zmieniła się w spękaną brukowaną drogę, zarośniętą zielskiem, ale nadal zdatną do użytku. Po obu stronach dostrzegał wskazówki sugerujące możliwość zabaw. Ignorował je. Chciał się przekonać, dokąd prowadzi droga.

Dotarł do łąki. Na środku była studnia i napis „Wypij, Wędrowcze". Ender podszedł bliżej i zajrzał w głąb. Niemal natychmiast usłyszał warknięcie. Spomiędzy drzew wybiegł tuzin żarłocznych wilków z ludzkimi twarzami. Rozpoznał je – to były dzieci z placu zabaw. Tyle że teraz ich zęby potrafiły gryźć i rozdzierać ciało. Bezbronny Ender szybko został pożarty.

Następna postać pojawiła się, jak zwykle, w tym samym miejscu. I znowu została pożarta, choć Ender próbował opuścić się w głąb studni.

Potem pojawił się na placu zabaw. I znowu dzieci śmiały się z niego. Śmiejcie się, ile chcecie, pomyślał. Teraz wiem, czym jesteście. Pchnął jedną z dziewczynek. Rozgniewana, poszła za nim. Ender poprowadził ją do zjeżdżalni. Naturalnie, spadł na ziemię, ona jednak, podążając za nim bardzo blisko, upadła także. Kiedy uderzyła o ziemię, zmieniła się w wilka i leżała nieruchomo, martwa lub nieprzytomna.

Po kolei Ender zaprowadzał pozostałych w pułapki. Zanim jednak skończył z ostatnim, wilki zaczęły odżywać i nie były już dziećmi. Znowu rozdarły Endera na strzępy.

Tym razem, drżący i spocony, Ender stwierdził, że jego figurka pojawiła się na stole Olbrzyma. Powinienem się wyłączyć, pomyślał. Powinienem się zameldować w nowej armii.

Zamiast tego zeskoczył ze stołu i omijając ciało Olbrzyma podążył na plac zabaw.

Tym razem jednak, gdy tylko któreś z dzieci spadało na ziemię i zmieniało się w wilka, Ender ciągnął je do strumyka i wrzucał do wody. Ciała syczały, jakby płynął tam kwas; wilk znikał, unosiła się chmura dymu i odpływała unoszona wiatrem. Łatwo pozbył się wszystkich dzieci, choć pod koniec chodziły za nim dwójkami i trójkami. Na polanie nie było już wilków i Ender zsunął się po linie do studni.

Mętne światło w grocie odsłaniało stosy szlachetnych kamieni. Wyminął je zapamiętując, że zza klejnotów błyszczą jakieś oczy. Nie zainteresował go stół zastawiony jadłem. Przeszedł między zwisającymi ze stropu jaskini klatkami; w każdej z nich zamknięto jakieś przyjaźnie wyglądające stworzenie. Pobawię się z wami później, pomyślał. Wreszcie dotarł do drzwi, na których lśnił napis ułożony ze szmaragdów:

KONIEC ŚWIATA

Nie wahał się ani przez chwilę. Otworzył drzwi i przestąpił próg.

Stanął na niewielkiej półce, wysoko nad urwiskiem, ponad równiną porośniętą jasnozielonym lasem z plamami jesiennych barw i prześwitami

144

odsłoniętej ziemi, gdzie dostrzegał pługi ciągnięte przez woły, maleńkie wioski, czasem zamek na wzgórzu, chmury gnane podmuchami wiatru. Niebo było stropem ogromnej jaskini i wielkie kryształy zwisały w jaskrawych stalaktytach.

Drzwi zamknęły się za nim. Ender z uwagą obserwował krajobraz. Wobec takiego piękna mniej niż zwykle przejmował się pozostaniem przy życiu. Nie interesowało go, przynajmniej chwilowo, na czym polega gra w tym miejscu. Znalazł je i ono było nagrodą samą w sobie. Dlatego, nie myśląc o skutkach, skoczył w przepaść.

Spadał w dół, ku spienionej rzece i ostrym skałom; chmura jednak wsunęła się pomiędzy niego a ziemię, pochwyciła go i uniosła. Dopłynęła do zamku i przez otwarte okno wsunęła się do wieży. Tam pozostał, w pomieszczeniu bez żadnych drzwi. We wszystkich ścianach były okna, z których skok z pewnością byłby fatalny.

Jeszcze przed chwilą nie dbając o nic skoczył ze skalnej półki; teraz się zawahał.

Niewielki chodnik przed kominkiem rozwinął się w długiego, cienkiego węża o zakrzywionych zębach.

– Jestem twoją jedyną ucieczką – powiedział. – Śmierć jest twoją jedyną ucieczką.

Ender rozejrzał się w poszukiwaniu broni, lecz ekran pociemniał nagle i na krawędzi rozbłysły słowa:

NATYCHMIAST ZAMELDOWAĆ SIĘ
U DOWÓDCY.
JESTEŚ SPÓŹNIONY.
ZIELONY—ZIELONY—BRĄZOWY.

Wściekły wyłączył komputer i podszedł do ściany barw, gdzie odszukał zielono-zielono-brązową nitkę, dotknął ją i podążył za nią, gdy rozjaśniała się przed nim. Ciemna i jasna zieleń i brąz nitki przypominały mu o królestwie wczesnej jesieni, do którego dotarł w grze. Muszę tam wrócić, postanowił. Wąż jest jak długa lina; mogę się na nim opuścić z okna wieży i obejrzeć to miejsce. Może nazwali je końcem świata, bo to już koniec gry, bo mogę iść do którejś z wiosek i stać się jednym z chłopców, którzy tam pracują i się bawią. Nic nie będzie mnie zabijać i ja nie będę musiał zabijać. Będę tam zwyczajnie żył.

Gdy jednak o tym myślał, nie potrafił sobie wyobrazić, co może oznaczać „zwyczajne życie". Nigdy mu się nie udało go spróbować. Ale bardzo tego pragnął.

● ● ●

Armie były większe od grup startowych i miały większe sale. Ta była długa i wąska, z posłaniami po obu stronach. Tak długa, że widziało się krzywiznę stropu i podgięcie końca podłogi – fragmentu wielkiego koła Szkoły Bojowej.

Ender stał przed drzwiami. Kilku chłopców spojrzało na niego przelotnie, ale zdawało się, że nikt go nie zauważył. Rozmawiali dalej, leżąc czy opierając się o łóżka. Dyskutowali, naturalnie, o bitwach, jak zawsze starsi chłopcy. Wszyscy byli dużo więksi od Endera. Dziesięcio– i jedenastolatki, wznosili się nad nim jak wieże. Nawet najmłodszy miał co najmniej osiem lat, a Ender nie był wysoki jak na swój wiek.

Próbował się domyślić, który z chłopców jest dowódcą, lecz większość ubrana była w stroje pośrednie między kombinezonem a czymś, co nazywali nocnym mundurem, czyli kompletną nagością od stóp do głów. Wielu z nich siedziało nad komputerami, lecz tylko kilku się uczyło.

Ender wszedł do sali. W tym samym momencie został zauważony.

– Czego chcesz? – zapytał chłopiec, zajmujący górne łóżko przy drzwiach. Był największy, Ender spostrzegł to od razu, młody olbrzym z początkami nierównego zarostu na policzkach. – Nie jesteś Salamandrą.

– Mam być – odparł Ender. – Zielony-zielony-brązowy, zgadza się? Zostałem przeniesiony – pokazał chłopcu, pełniącemu najwyraźniej obowiązki strażnika, swoją kartkę.

Tamten wyciągnął rękę, ale Ender szybko schował papier.

– Mam to oddać Bonzo Madridowi.

Jeszcze jeden chłopiec włączył się do rozmowy, niższy, ale i tak większy od Endera.

– Nie bahn-zoe, głąbie. Bon-so. To hiszpańskie imię. Bonzo Madrid. *Aqui nosotros hablamos espanol, Senor Gran Fedor.*

– Więc to ty jesteś Bonzo? – spytał Ender, tym razem poprawnie wymawiając imię.

– Nie, po prostu zdolnym i wybitnie inteligentnym poliglotą. Petra Arkanian. Jedyna dziewczyna w Armii Salamandry. Bardziej z jajami niż ktokolwiek inny w tej sali.

– Mama Petra przemówiła – zawołał ktoś z chłopców. – Babskie gadanie, babskie gadanie.

– Babskie gadanie, głupie gadanie – włączył się inny.

Kilku roześmiało się.

– Między nami mówiąc – stwierdziła Petra. – Gdyby Szkole Bojowej przyznali sztandar, wyhaftowaliby go na zielono-zielono-brązowo.

Ender poczuł przypływ desperacji. Wszystko przemawiało przeciw niemu – był niedotrenowany, mały, bez doświadczenia, skazany na pogardę ze względu na przedwczesny awans. A teraz, zupełnie przypadkiem, zaprzyjaźnił się z osobą najbardziej nieodpowiednią. Wyrzutkiem Armii Salamandry. Wszyscy teraz będą go z nią kojarzyć. Dobra robota. Przez jedną chwilę, gdy Ender spoglądał na rozbawione, roześmiane twarze, wyobraził sobie ciała pokryte sierścią, spiczaste zęby gotowe do rozrywania mięsa. Czy jestem tu jedyną ludzką istotą? Czy inni to zwierzęta czekające, by mnie pożreć?

Wtedy przypomniał sobie Alai. Na pewno do każdej armii trafiała choć jedna osoba, którą warto było poznać.

Nagle, choć nikt nie prosił o ciszę, śmiech ucichł i zapadło milczenie. Ender odwrócił się do drzwi. Spostrzegł chłopca, wysokiego, smagłego i szczupłego, o pięknych czarnych oczach i wąskich wargach, sugerujących pewne wyrafinowanie. Poszedłbym za kimś tak pięknym, odezwało się coś w Enderze. Widziałbym to, co widzą te oczy.

– Kim jesteś? – spytał spokojnie chłopiec.

– Ender Wiggin, sir – odparł Ender. – Przeniesiony z grupy startowej do Armii Salamandry – wyciągnął kartkę z rozkazem.

148

Chłopiec wziął papier szybkim, pewnym gestem, nie dotykając dłoni Endera.

– Ile masz lat, Wiggin?

– Prawie siedem.

– Pytałem, ile masz lat – powtórzył nadal spokojnie. – Nie, ile prawie masz lat.

– Mam sześć lat, dziewięć miesięcy i dwanaście dni.

– Od jak dawna ćwiczysz w sali treningowej?

– Od kilku miesięcy. Bardzo poprawiłem celność.

– Ćwiczenia w manewrach bitewnych? Uczestniczyłeś kiedyś w operacjach plutonu? Brałeś udział w treningu grupowym?

Ender nigdy o czymś takim nie słyszał. Pokręcił głową.

Madrid patrzył na niego nieruchomo.

– Rozumiem. Szybko się przekonasz, że oficerowie dowodzący tą Szkołą, zwłaszcza major Anderson kierujący rozgrywkami, bardzo lubią różne sztuczki. Armia Salamandry właśnie zaczyna zyskiwać należny jej szacunek. Wygraliśmy dwanaście z dwudziestu ostatnich bitew. Zaskoczyliśmy Szczura, Skorpiona i Ogara i byliśmy gotowi do walki o pierwszeństwo w rozgrywkach. Więc naturalnie przysyłają mi taki bezużyteczny, niewytrenowany, beznadziejny egzemplarz niedorozwoju jak ty.

– Nie cieszy się ze spotkania – wtrąciła cicho Petra.

– Zamknij się, Arkanian – rzucił Madrid. – Do jednej próby dołożyli nam teraz drugą. Ale jakiekolwiek przeszkody oficerowie rzucą na naszą drogę, wciąż będziemy...

– Salamandrą! – krzyknęli jednym głosem żołnierze.

Instynkt kazał Enderowi inaczej spojrzeć na sytuację. To był wzorzec, rytuał. Madrid nie próbował go zranić, po prostu kontrolował niespodziewany fakt i wykorzystywał go, by wzmocnić swój autorytet.

– Jesteśmy ogniem, który pochłonie ich trzewia i brzuchy, serca i głowy, jesteśmy wieloma płomieniami, lecz jednym ogniem.

– Salamandrą! – krzyknęli znowu.

– Nawet on nie zdoła nas osłabić.

Przez chwilę Ender pozwolił sobie na cień nadziei.

– Będę ciężko pracował i szybko się nauczę.

– Nie pozwoliłem ci mówić – odparł Madrid. – Mam zamiar wymienić cię jak najszybciej. Pewnie będę musiał razem z tobą oddać kogoś cennego, ale taki mały jesteś gorzej niż bezużyteczny. Jesteś dodatkowym zamrożonym żołnierzem w każdej bitwie, a w naszej sytuacji każdy zamrożony robi różnicę w końcowych wynikach. Nie mam do ciebie pretensji, Wiggin, ale jestem pewien, że możesz się szkolić kosztem kogoś innego.

– Czysta serdeczność – mruknęła Petra.

Madrid podszedł do niej o krok bliżej i grzbietem dłoni uderzył w twarz. Trzaśnięcia prawie nie było, gdyż trafił tylko końcami paznokci. Pozostawił jednak na policzku cztery jaskrawoczerwone ślady, a drobniutkie kropelki krwi znaczyły miejsce, gdzie padł cios.

– Oto twoje instrukcje, Wiggin. Mam nadzieję, że to ostatni raz, kiedy muszę z tobą rozmawiać. Będziesz się trzymał z daleka podczas ćwiczeń w sali treningowej. Musisz tam być, naturalnie, ale nie zostaniesz przydzielony do żadnego plutonu i nie będziesz brał udziału w żadnych manewrach. Kiedy otrzymamy wezwanie do bitwy, ubierzesz się szybko i zameldujesz przy bramie razem z innymi. Nie przekroczysz jednak bramy przed upływem pełnych czterech minut od początku gry, po czym pozostaniesz przy bramie, nie wyciągając i nie używając broni, aż do chwili zakończenia walki.

Ender kiwnął głową. Został więc nikim. Miał nadzieję, że wymiana nastąpi szybko.

Zauważył też, że Petra nawet nie jęknęła z bólu ani nie dotknęła policzka, chociaż z jednej ranki popłynął w dół wąski strumyczek krwi. Może i była wyrzutkiem, ale ponieważ Bonzo Madrid nie zostanie jego przyjacielem, choćby nie wiem co, równie dobrze może się zaprzyjaźnić z Petrą.

Dostał posłanie w odległym końcu sali. Górne posłanie, więc kiedy leżał, nie widział nawet drzwi, zasłoniętych krzywizną sufitu. Dokoła leżeli inni chłopcy, zmęczeni, posępni, najmniej cenieni w armii. Nie mieli Enderowi nic do powiedzenia na przywitanie.

Ender spróbował zakodować dłonią swoją szafkę, ale nic się nie stało. Natychmiast zrozumiał, że szafki nie miały zabezpieczeń. Spostrzegł kółka do otwierania na wszystkich czterech drzwiczkach. Teraz, kiedy trafił do armii, nie pozostanie mu już nic osobistego.

W szafce znalazł mundur. Nie bladozielony uniform Startera, ale obrębiony na pomarańczowo, ciemnozielony mundur Armii Salamandry. Przymierzył go. Nie pasował zbyt dobrze. Pewnie nigdy nie musieli szykować munduru na takiego małego chłopca.

Zaczął go właśnie zdejmować, gdy dostrzegł, że Petra zbliża się przejściem między posłaniami. Zsunął się z łóżka i stanął wyprostowany.

– Spokojnie – powiedziała. – Nie jestem oficerem.

– Jesteś dowódcą plutonu, prawda?

Ktoś w pobliżu parsknął.

– Skąd ci to przyszło do głowy, Wiggin?

– Masz łóżko z przodu.

– Bo jestem najlepszym strzelcem w Armii Salamandry i jeszcze dlatego, że Bonzo się boi, żebym nie zaczęła rewolucji, jeśli dowódcy plutonów nie będą na mnie uważać. Jakbym mogła coś zacząć z takimi jak ci – wskazała ponurych chłopców na sąsiednich posłaniach.

Co ona wyprawia, chce jeszcze wszystko pogorszyć?

– Każdy jest lepszy ode mnie – oznajmił Ender próbując odseparować siebie od jej wzgardy wobec tych, którzy mieli przecież spać koło niego.

– Jestem dziewczyną – stwierdziła. – A ty jesteś zasikanym sześciolatkiem. Mamy ze sobą tyle wspólnego. Dlaczego nie zostaniemy przyjaciółmi?

– Nie będę za ciebie odrabiał lekcji – oświadczył.

Chwilę trwało, zanim zrozumiała, że żartuje.

– Ha – powiedziała. – Kiedy wchodzisz do gry, wszystko staje się jak w wojsku. Szkoła nie jest tym samym co dla was, Starterów. Historia, strategia i taktyka, robale, matematyka i gwiazdy, wszystko, co może ci się przydać jako pilotowi albo dowódcy. Sam zobaczysz.

– Więc jesteś moim przyjacielem. Dostanę jakąś nagrodę? – spytał Ender. Naśladował jej niedbały sposób mówienia, jak gdyby nic jej nie obchodziło.

– Bonzo nie pozwoli ci ćwiczyć. Każe ci zabierać do sali treningowej komputer i uczyć się. Na swój sposób ma rację – nie chce, żeby zupełnie niewytrenowany żołnierz zaczął pieprzyć jego precyzyjne manewry – przeszła na *girię*, slang imitujący *pidgin English* dla niewykształconych. – Bonzo precyzyjny. Dokładny. Sika na ścianę i nigdy się nie ochlapie.

Ender uśmiechnął się.

– Sala treningowa jest otwarta bez przerwy. Jeśli zechcesz, wezmę cię tam w wolnym czasie i pokażę parę rzeczy. Nie jestem świetnym żołnierzem, ale całkiem dobrym i na pewno wiem więcej od ciebie.

– Jeśli masz ochotę – zgodził się Ender.

– Zaczynamy jutro rano po śniadaniu.

– A jeśli ktoś będzie w sali? W mojej grupie zawsze szliśmy tam zaraz po posiłku.

– Nie ma sprawy. Tak naprawdę to jest dziewięć sal treningowych.

– Nigdy o nich nie słyszałem.

– Wszystkie mają to samo wejście. Cały środek szkoły, oś koła, to sale treningowe. Nie wirują ze stacją. W ten sposób załatwiają tam nullo, nieważkość – one się nie ruszają. Nie ma obrotu, nie ma dołu. Ale można je tak ustawić, że któraś znajdzie się naprzeciw wejścia, z którego wszyscy korzystamy. Wchodzisz i przesuwają całość tak, że kolejna sala ustawia się na pozycji.

– Aha.

– Jak mówiłam, zaraz po śniadaniu.

– Dobra.

Odwróciła się.

– Petra – zawołał.

Spojrzała na niego.

– Dzięki.

Nie odpowiedziała, tylko bez słowa odeszła na swój koniec sali.

Ender wspiął się z powrotem na posłanie i ściągnął mundur. Potem leżał nagi na kocu, bawił się nowym komputerem i próbował sprawdzić, czy zrobili coś z jego kodami dostępu. Na pewno skasowali system zabezpieczenia. Tutaj nie mógł posiadać niczego, nawet własnego komputera.

Światła trochę przygasły. Zbliżała się pora snu. Ender nie wiedział, z której łazienki może korzystać.

– Za drzwiami skręć w lewo – poinformował go chłopiec z sąsiedniego posłania. – Mamy wspólną toaletę ze Szczurem, Kondorem i Wiewiórką.

Ender podziękował i ruszył do wyjścia.

– Hej! – krzyknął chłopiec. – Nie możesz tak iść. Poza tą salą zawsze w mundurze.

– Nawet do toalety?

– Zwłaszcza. I nie wolno rozmawiać z nikim z innej armii. Ani przy jedzeniu, ani w łazience. Czasem ujdzie w sali treningowej i, oczywiście, zawsze na rozkaz nauczyciela. Ale jeśli Bonzo cię przyłapie, jesteś trupem.

– Dzięki.

– I jeszcze, tego, Bonzo się wścieknie, jak będziesz latał nago koło Petry.

– Przecież była goła, kiedy przyszedłem, nie?

– Ona robi, co chce, ale ty masz być ubrany. Rozkaz Bonza.

To głupie. Petra ciągle wyglądała jak chłopiec, to był głupi rozkaz. Ustawiał ją z boku, wyróżniał, rozbijał armię. Głupi, głupi. Jak Bonzo mógł zostać dowódcą, jeśli tego nie rozumiał? Alai byłby lepszy. Wiedział, jak trzymać grupę razem.

Ja również wiem, jak trzymać grupę razem, pomyślał Ender. Może kiedyś też będę dowódcą.

Właśnie mył ręce w łazience, kiedy ktoś się odezwał:

– Patrzcie, pakują dzidziusie w mundury Salamandry!

Nie odpowiedział. Spokojnie wytarł ręce.

– Spójrzcie! Salamandra dostaje maluchy! Przyjrzyjcie mu się! Mógłby mi przejść między nogami i nawet nie dotknąć jaj!

– Bo ich nie masz, Dink, to dlatego – odpowiedział inny głos.

Kiedy Ender wychodził, usłyszał jeszcze kogoś. Ten ktoś powiedział:

– To Wiggin. Wiecie, ten spryciarz od gier.

Szedł korytarzem i uśmiechał się do siebie. Może i jest mały, ale wiedzą, jak się nazywa. Z gier, naturalnie, więc nie ma to znaczenia. Ale on im pokaże. Też będzie dobrym żołnierzem. Już niedługo wszyscy będą go znali. Może nie w Armii Salamandry, ale wkrótce.

• • •

Petra czekała w korytarzu prowadzącym do sali treningowej.

– Jeszcze chwilę – rzuciła na powitanie. – Armia Królika właśnie weszła i minie kilka minut, zanim przerzucą wejście na następną salę.

Ender usiadł obok niej.

– W salach treningowych chodzi o coś więcej niż tylko przerzucanie z jednej na drugą – powiedział. – Na przykład, skąd się bierze ciążenie w korytarzu przed bramą, tuż zanim wejdziemy?

Petra zamknęła oczy.

– I jeśli sale treningowe naprawdę wiszą swobodnie, to co się dzieje, gdy jedna z nich zostaje podłączona? Czemu nie zaczyna wirować razem z korytarzem?

Ender kiwnął głową.

– To tajemnice – oznajmiła Petra scenicznym szeptem – w które lepiej się nie zagłębiać. Straszna rzecz wydarzyła się ostatniemu żołnierzowi, który o to pytał. Znaleziono go wiszącego za nogi z sufitu łazienki, z głową wsadzoną w muszlę.

– Więc nie jestem pierwszy, którego to interesuje.

– Zapamiętaj sobie, malutki – kiedy mówiła „malutki", brzmiało to przyjaźnie, nie pogardliwie. – Nigdy nie mówią ci więcej niż muszą. Ale każdy dzieciak z odrobiną mózgu wie, że w nauce nastąpiły pewne zmiany od czasów starego Mazera Rackhama i jego Zwycięskiej Floty. Najwyraźniej potrafimy teraz kontrolować grawitację. Włączać ją i wyłączać, zmieniać kierunek, może odbijać... myślałam o wielu ciekawych rzeczach, których można by dokonać z bronią grawitacyjną albo grawitacyjnym napędem statków. Pomyśl, statki mogłyby się poruszać w pobliżu planet. Może odrywać wielkie kawały odbijając grawitację planety z powrotem,

156

tylko z innej strony, skupioną w jednym punkcie. Ale nie mówią niczego.

Ender rozumiał więcej, niż powiedziała. Sterowanie grawitacją to jedna sprawa; oszukiwanie przez oficerów to całkiem inna. Najważniejsza jednak informacja brzmiała: wrogami nie są inne armie, tylko dorośli. Nie mówią nam prawdy.

– Chodź, malutki – odezwała się Petra. – Sala ustawiona, Petra wyćwiczona, wroga armia rozgromiona – zachichotała. – Mówią na mnie: Petra-poetka.

– Mówią też, że jesteś zwariowana.

– Lepiej będzie, jeśli im uwierzysz, tyłeczku.

Miała w torbie dziesięć kul ćwiczebnych. Ender jedną ręką chwycił klamrę, a drugą trzymał ją za skafander, by łatwiej mogła je rozrzucić, mocno i we wszystkie strony.

– Puść mnie – poleciła. Odepchnęła się i odpłynęła wirując. Potem kilkoma pewnymi ruchami rąk ustabilizowała lot i zaczęła celować uważnie w jedną kulę po drugiej. Kiedy trafiała, kula zmieniała kolor z białego na czerwony. Ender wiedział, że ta zmiana trwa tylko dwie minuty. Tylko jedna kula zbielała na powrót, nim Petra zestrzeliła ostatnią.

Odbiła się precyzyjnie od ściany i powróciła z dużą prędkością do Endera. Złapał ją i przytrzymał, wyhamowując odbicie – jedna z pierwszych technik, jakich go nauczono w grupie startowej.

– Dobra jesteś – stwierdził.

– Najlepsza. A ty się nauczysz, jak to robić.

Pokazała mu, jak trzeba trzymać rękę wyprostowaną i mierzyć z całego ramienia.

– Coś, z czego większość żołnierzy nie zdaje sobie sprawy to fakt, że im dalej jesteś od celu, tym dłużej musisz utrzymać promień w granicach mniej więcej dwucentymetrowego kółka. To różnica pomiędzy jedną dziesiątą sekundy i pół sekundy, ale podczas bitwy to bardzo dużo. Żołnierzom wydaje się, że chybili, choć trafili dokładnie w cel, tyle że za szybko przesunęli lufę. Dlatego nie można używać miotacza jak miecza, ciach ciach i rozcinasz wroga na połowy. Musisz celować.

Kulochwytem ściągnęła cele z powrotem i wyrzuciła je jeszcze raz, powoli, jeden za drugim. Ender strzelał. Nie trafił ani razu.

– Dobrze – pochwaliła go. – Nie masz złych przyzwyczajeń.

– Dobrych też nie mam – zauważył.

– Tych się nauczysz ode mnie.

Pierwszego ranka nie osiągnęli zbyt wiele. Przede wszystkim rozmawiali. Jak myśleć podczas celowania. Trzeba przeliczać w głowie równocześnie własny ruch i ruch nieprzyjaciela. Trzeba trzymać ramię wyprostowane i mierzyć całym ciałem, żeby w przypadku zamrożenia ręki można było strzelać dalej. Przećwiczyć, kiedy rzeczywiście reaguje spust i trzymać go na granicy, żeby nie ciągnąć tak daleko przy każdym strzale. Rozluźnić się, nie napinać mięśni, to powoduje drżenie ręki.

To były jedyne ćwiczenia, jakie odbył tego dnia. Podczas popołudniowych manewrów armii Bonzo kazał mu przynieść do sali komputer, siedzieć w kącie i odrabiać lekcje. Wszyscy żołnierze musieli być na miejscu, ale dowódca nie miał obowiązku ich wykorzystywać.

Ender jednak nie odrabiał lekcji. Jeśli nie mógł ćwiczyć jak żołnierz, mógł przynajmniej studiować taktykę Bonza. Armia Salamandry dzieliła się na cztery standardowe plutony po dziesięciu chłopców w każdym. Niektórzy dowódcy zestawiali je tak, by pluton A składał się z najlepszych, a pluton D z najgorszych. Bonzo przemieszał je i każdy oddział miał lepszych i słabszych żołnierzy.

Tyle że w plutonie B było tylko dziewięciu chłopców. Ender zastanawiał się, kogo przeniesiono, by zrobić dla niego miejsce. Szybko się dowiedział – pluton B miał nowego dowódcę. Nic dziwnego, że Bonzo był wściekły – utracił oficera i zamiast niego dostał Endera.

Bonzo jeszcze w jednym miał rację. Ender nie był gotowy.

Cały czas ćwiczeń poświęcono na manewry grupowe. Plutony, które nie widziały się nawzajem, trenowały precyzyjne wspólne operacje wymagające idealnego zgrania; wykorzystywały się nawzajem dla nagłych zmian kierunku lotu z zachowaniem szyku. Wszyscy ci żołnierze uważali za naturalne umiejętności, których Ender nie posiadał. Zdolność do miękkiego lądowania i wytłumienia wstrząsu. Precyzyjny lot. Poprawki kursu przy wykorzystaniu zamrożonych żołnierzy, fruwających losowo po sali. Obroty, korkociągi, uniki. Prześlizgiwanie się po ścianach – bardzo trudny manewr, ale niezwykle ważny, gdyż nikt nie mógł wtedy zajść z tyłu.

Lecz nawet wtedy, gdy Ender przekonywał się, jak wiele jeszcze nie umie, dostrzegał rzeczy, które mógłby poprawić. Te znakomicie przećwiczone manewry były błędem. Pozwalały żołnierzom natychmiast wykonywać wydawane głosem rozkazy, ale oznaczały równocześnie, że da się przewidzieć ich ruchy. Indywidualnym żołnierzom pozostawiono bardzo mało inicjatywy. Musieli jedynie wykonywać ustalone z góry plany. Nie mieli szansy, by elastycznie reagować na działania przeciwnika. Ender studiował formacje Bonza tak, jak robiłby to dowódca wrogiej armii, szukając sposobów rozbicia szyku.

Przy wieczornej grze swobodnej Ender poprosił Petrę, by z nim poćwiczyła.

– Nie – odparła. – Chcę być kiedyś dowódcą, więc muszę być w sali gier.

Powszechnie wierzono, że nauczyciele obserwowali rozgrywki i w ten sposób szukali potencjalnych dowódców. Ender nie bardzo w to wierzył. Dowódcy plutonów mieli o wiele większą szansę pokazania, ile będą warci jako komendanci armii niż jakikolwiek gracz wideo.

Jednak nie spierał się z Petrą. Poranne treningi i tak dawały mu wiele. Mimo to musiał przecież ćwiczyć. I nie mógł tego robić sam, poza kilkoma najprostszymi sztuczkami. Do większości potrzebni byli partnerzy albo nawet całe zespoły. Gdyby tak miał przy sobie Alai albo Shena.

Chwileczkę, a dlaczego nie? Wprawdzie nigdy nie słyszał, by żołnierz ćwiczył ze Starterami, ale nic tego nie zabraniało. Po prostu nikt tak nie robił. Zbyt wielką pogardą otaczano Starterów. No cóż, Endera i tak traktowali jak Startera. Potrzebował chłopców, z którymi mógłby ćwiczyć, w zamian ucząc ich tego, co podpatrzył u starszych.

– Patrzcie, wrócił wielki żołnierz! – zawołał Bernard, gdy Ender stanął w drzwiach swej daw-

160

nej sypialni. Nie było go tutaj ledwie jeden dzień, a już to miejsce wydało mu się nieznane, a chłopcy z grupy startowej obcy. Niewiele brakowało, by się odwrócił i odszedł. Ale był tu Alai, z którym przyjaźń była święta. Alai nie był obcym.

Ender nie starał się ukrywać tego, jak go traktują w Armii Salamandry.

– I mają rację – oświadczył. – Tyle ze mnie pożytku, co ze smarknięcia w skafandrze.

Alai roześmiał się, a inni Starterzy zaczęli zbierać się wokół nich. Ender wyłożył swoją propozycję. Gra swobodna, codziennie, ciężka praca w sali treningowej pod jego kierunkiem. Nauczą się tego, co robią armie, jak zachowywać się w bitwach, które zobaczy Ender; on natomiast zdobędzie doświadczenie, potrzebne do rozwinięcia wojskowych umiejętności.

– Przygotujemy się razem.

Sporo chłopców chciało przyjść.

– Jasne – przyzwolił Ender. – Jeśli chcecie pracować. Ale jeżeli będziecie tylko pierdzieć po kątach, to wynocha. Nie mamy czasu do stracenia.

Nie tracili czasu. Ender niezbyt sprawnie tłumaczył, co widział, lecz starał się znaleźć sposób, by powtórzyć manewry armii. Nim jednak skończył się okres gry swobodnej, nauczyli się kilku rzeczy. Byli zmęczeni, ale zaczynali chwytać nowe techniki.

– Gdzie byłeś? – zapytał Bonzo.

Ender stał wyprostowany sztywno obok posłania swego dowódcy.

– Ćwiczyłem w sali treningowej.

– Słyszałem, że było z tobą kilku chłopaków z dawnej grupy startowej.

161

– Nie mogłem trenować sam.

– Nie życzę sobie, żeby żołnierze Armii Salamandry pokazywali się ze Starterami. Jesteś teraz żołnierzem.

Ender przyglądał mu się w milczeniu.

– Słyszałeś, Wiggin?

– Tak, sir.

– Żadnych ćwiczeń z tymi małymi pierdzielami.

– Czy możemy porozmawiać na osobności? – spytał Ender.

Była to prośba, którą dowódca musiał spełnić. Rozgniewany Bonzo wyprowadził Endera na korytarz.

– Posłuchaj, Wiggin. Nie chcę cię tutaj i próbuję się ciebie pozbyć. Nie rób problemów, bo rozsmaruję cię na ścianie.

Dobry dowódca nie musi tak głupio grozić, pomyślał Ender.

Milczenie Endera irytowało Bonza coraz bardziej.

– Chciałeś, żebym z tobą wyszedł, więc mów.

– Sir, słusznie nie włączył mnie pan do żadnego plutonu. Nic właściwie nie umiem.

– Nie musisz mi tłumaczyć, że miałem rację.

– Ale chcę zostać dobrym żołnierzem. Nie będę się mieszał do regulaminowych treningów. Jednak muszę ćwiczyć i będę ćwiczył z jedynymi ludźmi, którzy chcą to ze mną robić. Czyli z moimi Starterami.

– Zrobisz, co ci każę, mały sukinsynu.

– Tak jest, sir. Wykonam każdy rozkaz, który ma pan prawo wydać. Ale gra swobodna jest swobodna. Nie można nakładać żadnych warunków. Żadnych. Przez nikogo.

Widział, jak Bonza ogarnia gorąca pasja. To fatalnie. Pasja Endera była zimna. Mógł ją wykorzystać. Gorąca pasja wykorzystywała Bonza.

– Sir, muszę myśleć o własnej karierze. Nie chcę przeszkadzać w treningach i bitwach, ale kiedyś muszę się przecież uczyć. Nie prosiłem, żeby przenieśli mnie do tej armii, pan chce mnie wymienić możliwie szybko. Ale nikt mnie nie weźmie, póki się czegoś nie nauczę. Proszę mi na to pozwolić, a pozbędzie się mnie pan szybciej i dostanie żołnierza, który się na coś przyda.

Bonzo nie był tak głupi, by nie rozpoznać głosu zdrowego rozsądku. Mimo to nie uspokoił się od razu.

– Dopóki jesteś w Armii Salamandry, musisz mnie słuchać.

– Jeśli spróbuje pan ingerować w moją swobodną grę, wymrożę pana.

Przypuszczalnie nie było to prawdą. Ale było możliwe. Z pewnością, gdyby Ender narobił hałasu, ingerencja w grę swobodną mogłaby pozbawić Bonza dowództwa. Poza tym oficerowie wyraźnie dostrzegli coś w Enderze, skoro awansowali go tak szybko. Być może jego wpływy u nauczycieli wystarczały, by kogoś wymrozić.

– Skurwysyn – powiedział Bonzo.

– To nie moja wina, że wydał pan rozkaz przy wszystkich. Ale mogę udać, że wygrał pan tę dyskusję. A jutro może pan powiedzieć, że zmienił pan zdanie.

– Nie potrzebuję twoich rad.

– Nie chciałbym, żeby chłopcy pomyśleli, że pan przegrał. Wtedy nie mógłby pan dowodzić tak skutecznie.

Bonzo nienawidził go za tę uprzejmość. Mogłoby się zdawać, że Ender podarował mu dowództwo. Był wściekły, ale nie miał wyboru. Żadnego. Nie przyszło mu do głowy, że to jego wina, że niepotrzebnie wydał idiotyczny rozkaz. Zrozumiał tylko, że Ender go pokonał, a potem wepchnął mu nos w tę porażkę, by okazać swą wielkoduszność.

– Pewnego dnia dorwę się do twojego tyłka – oświadczył.

– Zapewne – zgodził się Ender.

Zabrzmiał brzęczyk zapowiadający gaszenie świateł. Ender wrócił do sypialni wyglądając na pokonanego. Pobitego. Wściekłego. Chłopcy wyciągnęli z tego oczywiste wnioski.

A rankiem, gdy Ender wychodził na śniadanie, Bonzo zatrzymał go.

– Zmieniłem zdanie, dupku – powiedział głośno. – Może kiedy poćwiczysz ze Starterami, czegoś się jednak nauczysz i łatwiej będzie cię wymienić. Wszystko, byleby szybciej się ciebie pozbyć.

– Dziękuję, sir – odparł Ender.

– Wszystko – powtórzył szeptem Bonzo. – Mam nadzieję, że cię wymrożą.

Ender uśmiechnął się z wdzięcznością i wyszedł. Po śniadaniu znowu ćwiczył z Petrą. Po obiedzie obserwował manewry Bonza i myślał o sposobach rozbicia jego armii. Przy grze swobodnej on sam, Alai i pozostali pracowali do kresu sił. Potrafię tego dokonać, myślał w łóżku. Czuł mrowienie w mięśniach, które rozluźniały się powoli. Poradzę sobie.

· · ·

Armii Salamandry wyznaczono bitwę cztery dni później. Ender ruszył za prawdziwymi żołnierzami, biegnącymi truchtem korytarzem prowadzącym do sali treningowej. Na ścianie płonęły dwie nitki: zielono-zielono-brązowa Salamandry i czarno-biało-czarna Kondora. Kiedy dotarli do miejsca, gdzie zwykle była sala, korytarz rozwidlił się. Zielono-zielono-brązowy szlak skręcił w lewo, czarno-biało-czarny w prawo. Za jeszcze jednym zakrętem w prawo armia zatrzymała się przed ślepą ścianą.

Plutony ustawiły się bez słowa. Bonzo wydał instrukcje.

– A łapie uchwyty i idzie w górę. B na lewo, C na prawo, D w dół – odczekał, aż uformują szyk, po czym dodał: – A ty, dupku, czekasz cztery minuty, wchodzisz i zatrzymujesz się zaraz za bramą. Nie próbuj nawet wyciągać miotacza.

Ender kiwnął głową. Nagle ściana za plecami Bonza stała się przezroczysta. Czyli nie była to ściana, a raczej pole siłowe. Sala treningowa też wyglądała inaczej. W powietrzu, częściowo zasłaniając widok, wisiały duże, brunatne pudła. Więc to były przeszkody, zwane przez żołnierzy gwiazdami. Rozrzucono je na pozór zupełnie przypadkowo. Bonzo zdawał się nie przejmować ich pozycjami. Najwyraźniej żołnierze wiedzieli, jak sobie z nimi radzić.

Ender jednak szybko zrozumiał, że nie wiedzieli. Potrafili wylądować miękko na jednej z nich i wykorzystać ją jako osłonę, znali taktykę atakowania ukrytego za gwiazdą nieprzyjaciela.

Nie mieli jednak pojęcia, które gwiazdy się liczą. Cały czas z uporem atakowali te, które można było ominąć przesuwając się po ścianach, by zyskać lepszą pozycję.

Drugi dowódca wykorzystywał nieprzygotowanie strategii Bonza. Armia Kondora zmuszała Salamandry do ataków, w których ponosili ciężkie straty. Coraz mniej pozostawało ich niezamrożonych i zdolnych do kolejnego szturmu. Po pięciu, może sześciu minutach stało się jasne, że Armia Salamandry atakując nie zdoła odnieść zwycięstwa.

Ender przekroczył bramę i wolno popłynął w dół. Sale treningowe, w jakich dotąd ćwiczył, miały drzwi na poziomie podłogi. W prawdziwej bitwie jednak umieszczono je w samym środku ściany, w równej odległości od podłogi i sufitu.

Nagle poczuł, że zmienia orientację przestrzenną, jak wtedy, na promie. To, co było dołem, stało się górą, a potem bokiem. W nullo nie było powodów, by trzymać się kierunków korytarza. Patrząc na idealnie kwadratową bramę, nie potrafił rozstrzygnąć, gdzie była góra. Zresztą przestało to mieć znaczenie. Ender odkrył bowiem orientację, która miała sens. Nieprzyjacielska brama była na dole. Celem gry było spaść ku wrogiej bazie.

Kilkoma ruchami ramion Ender ustawił się zgodnie z nowymi kierunkami. Zamiast wisieć w przestrzeni, wystawiając na strzały przeciwników całe ciało, skierował ku nim same nogi. Stał się o wiele trudniejszym celem.

Ktoś go zauważył – płynął przecież wolno w otwartej przestrzeni. Instynktownie zgiął nogi.

Wtedy właśnie został trafiony i nogawki skafandra zastygły. Ramiona nadal miał wolne, gdyż bez bezpośredniego trafienia w korpus zamarzały jedynie te części ciała, w które trafiał promień. Ender pomyślał, że gdyby nie jego pozycja, trafiliby go właśnie w korpus. Byłby unieruchomiony.

Ponieważ Bonzo zakazał mu wyciągać broń, płynął nadal, nie poruszając rękami ani głową, jak gdyby także były zamrożone. Nieprzyjaciel zignorował go, poświęcając uwagę tym, którzy strzelali. To była ciężka walka. Nieliczni sprawni jeszcze żołnierze Armii Salamandry stawiali zaciekły opór. Bitwa zmieniła się w serię strzeleckich pojedynków. Dyscyplina wprowadzona przez Bonza wykazała swoją wartość, gdyż prawie każdy zamrażany żołnierz zabierał z sobą przynajmniej jednego z wrogów. Nikt nie wpadł w panikę, nikt nie uciekał. Wszyscy zachowali spokój i mierzyli starannie.

Petra była szczególnie groźna. Armia Kondora dostrzegła to i z wielkim wysiłkiem starała się ją zamrozić. Najpierw trafili ją w rękę, w której trzymała miotacz. Potok przekleństw urwał się dopiero wtedy, gdy zamrozili ją zupełnie i zastygający hełm unieruchomił szczękę. Po kilku minutach bitwa była skończona. Armia Salamandry nie stawiała już oporu.

Ender zauważył z satysfakcją, że Kondorowi pozostała jedynie minimalna siła – pięciu żołnierzy niezbędnych, by otworzyć bramę do zwycięstwa. Czterech dotknęło hełmami podświetlonych punktów w rogach bramy Salamandry, a piąty przeszedł przez pole siłowe. To był koniec gry. Światła rozbłysły z pełną jasnością i Anderson wszedł drzwiami dla nauczycieli.

Mogłem strzelać, pomyślał Ender. Kiedy przeciwnik zbliżał się do bramy, mogłem wyciągnąć miotacz i zamrozić chociaż jednego. Gra skończyłaby się remisem. Bez czterech ludzi w czterech rogach i piątego, który by przeszedł przez pole, Kondor nie mógłby wygrać. Bonzo, ty ośle, mogłem ocalić cię przed klęską. Może nawet zmienić ją w zwycięstwo, bo tamci się nie kryli, a z początku by nie wiedzieli, kto do nich strzela. Jestem dość dobry, żeby sobie poradzić.

Ale rozkaz to rozkaz, a Ender obiecał być posłusznym. Satysfakcji przysporzył mu jeszcze fakt, że w oficjalnych wynikach Armii Salamandry nie podano spodziewanych czterdziestu jeden unieruchomionych lub wyeliminowanych, ale czterdziestu wyeliminowanych i jednego trafionego. Bonzo nie mógł tego pojąć, póki nie sprawdził u Andersona i nie zrozumiał, o kogo chodzi. Tylko trafiony, Bonzo, myślał Ender. Ciągle mogłem strzelać.

Spodziewał się, że Bonzo przyjdzie do niego i powie, że następnym razem w takiej sytuacji może strzelać. Lecz Bonzo odezwał się dopiero następnego dnia po śniadaniu. Naturalnie, sam jadł w mesie dowódców, ale Ender był pewien, że dziwny wynik spowoduje tam takie samo zaciekawienie jak w jadalni żołnierzy. W każdej grze, która nie kończyła się remisem, wszyscy żołnierze przegrywającej armii byli albo wyeliminowani – całkowicie zamrożeni – albo unieruchomieni, co znaczy, że niektóre części ich ciała pozostały swobodne, ale nie byli w stanie strzelać ani zadawać strat przeciwnikom. Salamandra była jedyną armią, która przegrała mając człowieka w kategorii Trafiony i Aktywny.

Ender nie próbował niczego wyjaśniać, lecz inni żołnierze Armii Salamandry wytłumaczyli wszystkim, co się stało. I kiedy jeden z chłopców spytał go, czemu nie złamał rozkazu i nie strzelił, Ender odparł spokojnie:

– Wykonuję rozkazy.

Po śniadaniu odszukał go Bonzo.

– Rozkaz jest nadal w mocy – oznajmił. – Nie zapominaj o tym.

Kiedyś zapłacisz za to, durniu. Może i nie jestem najlepszym żołnierzem, ale mogę pomóc i nie wiem, czemu mi na to nie pozwalasz.

Ender nic nie odpowiedział.

Interesującym efektem ubocznym owej bitwy było to, że Ender pojawił się na pierwszym miejscu tabeli skuteczności. Nie strzelił ani razu, miał więc doskonały rezultat – ani jednego pudła. Nie został wyeliminowany ani unieszkodliwiony, więc tu także osiągnął rewelacyjny wynik. Nikt nawet się do niego nie zbliżył. Wielu chłopców śmiało się z tego, inni byli wściekli, ale Ender został liderem na wysoko cenionej tabeli skuteczności.

Nadal siedział w kącie podczas ćwiczeń armii i pracował ciężko podczas własnych, rano z Petrą i z dawnymi przyjaciółmi wieczorem. Przychodziło coraz więcej Starterów, nie dla kawału, ale dlatego, że widzieli rezultaty – byli coraz lepsi. Ender i Alai wyprzedzali ich jednak stale. Po części dlatego, że Alai stale wypróbowywał swoje nowe pomysły, zmuszając Endera do obmyślania nowych taktyk, by sobie z nimi poradzić. Częściowo zaś dlatego, że wciąż popełniali głupie błędy, prowadzące do manewrów, jakich żaden szanujący się, dobrze wyszkolony żołnierz by nie próbował. Wiele z tych pomysłów okazało się bezużytecznymi, ale zawsze było ciekawie, zawsze podniecająco i wystarczająco dużo tych prób kończyło się sukcesem, by wiedzieli, że ćwiczenia im pomagają. Wieczór był najlepszą porą dnia.

Następne dwie bitwy skończyły się łatwym zwycięstwem Armii Salamandry; Ender wszedł na salę po pięciu minutach i przegrany już przeciwnik nawet do niego nie strzelał. Zaczął zdawać sobie sprawę, że Armia Kondora, która ich pokonała, była nadzwyczaj dobra. Salamandra, mimo niedociągnięć Bonza w strategii, stanowiła jeden z lepszych zespołów, zażarcie walczący o czwarte miejsce z Armią Szczura.

Ender skończył siedem lat. W Szkole Bojowej nie zwracano uwagi na kalendarz, ale odkrył, jak wyświetlić na ekranie komputera aktualną datę. Wtedy zauważył, że ma urodziny. Szkoła także to dostrzegła; zmierzyli go dokładnie, po czym wydali nowy mundur Salamandry i nowy skafander do sali treningowej. Wrócił do koszar w nowym ubraniu. Zdawało się obce i luźne, jak gdyby nagle własna skóra przestała na niego pasować.

Miał ochotę zatrzymać się przy posłaniu Petry i opowiedzieć o domu, o tym, jak obchodził urodziny, powiedzieć, że to właśnie dzisiaj, żeby mogła mu życzyć czegoś w rodzaju wszystkiego najlepszego. Ale tu nikt nie mówił o urodzinach. To dziecinne. Tak postępują planetarki. Torty i głupie tradycje. Na szóste urodziny Valentine sama upiekła mu ciasto. Nie wyrosło i to było okropne. Nikt już nie umiał gotować; to było jedno z szaleństw Valentine. Potem wszyscy się z niej nabijali, ale Ender zachował kawałek tego ciasta w swojej szafce. Potem wyjęli mu czujnik i odjechał, a kupka żółtego, tłustego proszku może ciągle jeszcze tam leży. Nikt wśród żołnierzy nie mówił o domu; żadnych wspomnień sprzed Szkoły Bojowej. Nikt nie dostawał listów i nikt ich nie pisał. Wszyscy udawali, że się tym nie przejmują.

Ale ja się przejmuję, pomyślał Ender. Jestem tu tylko dlatego, żeby jakiś robal nie strzelił Valentine w oko, nie rozwalił jej głowy jak tym żołnierzom pokazywanym na wideo z pierwszych bitew. Aby nie trafił promieniem tak gorącym, że mózg rozsadza czaszkę i rozlewa się niby rosnące ciasto tak, jak się to zdarza w moich najgorszych koszmarach, kiedy budzę się drżący, ale cichy. Muszę być cicho, bo usłyszą, że tęsknię za rodziną, że czuję się osamotniony, że chcę do domu.

Rankiem poczuł się lepiej. Dom stał się tylko tępym bólem gdzieś w głębi umysłu. Zmęczeniem w oczach. Tego ranka Bonzo przyszedł, kiedy się ubierali.

– Skafandry! – krzyknął.

To oznaczało bitwę. Czwartą grę Endera.

Przeciwnikiem była Armia Leoparda. Nie powinna sprawiać kłopotów. Była nowa i jak dotąd mieściła się w ostatniej ćwiartce tabeli. Zorganizowano ją zaledwie sześć miesięcy temu, z Polem Slattery jako dowódcą.

Ender włożył swój nowy skafander i stanął w szeregu; Bonzo wyciągnął go szorstko i ustawił na końcu. Nie musiałeś tego robić, powiedział bezgłośnie Ender. Mogłeś mi pozwolić zostać.

Przyglądał się z korytarza. Pol Slattery był młody, ale bystry i miał ciekawe pomysły. Jego

171

żołnierze byli w ciągłym ruchu, przeskakiwali od gwiazdy do gwiazdy, przesuwali się po ścianach, by znaleźć się z tyłu i ponad nieruchawymi Salamandrami. Ender uśmiechnął się. Bonzo był zupełnie bezradny, tak samo jak jego ludzie. Zdawało się, że Armia Leoparda wszędzie ma swoich żołnierzy. Mimo to bitwa nie była tak jednostronna, jak mogłoby się wydawać. Ender zauważył, że Leopard traci wielu ludzi – brawurowa taktyka sprawiała, że za bardzo się odsłaniali. Liczyło się jednak to, że Salamandra czuła się pobita. Całkowicie oddała inicjatywę. Choć siły pozostały mniej więcej równe, żołnierze skupili się niby ostatni ocaleli z masakry, jakby mieli nadzieję, że wróg przeoczy ich w stosach ofiar.

Ender prześliznął się przez wrota, ustawił tak, by brama przeciwnika była w dole i popłynął wolno do rogu, gdzie nikt nie powinien go zauważyć. Strzelił nawet we własne nogi, by znieruchomiały podkurczone i dawały lepszą osłonę. Dla przypadkowego obserwatora musiał wyglądać jak jeszcze jeden zamrożony żołnierz, sunący bezradnie po sali.

Gdy Armia Salamandry czekała w upokorzeniu na zniszczenie, Armia Leoparda uprzejmie ją niszczyła. Pozostało im dziewięciu chłopców, gdy Salamandry przestały strzelać. Sformowali szyk i ruszyli w stronę bramy.

Ender wymierzył starannie z wyprostowanej ręki, tak jak uczyła go Petra. Zanim ktokolwiek pojął, co się dzieje, zdążył zamrozić trzech żołnierzy, którzy mieli właśnie dotknąć hełmami oświetlonych rogów bramy. Potem inni dostrzegli go i zaczęli strzelać, ale z początku trafiali tylko w unieruchomione wcześniej nogi. Miał więc dość czasu, by trafić jeszcze pozostałą przy drzwiach dwójkę. Leopardom pozostało jedynie czterech sprawnych żołnierzy, gdy wreszcie trafili Endera w ramię i unieszkodliwili. Gra skończyła się remisem, a on nie dostał trafienia w korpus.

Pol Slattery wściekał się, ale rozgrywka była uczciwa. Cała Armia Leoparda uznała, że na tym właśnie polegała strategia Bonza – by zostawić jednego człowieka w odwodzie, na ostatnią chwilę. Nie przyszło im do głowy, że mały Ender otworzy ogień wbrew rozkazom. Ale Armia Salamandry wiedziała. Bonzo wiedział. W jego spojrzeniach Ender dostrzegał nienawiść za tę pomoc i ocalenie przed zupełną klęską. Nie obchodzi mnie to, mówił sobie Ender. Łatwiej będzie mnie wymienić, a tymczasem nie spadniecie za nisko w tabeli. Tylko mnie wymień. Nauczyłem się już wszystkiego, czego mogłem się tutaj nauczyć. Przegrywać w niezłym stylu, Bonzo, tylko tyle potrafisz.

A czego właściwie się nauczył? Ender przygotowywał posłanie i powtarzał w pamięci. Brama przeciwnika jest na dole. Nogi w walce mogą służyć za tarczę. Niewielka siła trzymana w odwodzie może okazać się decydująca. I jeszcze: żołnierze potrafią czasem podejmować decyzje rozsądniejsze od rozkazów, jakie im wydano.

Nagi, miał właśnie się położyć, gdy podszedł do niego Bonzo. Minę miał ponurą i zaciętą. Widziałem Petera w takim nastroju, pomyślał Ender. Milczącego, jakby planował morderstwo. Ale Bonzo nie był Peterem. Bonzo miał w sobie więcej lęku.

– Wiggin, udało mi się ciebie wymienić. W końcu przekonałem Armię Szczura, że twoja niesamowita pozycja w tabeli skuteczności to coś więcej niż przypadek. Jutro się przenosisz.

– Dziękuję, sir.

Może w jego głosie zbyt wyraźnie brzmiała wdzięczność. Bonzo odwrócił się nagle i silnym ciosem otwartą dłonią trafił go w twarz. Ender zatoczył się w bok, na swoje łóżko. Niewiele brakowało, by upadł. Bonzo poprawił pięścią w żołądek. Ender osunął się na kolana.

– Złamałeś moje rozkazy – powiedział Bonzo głośno, by wszyscy słyszeli. – Dobry żołnierz zawsze wykonuje rozkazy.

Nawet jęcząc cicho z bólu, Ender nie mógł powstrzymać uczucia mściwej satysfakcji, słysząc pomruki chłopców. Jesteś głupi, Bonzo. Nie wzmacniasz dyscypliny, ty ją niszczysz. Oni wiedzą, że zmieniłem porażkę w remis. A teraz widzą, jak mi za to dziękujesz. Zrobiłeś z siebie durnia przy wszystkich. Co jest teraz warta twoja dyscyplina?

Następnego dnia Ender powiedział Petrze, że dla jej własnego dobra powinni skończyć poranne ćwiczenia strzeleckie. Bonzo niechętnie przyjmie coś, co można uznać za wyzwanie dla niego, więc powinna raczej trzymać się od Endera z daleka. Zrozumiała doskonale.

– Zresztą – dodała – lepszym strzelcem i tak już nie będziesz.

Zostawił swój skafander i komputer w szafce. Musiał nosić mundur Salamandry, dopóki nie dostanie z zaopatrzenia nowego, brunatno-czarnego stroju Szczura. Nie przyniósł tutaj niczego i niczego nie zabierał. Nic nie miał. Wszystko, co posiadało jakąś wartość, znajdowało się w szkol-

nym komputerze albo w jego własnej głowie i rękach.

Skorzystał z publicznego terminala w sali gier,
by zapisać się na kurs walki wręcz w warunkach
ziemskiej grawitacji, godzinę dziennie zaraz po
śniadaniu. Nie planował zemsty na Bonzo. Postanowił jednak, że już nikomu nigdy nie uda się go
uderzyć.

Rozdział 8

Szczur

– Pułkowniku *Graff*, do tej pory walki były uczciwe. Albo losowy rozkład gwiazd, albo symetryczny.

– *Uczciwość to piękna cecha, majorze Anderson.
Ale nie ma nic wspólnego z wojną.*

– Rozgrywki stracą sens. Tabele przestaną cokolwiek wskazywać.

– *Szkoda.*

– *To potrwa miesiące. Lata, by zaprojektować
nowe sale treningowe i przeprowadzić symulacje.*

– Dlatego proszę pana teraz. Żeby pan zaczął. Żeby pan był twórczy. Proszę uwzględnić wszystkie
oszukańcze, nieuczciwe, niesprawiedliwe układy
gwiazd, jakie przyjdą panu do głowy. I wszystkie
sposoby ominięcia reguł. Późne zawiadomienia. Nierówne siły. Potem przeprowadzi pan symulacje
i stwierdzi, które są najtrudniejsze, które najprost-
sze. Potrzebujemy rozsądnego postępu. Chcemy przecież, by dał sobie radę.

– *Kiedy chce pan go zrobić dowódcą? Jak skończy
osiem lat?*

– Naturalnie, że nie. Nie dobrałem mu jeszcze
armii.

– Więc w tym też pan oszukuje?

– Zbyt się pan zaangażował w tę grę, Anderson. Zapomina pan, że to tylko ćwiczenia.

– To także status, osobowość, nazwisko, cel; wszystko, co czyni te dzieciaki tym, czym są, bierze się z gry. Kiedy się okaże, że można nią manipulować, naginać, oszukiwać, szkoła utraci skuteczność nauczania. Nie przesadzam.

– Wiem.

– Dlatego mam nadzieję, że Ender jest tym, kogo szukamy, w przeciwnym wypadku na długi czas zniweczy pan efektywność naszego systemu.

– Jeśli Ender nim nie jest, jeśli szczyt jego zdolności militarnych nie pokryje się z momentem przylotu naszych flot na planetę robali, nie będzie to miało większego znaczenia, czym są lub nie są nasze metody szkolenia.

– Wybaczy mi pan, pułkowniku, lecz sądzę, że powinienem złożyć raport na temat pańskich poleceń i przedstawić moją opinię o nich Strategosowi i Hegemonowi.

– Czemu nie do naszego kochanego Polemarchy?

– Wszyscy wiedzą, że ma go pan w kieszeni.

– Cóż za wrogość, majorze Anderson. A ja sądziłem, że jesteśmy przyjaciółmi.

– Jesteśmy. I uważam, że może pan mieć rację co do Endera. Po prostu nie wierzę, że pan i tylko pan ma rozstrzygać o losach świata.

– Osobiście nie uważam, że mam prawo decydować nawet o losie Endera Wiggina.

– Więc nie ma pan nic przeciw temu, żebym ich powiadomił?

– Oczywiście, że mam, ty marudny ośle. O tej sprawie powinni decydować ludzie, którzy wiedzą co robią, a nie ci zastrachani politycy, którzy dostali się na urząd tylko dlatego, że przypadkiem mają wpływy w kraju, z którego pochodzą.

– Ale rozumie pan, czemu to robię?

– Bo jesteś krótkowzrocznym biurokratycznym sukinsynem i chcesz się zabezpieczyć, gdyby coś źle poszło. Jeśli się nie uda, wszyscy będziemy mięsem dla robali. Więc zaufaj mi teraz, Anderson, i nie sprowadzaj na głowę całej cholernej Hegemonii. To, co robię, jest dostatecznie trudne i bez nich.

– Czuje się pan oszukany? Wszyscy grają przeciwko panu? Pan może to robić Enderowi, ale sam tego nie wytrzymuje, tak?

– Ender Wiggin jest dziesięć razy sprytniejszy i silniejszy ode mnie. To, co mu robię, pozwoli jego geniuszowi na pełny rozwój. Gdybym sam miał przez to przejść, załamałbym się. Majorze Anderson, wiem, że niszczę grę i wiem, że kocha ją pan bardziej niż którykolwiek z tych chłopców. Może mnie pan nienawidzić, ale niech mnie pan nie powstrzymuje.

– Zastrzegam sobie prawo powiadomienia Hegemonii i Strategoi, kiedy uznam to za stosowne. Ale na razie... może pan robić, co zechce.

– Jestem bardzo zobowiązany.

– Ender Wiggin, mały pierdziel, który prowadzi w tabeli... cóż za radość powitać cię wśród nas – dowódca Armii Szczura leżał wyciągnięty na dolnym posłaniu, mając na sobie tylko swój komputer. – Jak można przegrać mając ciebie?

Kilku chłopców roześmiało się.

Nie mogły istnieć armie mniej do siebie podobne niż Salamandra i Szczur. Tu sala była w nieładzie, panował gwar i zamieszanie. Po mieszkaniu z Bonzo Ender sądził, że brak dyscypliny sprawi mu ulgę. Stwierdził jednak, że podświadomie oczekuje spokoju i porządku, a bałagan budzi jego niechęć.

– Sobie radzimy, Enderze Blagierze. Jestem Ross de Nos, Żydek nadzwyczajny, a ty jesteś nikim, tylko pieprzonym, dupkowatym gojem. Nie zapominaj o tym.

Odkąd utworzono MF, Strategosem sił wojskowych zawsze był Żyd. Istniał przesąd mówiący, że żydowscy generałowie nie przegrywają wojen. Ta teoria sprawdzała się, jak dotąd, niezawodnie. W związku z nią każdy Żyd w Szkole Bojowej marzył o zostaniu Strategosem i od samego początku zyskiwał spory prestiż. Rozbudzało to liczne pretensje. Armię Szczura nazywano często Grupą Ciosową, na wpół z podziwem, na wpół z ironią porównując ją do Grupy Uderzeniowej Mazera Rackhama. Wielu ludzi przypominało chętnie, że podczas Drugiej Inwazji, chociaż amerykański Żyd jako prezydent był Hegemonem sprzymierzenia, izraelski Żyd Strategosem głównodowodzącym obrony MF, a rosyjski Żyd Polemarchą floty, to jednak Grupa Uderzeniowa Mazera Rackhama, prawie nieznanego, dwudziestokrotnie stawianego przed sądem wojennym Nowozelandczyka, mającego w żyłach krew Maorysów przełamała i ostatecznie zniszczyła flotę robali w akcji nad Saturnem.

Jeśli właśnie Mazer Rackham potrafił ocalić świat, mówiono, to nie ma większego znaczenia, czy ktoś jest Żydem, czy nie.

Ale to miało znaczenie, o czym Ross Nos świetnie wiedział. Kpił sam z siebie uprzedzając drwiące komentarze antysemitów – a prawie każdy, kogo pokonał w bitwie, przynajmniej na pewien czas stawał się żydożercą – ale jednocześnie pilnował, by wszyscy wiedzieli, z kim mają do czynienia. Jego armia zajmowała drugie miejsce i walczyła o pierwsze.

– Wziąłem cię, goju, bo nie chcę, żeby mówili, że wygrywam, bo mam najlepszych żołnierzy. Chcę im pokazać, że mogę wygrać nawet z takim żołnierskim wypierdkiem jak ty. Mamy tu tylko trzy zasady. Robić, co mówię i nie sikać do łóżka.

Ender kiwnął głową. Wiedział, że Ross czeka na jego pytanie o trzecią zasadę. Zadał je więc.

– To były trzy zasady. Nie jesteśmu tu za dobrzy z matematyki.

Przekaz był jasny: zwycięstwo jest ważniejsze niż wszystko inne.

– Twoje sesje treningowe z tymi małymi, głupkowatymi Starterami są skończone, Wiggin. Koniec. Jesteś teraz w armii z dużymi chłopcami. Będziesz w plutonie Dinka Meekera. Od tej chwili, jeśli chodzi o ciebie, Dink Meeker jest Bogiem.

– A kim ty jesteś?

– Jestem oficerem personalnym, który wynajął Boga – Ross wyszczerzył zęby. – I masz zakaz używania komputera, dopóki nie zamrozisz dwóch wrogich żołnierzy w jednej bitwie. Ten rozkaz to samoobrona. Słyszałem, że jesteś genialnym programistą. Nie chcę, żebyś coś pieprzył na mojej maszynie.

Wszyscy ryknęli śmiechem. Dopiero po chwili Ender zrozumiał, dlaczego. Ross zaprogramował komputer, by ten wyświetlał i poruszał powiększonym obrazem męskich genitaliów, kołyszącym się tam i z powrotem, gdy zasłaniał pulpitem okolice poniżej pasa. Oto dowódca, któremu sprzedał mnie Bonzo, pomyślał Ender. Jak ktoś, kto w ten sposób spędza czas, potrafi wygrywać bitwy?

Znalazł Dinka Meekera w sali gier. Nie grał, po prostu siedział i obserwował.

– Pokazali mi ciebie – powiedział. – Jestem Ender Wiggin.

– Wiem – odparł Meeker.

– Jestem w twoim plutonie.

– Wiem – powtórzył.

– Mam mało doświadczenia.

Dink przyjrzał mu się uważnie.

– Posłuchaj, Wiggin, wiem to wszystko. Jak myślisz, czemu prosiłem Rossa, żeby cię do mnie przydzielił?

Więc nie został odrzucony, został wybrany, ktoś o niego prosił. Meeker go chciał.

– Czemu? – spytał Ender.

– Przyglądałem się twoim ćwiczeniom ze Starterami. Moim zdaniem, rokujesz nadzieje. Bonzo jest głupi, a ja chciałem, żebyś odebrał lepsze przeszkolenie, niż może ci dać Petra. Ona umie tylko strzelać.

– Musiałem się tego nauczyć.

– Ale ciągle się ruszasz, jakbyś się bał, że nasikasz w portki.

– Więc mnie naucz.

– Więc się ucz.

– Nie mam zamiaru rezygnować z ćwiczeń w czasie wolnym.

– Nie chcę, żebyś rezygnował.

– Ross Nos chce.

181

– Ross Nos nie może ci zabronić. Tak samo jak nie może zabronić używania komputera.

– Myślałem, że dowódcy mogą rozkazać wszystko.

– Mogą rozkazać, żeby księżyc zrobił się niebieski, ale nic się nie stanie. Posłuchaj, Ender, dowódcy mają tyle władzy, ile im jej dasz. Im bardziej jesteś posłuszny, tym bardziej tobą rządzą.

– A co ich powstrzyma, żeby mi nie dołożyć? – wspomniał cios Bonzo.

– Zdawało mi się, że po to właśnie chodzisz na kurs walki wręcz.

– Naprawdę mnie obserwowałeś?

Dink nie odpowiedział.

– Nie chcę, żeby Ross był na mnie wściekły. Chcę brać udział w walce, mam dość siedzenia w kącie.

– Twoje wyniki się pogorszą.

Tym razem Ender nie odpowiedział.

– Słuchaj, Ender, dopóki jesteś w moim plutonie, bierzesz udział w walce.

Wkrótce Ender przekonał się, dlaczego. Dink szkolił swój pluton z dyscypliną i wigorem, ale zupełnie niezależnie od pozostałej części Armii Szczura. Nigdy nie konsultował się z Rossem i bardzo rzadko cała armia ćwiczyła wspólne manewry. Wyglądało to tak, jakby Ross dowodził jedną armią, a Dink drugą, o wiele mniejszą, która przypadkiem znalazła się w sali treningowej w tym samym czasie.

Dink rozpoczął pierwsze ćwiczenia prosząc Endera, by zademonstrował swoją pozycję w ataku stopami naprzód. Inni chłopcy nie byli zachwyceni.

– Jak możemy nacierać, leżąc na plecach? – pytali.

Ku zdziwieniu Endera Dink nie poprawił ich, nie powiedział, żeby nie atakowali na plecach, tylko spadali na nich. Widział, co robi Ender, ale nie rozumiał orientacji, jaka z tego wynikała. Chłopiec szybko pojął, że wprawdzie Dink był bardzo, bardzo dobry, lecz upór w trzymaniu się kierunku ciążenia korytarza ograniczał jego sposób myślenia. Nie potrafił sobie wyobrazić nieprzyjacielskiej bramy jako leżącej na dole.

Ćwiczyli atak na wrogą gwiazdę. Zanim zaczęli stosować metodę Endera, zawsze nacierali wyprostowani, wystawiając na cel całe ciała. Nawet teraz, gdy docierali do gwiazdy, atakowali z jednego tylko kierunku. „Górą!” krzyczał Dink i górą nacierali. Trzeba przyznać, że potem powtarzał ćwiczenie wołając: „Jeszcze raz, głową w dół!”, ale ponieważ stale orientowali się według nie istniejącej grawitacji, przechodząc dołem chłopcy poruszali się niezgrabnie, jakby mieli zawroty głowy.

Nienawidzili ataku stopami w przód. Dink upierał się, by go stosowali. W efekcie znienawidzili Endera.

– Czy musimy uczyć się walczyć od Startera? – spytał jeden z nich upewniwszy się, że Ender usłyszy.

– Tak – odparł Dink. Pracowali dalej.

W końcu się przekonali. W treningowych potyczkach zaczęli pojmować, o ile trudniej jest trafić przeciwnika atakującego stopami do przodu. A kiedy pojęli, ćwiczyli chętniej.

Tego wieczoru Ender po raz pierwszy przyszedł na ćwiczenia Starterów po całym dniu pracy. Był zmęczony.

– Jesteś teraz w prawdziwej armii – powitał go Alai. – Nie musisz już z nami trenować.

– Od ciebie uczę się tego, czego nikt nie umie – odparł Ender.

– Dink Meeker jest najlepszy. Słyszałem, że jesteś w jego plutonie.

– No to do roboty. Pokażę wam, czego się dzisiaj od niego nauczyłem.

Przy pomocy Alai i pozostałych starał się przeprowadzać te same manewry, nad którymi męczył się całe popołudnie. Poprawił je jednak, kazał chłopcom ćwiczyć z zamrożoną jedną nogą, obiema nogami, albo używać zamrożonych kolegów jako oparcia przy zmianie kierunku lotu.

W połowie ćwiczeń zauważył Petrę i Dinka. Stali w drzwiach i przyglądali mu się z daleka. Później, gdy spojrzał znowu, już ich nie było.

A więc obserwują mnie i wiedzą, co tu robię. Nie miał pojęcia, czy Dink jest jego przyjacielem; sądził, że Petra tak, ale nie był pewien. Mogą być wściekli, że zajmuje się tym, co należy do dowódców armii i plutonów – musztruje i ćwiczy żołnierzy. Może też czują się obrażeni, że żołnierz zadaje się ze Starterami. Nie czuł się dobrze, gdy starsi mu się przyglądali.

– Zdawało mi się, że zakazałem ci używać komputera – Ross Nos stanął przy posłaniu Endera.

Ender nie podniósł głowy.

– Kończę zadanie z trygonometrii na jutro.

Ross pchnął komputer kolanem.

– Zakazałem ci tego używać.

Ender odłożył pulpit i wstał.

– Bardziej mi zależy na trygonometrii niż na tobie.

184

Ross był wyższy przynajmniej o czterdzieści centymetrów, ale Ender nie przejmował się tym. Nie sądził, by doszło do użycia siły, a jeśli nawet, to chyba dałby sobie radę. Ross był leniwy i nie potrafił walczyć wręcz.

– Spadasz w tabeli, chłopcze – stwierdził.

– Spodziewałem się tego. Prowadziłem tylko dlatego, że Armia Salamandry używała mnie w głupi sposób.

– Głupi? Strategia Bonza pozwoliła mu wygrać kilka kluczowych bitew.

– Strategia Bonza nie pozwoliłaby mu wygrać walki o pietruszkę. Każdy mój strzał naruszał jego rozkazy.

Ross o tym nie wiedział i to go rozzłościło.

– Więc wszystko, co mówił o tobie Bonzo, to kłamstwo. Jesteś nie tylko mały i nic nie umiesz, ale w dodatku jesteś niezdyscyplinowany.

– Ale zupełnie sam zmieniłem porażkę w remis.

– Zobaczymy, jak sobie poradzisz zupełnie sam następnym razem – rzucił Ross odchodząc.

Jeden z żołnierzy plutonu Endera pokręcił głową.

– Jesteś głupi jak but.

Ender spojrzał na Dinka, siedzącego nad swoim komputerem. Dink podniósł głowę, zauważył Endera i popatrzył na niego obojętnie. Jego twarz nie wyrażała kompletnie nic. W porządku, pomyślał chłopiec. Sam dam sobie radę.

Bitwa wypadła dwa dni później. Po raz pierwszy Ender miał walczyć w ramach plutonu; denerwował się. Pluton Dinka stanął w szeregu pod prawą ścianą korytarza, a Ender skupiał się na tym, żeby się nie opierać, stać prosto. Zachowuj równowagę.

– Wiggin! – zawołał Ross Nos.

Ender poczuł, jak fala lęku spływa po nim od gardła po krocze – dreszcz strachu przyprawiający o drżenie. Ross dostrzegł to.

– Drżysz? Trzęsiesz się? Nie narób w portki, mały Starterze – Ross zahaczył palcem o kolbę miotacza Endera i przyciągnął go do pola siłowego, zakrywającego salę treningową. – Zobaczymy, jak teraz sobie poradzisz, Ender. Jak tylko brama się otworzy, skaczesz do środka i lecisz prosto na bramę nieprzyjaciół.

Samobójstwo. Bezsensowna, bezcelowa autodestrukcja. Ale musi wykonywać rozkazy; to była bitwa, nie ćwiczenia. Na chwilę ogarnęła go zimna wściekłość, zaraz jednak się uspokoił.

– Doskonale, sir. Kierunek mojego ognia to kierunek, w którym znajdą się ich główne siły.

– Nie będziesz miał czasu, żeby wystrzelić – roześmiał się Ross.

Ściana zniknęła. Ender skoczył, chwycił klamry na suficie i wypchnął się naprzód i w dół, ku nieprzyjacielskiej bramie.

Walczyli z Armią Stonogi. Ender był już w środku sali, gdy ich żołnierze zaczynali dopiero przekraczać bramę. Część zdążyła schronić się za gwiazdami, ale Ender podkurczył nogi, wsunął miotacz pomiędzy uda i strzelał, zamrażając wielu z nich zaraz po wejściu.

Błysnęli mu w nogi, ale miał jeszcze trzy cenne sekundy, zanim trafili go w korpus i wyłączyli z akcji. Zamroził kilku innych, potem rozłożył ramiona w przeciwne strony. Ręka, w której trzymał

186

miotacz, celowała w główną grupę Armii Stonogi. Wystrzelił w masę wrogów, a potem go zamrozili.

Sekundę później uderzył o pole siłowe bramy i odbił się wirując szaleńczo. Doleciał do grupy nieprzyjaciół ukrytych za gwiazdą; odepchnęli go i rozkręcili jeszcze bardziej. Odbijał się we wszystkie strony przez resztę bitwy, choć opór powietrza stopniowo wyhamował jego lot. Nie wiedział, ilu ludzi zamroził, zanim sam zlodowaciał, ale odniósł wrażenie, że Armia Szczura zwyciężyła jak zwykle.

Po bitwie Ross nie odezwał się do niego. Ender nadal prowadził w tabeli, gdyż zamroził trzech, unieszkodliwił dwóch i trafił siedmiu. Nie było już mowy o niesubordynacji i używaniu komputera. Ross trzymał się swojej części koszar i zostawił Endera w spokoju.

Dink Meeker zaczął ćwiczyć błyskawiczne opuszczenie korytarza – atak Endera w chwili, gdy armia przeciwnika wciąż jeszcze przechodziła przez bramę przyniósł nadzwyczajne wyniki.

– Jeśli jeden człowiek potrafi narobić tyle szkód, pomyślcie, czego dokona pluton.

Dink nakłonił majora Andersona, żeby otwierał bramę na środku ściany zamiast tej na poziomie podłogi, mogli więc trenować start w warunkach bojowych. Inni też się o tym dowiedzieli. Od tego czasu nikt nie mógł marnować w korytarzu pięciu, dziesięciu czy piętnastu sekund po to, żeby się rozejrzeć. Gra się zmieniła.

Więcej bitew. Ender zajął swoje miejsce w plutonie. Popełniał błędy. Przegrywał starcia. W tabeli spadł z pierwszego miejsca na drugie, potem na czwarte. Potem popełniał mniej błędów

187

i poczuł się lepiej w ramach plutonu. Wrócił na trzecią pozycję. Potem na drugą, potem pierwszą.

• • •

Pewnego dnia Ender został w sali po ćwiczeniach. Zauważył, że Dink Meeker zwykle spóźnia się na kolację i uznał, że trenuje dodatkowo. Nie był specjalnie głodny, a chciał zobaczyć, co ćwiczy Dink, gdy nikt go nie widzi.

Ale Dink nie ćwiczył. Stał przy drzwiach i patrzył na Endera.

Ender stał pod ścianą naprzeciwko i patrzył na Dinka.

Żaden się nie odzywał. Było jasne, że Dink chce, by Ender wyszedł. I równie jasne, że Ender mówi nie.

Dink odwrócił się plecami, spokojnie zdjął kombinezon i delikatnie odepchnął się od podłogi. Popłynął w stronę środka sali, bardzo wolno, z ciałem rozluźnionym niemal całkowicie tak, że dłonie i ramiona zdawały się chwytać nie istniejące prądy powietrza.

Po napięciu szybkich manewrów, zmęczeniu i podnieceniu, samo patrzenie na niego sprawiało ulgę. Płynął tak przez jakieś dziesięć minut, zanim dotarł do przeciwległej ściany. Tam odepchnął się mocno, wrócił do bramy i wciągnął kombinezon.

– Chodź – rzucił w stronę Endera.

Wrócili do koszar. Chłopcy jedli kolację, więc sala była pusta. Dink i Ender przeszli do swoich posłań i przebrali się w regulaminowe mundury. Potem Ender podszedł do Dinka i czekał, aż tamten będzie gotów.

– Czemu czekałeś? – spytał Dink.

– Nie byłem głodny.

– Czy teraz już wiesz, dlaczego nie dostałem armii?

Ender zastanawiał się nad tym kiedyś.

– Szczerze mówiąc, awansowali mnie dwa razy, ale odmówiłem.

Odmówił?

– Odebrali mi starą szafkę i łóżko, i pulpit, przyznali kabinę dowódcy, i dali armię. Ale ja po prostu siedziałem w tej kabinie tak długo, aż ustępowali i przydzielali mnie znowu do czyjejś armii.

– Dlaczego?

– Bo nie chcę im pozwolić, żeby mi to zrobili. Nie wierzę, żebyś nie przejrzał tego draństwa, Ender. Chociaż jesteś jeszcze młody. To nie inne armie są wrogami. To nauczyciele. Zmuszają nas, byśmy ze sobą walczyli, byśmy nienawidzili siebie nawzajem. Gra jest wszystkim. Wygrać, wygrać, wygrać. I wszystko to niczemu nie służy. Zabijamy się, wpadamy w obłęd, próbując zwyciężyć, a te sukinsyny przez cały czas obserwują, badają, odkrywają nasze słabe punkty i decydują, czy jesteśmy wystarczająco dobrzy. Dobrzy do czego? Miałem sześć lat, kiedy mnie tu sprowadzili. Co mogłem wiedzieć, do diabła? Oni uznali, że nadaję się do programu. Tyle że nikt nie pytał, czy program nadaje się dla mnie.

– Więc dlaczego nie odejdziesz do domu?

Dink uśmiechnął się z przymusem.

– Bo nie potrafię zrezygnować z gry – szarpnął materiał kombinezonu, leżącego obok na posłaniu. – Bo kocham to.

– Więc czemu nie jesteś dowódcą?

Dink pokręcił głową.

– Nigdy. Spójrz tylko, co się stało z Rossem. Ten chłopak to wariat. Ross Nos. Sypia tutaj, razem z nami, zamiast w swojej kabinie. Dlaczego? Bo boi się zostać sam, Ender. Boi się ciemności.

– Ross?

– Ale oni zrobili go dowódcą armii i musi się zachowywać jak dowódca. Nie wie, co ma robić. Wygrywa, ale to przeraża go najbardziej, ponieważ nie wie, dlaczego wygrywa, tyle tylko, że ja mam z tym coś wspólnego. W każdej chwili ktoś może odkryć, że Ross nie jest wszechmocnym izraelskim generałem, który potrafi zwyciężać w każdej sytuacji. On nie ma pojęcia, dlaczego ktoś wygrywa albo przegrywa. Nikt nie ma pojęcia.

– To jeszcze nie znaczy, że jest wariatem, Dink.

– Wiem, jesteś tu od roku i myślisz, że ci ludzie są normalni. No więc nie są. Nie jesteśmy. Korzystam z biblioteki, wyświetlam sobie książki na komputerze. Te stare, bo nic nowego nam nie dadzą, ale i tak mam niezłe pojęcie, jakie są dzieci. My nie jesteśmy dziećmi. Dzieci mogą czasem przegrać i nikt się tym nie przejmuje. Dzieci nie są w armiach, nie rozkazują czterdziestu innym dzieciakom. To więcej, niż można wytrzymać i nie zwariować chociaż trochę.

Ender próbował sobie przypomnieć, jakie były dzieci z jego klasy w szkole, w mieście. Ale myślał tylko o Stilsonie.

– Miałem brata. Zwyczajny chłopak, interesowały go dziewczyny. I latanie. Grywał z chłopakami w piłkę. Normalnie, rzucało się piłkę do kosza albo kiwało na korytarzach. Było wspaniale. Kiedy przyszli po mnie, właśnie pokazywał mi, jak się kiwać.

Ender wspomniał swojego brata i nie było to przyjemne wspomnienie.

Dink nie zrozumiał wyrazu twarzy Endera.

– Hej, wiem, że nikt nie powinien mówić o domu. Ale skądś tu przybyliśmy. To nie Szkoła Bojowa nas stworzyła. Szkoła Bojowa nie stworzyła niczego. Ona tylko niszczy. A przecież wszyscy pamiętamy różne rzeczy z domu. Może nie zawsze miłe, ale pamiętamy, i wtedy kłamiemy i udajemy, że... posłuchaj, Ender, dlaczego właściwie nikt nie mówi o domu, nigdy? Czy nie widzisz, jakie to ważne? Nikt nawet nie przyznaje, że... o cholera!

– Nie, w porządku – zapewnił go Ender. – Myślałem tylko o Valentine. Mojej siostrze.

– Nie chciałem cię zdenerwować.

– Nie ma sprawy. Nie myślę o niej zbyt często, bo robię się... właśnie taki.

– To fakt, nigdy nie płaczemy. Chryste, nie pomyślałem o tym. Nikt nigdy nie płacze. Naprawdę staramy się być jak dorośli. Jak nasi ojcowie. Założę się, że twój ojciec był taki jak ty. Spokojnie zgadzał się na wszystko, a potem wybuchał...

– Nie jestem podobny do ojca.

– Więc może się pomyliłem. Ale weź takiego Bonza. Nieuleczalny przypadek hiszpańskiego honoru. Nie może sobie pozwolić na słabości. Być od niego lepszym to obraza. Być silniejszym, to jakby urżnąć mu jaja. Dlatego cię właśnie nienawidzi: nie cierpiałeś, kiedy chciał cię ukarać. Nienawidzi cię za to; zupełnie poważnie chce cię zabić. To wariat. Wszyscy oni to wariaci.

– A ty nie?

– Ja też jestem wariat, mój mały, ale przynajmniej kiedy mnie to dopada, to pływam samotnie w przestrzeni i wariactwo wyłazi ze mnie i wsiąka w ściany i nie wychodzi, dopóki nie ma bitwy. Wtedy mali chłopcy walą w ściany i zgniatają wariactwo.

Ender uśmiechnął się.

– Ty też będziesz wariat – stwierdził Dink. – Chodź, idziemy jeść.

– Może potrafiłbyś zostać dowódcą i nie zwariować. Może to, że wiesz o wariactwie dowodzi, że zostałbyś normalny.

– Nie pozwolę, żeby te sukinsyny mną rządziły, Ender. Ciebie też mają na patelni i nie będą traktować delikatnie. Popatrz, co z tobą zrobili do tej pory.

– Nic ze mną nie zrobili oprócz tego, że awansowałem.

– I dobrze ci z tym, co?

Ender zaśmiał się i pokręcił głową.

– Może masz rację.

– Myślą, że jesteś wystawiony, Ender. Nie pozwól im.

– Ale po to przecież przyleciałem. Żeby zrobili ze mnie narzędzie. Żeby ocalić świat.

– Niemożliwe, żebyś jeszcze w to wierzył.

– W co wierzył?

– W groźbę robali. Ratowanie świata. Słuchaj, Ender, gdyby robale miały wrócić, żeby nas załatwić, to już by tu były. Wcale nie atakują. Pobiliśmy je i odeszły.

– Przecież wideo...

– Wszystkie są z Pierwszej i Drugiej Inwazji.

192

Twoi dziadkowie jeszcze się nie urodzili, kiedy Mazer Rackham rozbił robali. Obserwuj. To wszystko oszustwo. Nie ma żadnej wojny, a oni tylko bawią się nami.

– Ale dlaczego?

– Bo dopóki ludzie boją się robali, MF zachowuje władzę, a dopóki MF ma władzę, pewne kraje mogą utrzymać swoją hegemonię. Ale oglądaj wideo, Ender. Ludzie szybko rozszyfrują tę grę i nastąpi wojna domowa, wojna dla skończenia z wojnami. To właśnie jest groźne, Ender, nie robale. Bo w tej wojnie, kiedy już wybuchnie, nie będziemy przyjaciółmi. Ponieważ ty jesteś Amerykaninem, jak nasi kochani nauczyciele. A ja nie.

Potem poszli do mesy i jedli rozmawiając o czym innym. Ender jednak nie potrafił zapomnieć o tym, co mówił Dink. Szkoła Bojowa była tak zamknięta, a gra tak ważna dla dzieci, że Ender nie pamiętał o istniejącym na zewnątrz świecie. Hiszpański honor. Wojna domowa. Polityka. Szkoła naprawdę była bardzo mała.

Lecz Ender doszedł do innych wniosków niż Dink. Robale były prawdziwe. Istniało zagrożenie. MF kontrolowała wiele spraw, ale nie wideo ani sieci. Nie tam, gdzie mieszkał Ender. W domu Dinka, w Holandii, po trzech pokoleniach pod władzą Rosjan, wszystko to mogło podlegać kontroli, lecz Ender wiedział, że w Ameryce kłamstwo nie wytrzymałoby długo. Wierzył w to.

Wierzył, ale ziarno wątpliwości zostało posiane. Tkwiło w jego umyśle i od czasu do czasu wypuszczało małe kiełki. To ziarno zmieniło wszystko. Sprawiło, że Ender bardziej uważał na to, co ludzie myślą niż na to, co mówią. Sprawiło, że stał się mądrzejszy.

• • •

Na wieczorny trening przyszło niewielu chłopców, mniej niż połowa.

– Gdzie Bernard? – spytał Ender.

Alai uśmiechnął się. Shen przymknął oczy i przybrał wyraz natchnionej medytacji.

– Nie słyszałeś? – zdziwił się inny chłopak, Starter z młodszej grupy. – Mówią, że Starter, który przychodzi na twoje ćwiczenia, nie będzie się liczył w żadnej armii. Mówią, że dowódcy nie zechcą żołnierzy zepsutych twoimi treningami.

Ender pokiwał głową.

– Ale ja kombinuję – mówił Starter – że będę najlepszym żołnierzem i każdy dowódca coś wart mnie weźmie. Nie?

– Jasne – odparł zdecydowanie Ender.

Prowadzili ćwiczenia. Po jakiejś pół godzinie, gdy trenowali zderzenia z odbiciem od zamrożonych żołnierzy, weszło kilku dowódców w różnych mundurach. Ostentacyjnie spisali nazwiska.

– Uważajcie! – zawołał Alai. – Pilnujcie, żeby się nie pomylić!

Następnego dnia chłopców było jeszcze mniej. Teraz i do Endera docierały wiadomości – mali Starterzy dostawali klapsy w łazienkach, zdarzały się im przykre wypadki w mesie, albo ich zbiory kasowali starsi chłopcy, bez trudu przełamując prymitywny system zabezpieczeń w komputerach Starterów.

– Dzisiaj nie będzie treningu.

– Będzie jak diabli – odparł Alai.

– Dajmy spokój na parę dni. Nie chcę, żeby ktoś krzywdził małych chłopców.

– Jeśli przerwiesz choćby na jeden wieczór, pomyślą, że to działa. Czy sam ustąpiłeś Bernardowi, kiedy zachowywał się jak świnia?

– Zresztą – dodał Shen – nie boimy się i nie przejmujemy, więc jesteś nam winien ten trening. Potrzebujemy ćwiczeń i ty też.

Ender przypomniał sobie, co mówił Dink. Gra była czymś mało ważnym w porównaniu z prawdziwym światem. Czemu ktoś miałby poświęcać wszystkie noce dla głupiej, głupiej gry?

– I tak niewiele byśmy zrobili – stwierdził i zaczął się zbierać.

Zatrzymał go Alai.

– Ciebie też przestraszyli? Przylali ci w łazience? Wsadzili głowę do muszli? Ktoś wepchnął ci miotacz w brzuch?

– Nie – odparł Ender.

– Dalej jesteś moim przyjacielem? – spytał Alai, już ciszej.

– Tak.

– Więc ja jestem twoim przyjacielem. Zostaję tu i ćwiczę z tobą.

Starsi chłopcy przyszli znowu, lecz tym razem było wśród nich niewielu dowódców. Większość stanowili żołnierze z różnych armii; Ender rozpoznał mundury Salamandry, a nawet kilku Szczurów. Nie zapisywali nazwisk, ale nabijali się, krzyczeli i drwili, gdy Starterzy wytężali niewytrenowane mięśnie, starając się prawidłowo wykonywać trudne manewry. Kilku chłopców zaczęło się złościć.

– Słuchajcie ich – powiedział im Ender. – I zapamiętajcie te słowa. Jeśli kiedykolwiek zechcecie doprowadzić przeciwnika do wściekłości, krzyczcie do niego takie rzeczy. Zacznie postępować głupio, wściekać się. Ale my nie będziemy się wściekać.

Shen wziął sobie ten pomysł do serca i kazał czwórce Starterów powtarzać głośno pięć czy sześć razy każdą zaczepkę. Kiedy zaczęli wyśpiewywać przezwiska jak wyliczanki, kilku starszych chłopców odbiło się od podłogi i ruszyło do starcia.

Kombinezony zostały skonstruowane do walk przy użyciu nieszkodliwego światła; dawały niewielką ochronę, za to poważnie ograniczały ruchy, gdy doszło do walki wręcz w nullo. Zresztą i tak połowa chłopców była zamrożona i nie mogła się bronić. Sztywność ich kombinezonów sprawiała jednak, że stawali się potencjalnie użyteczni. Ender kazał swoim Starterom zebrać się w jednym kącie sali. Starsi wyśmiewali się z nich jeszcze bardziej, a widząc grupę Endera w odwrocie, kilku stojących dotąd przy bramie ruszyło, by dołączyć do napastników.

Ender i Alai cisnęli w nich jednym z zamrożonych żołnierzy. Nastąpiło zderzenie i Starter wraz z trafionym przeciwnikiem odlecieli w przeciwne strony. Trafiony hełmem w pierś chłopak krzyknął z bólu.

Żarty się skończyły. Reszta chłopców wystartowała, by włączyć się do walki. Ender nie liczył na to, że którykolwiek ze Starterów wyjdzie z tego starcia bez szwanku. Nieprzyjaciel jednak atakował bez planu i koordynacji, podczas gdy mała armia Endera, choć licząca ledwie tuzin żołnierzy, znała się doskonale i wiedziała, jak działać wspólnie.

– Robimy nową – krzyknął Ender. Chłopcy wybuchnęli śmiechem. Podzielili się na grupy, podkurczyli nogi i trzymając się za ręce uformowali przy ścianie trzy gwiazdy. – Wymijamy ich i dolatujemy do bramy. Już!

Na ten sygnał gwiazdy rozpadły się, a każdy z chłopców wystrzelił w innym kierunku, lecz pod takim kątem, by odbić się od ściany i popłynąć ku drzwiom. Ponieważ wrogowie znaleźli się w samym środku sali, gdzie zmiany kursu były o wiele trudniejsze, Starterzy bez trudności przeprowadzili cały manewr.

Ender ustawił się tak, by po starcie trafić w zamrożonego żołnierza, którego przed chwilą użył jako pocisku. Chłopiec nie był już zamrożony; pozwolił, by Ender go chwycił, okręcił wokół siebie i posłał ku bramie. Niestety, w rezultacie tej akcji sam Ender popłynął w przeciwną stronę, i to ze zmniejszoną znacznie szybkością. Jako jedyny ze swoich żołnierzy dryfował dość wolno w stronę krańca sali treningowej, gdzie zebrali się przeciwnicy. Zmienił pozycję, by widzieć, jak jego żołnierze docierają bezpiecznie do bramy.

Tymczasem rozwścieczeni, zdezorganizowani napastnicy właśnie go zauważyli. Ender przeliczył, jak szybko dotrze do najbliższej ściany, gdzie mógłby odbić się znowu. Nie dość szybko. Kilku chłopców wystartowało już ku niemu. Ender ze zdumieniem dostrzegł wśród nich twarz Stilsona. Drgnął pojmując, że się pomylił. Mimo wszystko, była to identyczna sytuacja, tyle że tym razem tamci nie będą czekać na wynik walki sam na sam. Nie mieli przywódcy, o ile zdołał się zorientować, i wszyscy byli o wiele więksi od niego.

Na kursie walki wręcz dowiedział się jednak sporo na temat operowania ciężarem ciała i o fizyce obiektów ruchomych. Oni mogli tego nie wiedzieć; podczas bitew prawie nigdy nie dochodziło do spotkań bezpośrednich – żołnierz rzadko zderzał się z nie zamrożonym przeciwnikiem. W ciągu kilku sekund, jakie mu pozostały, Ender starał się przygotować do spotkania ze swymi gośćmi.

Szczęśliwie wiedzieli o walce w nullo nie więcej od niego, a ci, którzy próbowali go uderzyć stwierdzili, że cios nie wywiera oczekiwanego efektu, gdy ciało atakującego przesuwa się do tyłu prawie tak samo szybko, jak pięść do przodu. Ender zorientował się jednak, że w grupie było kilku poważnie myślących o łamaniu kości. Nie miał zamiaru na nich czekać.

Złapał za ramię któregoś z „bokserów" i pchnął go z całej siły. To odsunęło go z drogi pozostałych, choć nadal nie zbliżył się ani trochę do bramy.

– Zostać tam! – krzyknął do swych przyjaciół, najwyraźniej planujących wyprawę ratunkową. – Nie ruszajcie się stamtąd!

Ktoś złapał go za piętę, dostatecznie mocno, by Ender miał się o co oprzeć. Z całej siły uderzył stopą w głowę i ramię napastnika. Tamten krzyknął i puścił go. Gdyby zrobił to wcześniej, nie ucierpiałby tak bardzo, a Ender mógłby się lepiej odepchnąć. Trzymał jednak mocno; w efekcie miał naderwane ucho i pryskał krwią na wszystkie strony, Ender zaś płynął jeszcze wolniej.

Znów to robię, pomyślał. Ranię ludzi tylko po to, by ocalić siebie. Czemu nie zostawią mnie w spokoju, żebym nie musiał robić im krzywdy?

Jeszcze trzech chłopców zbliżało się do niego. Tym razem działali wspólnie, ale i tak najpierw musieli go chwycić. Ender ustawił ciało w ten sposób, by dwóch z nich mogło go złapać za nogi, pozostawiając ręce wolne do rozprawienia się z trzecim.

Chwycili przynętę. Ender złapał trzeciego z napastników za koszulę, pociągnął mocno i uderzył hełmem w twarz. Znów krzyk i deszcz krwi. Tamci próbowali wykręcić mu nogi. Cisnął tego z krwawiącym nosem na jednego z nich. Zderzyli się i przeciwnik puścił nogę. Teraz już bez trudu wykorzystał chwyt trzeciego, by kopnąć go w krocze i odbić się w stronę bramy. Wystartował nie najlepiej, więc leciał niezbyt szybko, ale to już nie miało znaczenia. Nikt go nie gonił.

Dotarł do wyjścia. Koledzy pochwycili go i podawali sobie aż do bramy śmiejąc się i klepiąc go po ramionach.

– Ty draniu! – powtarzali. – Ty potworze! Jak błyskawica!

– Na dzisiaj koniec ćwiczeń – oznajmił Ender.

– Jutro wrócą znowu – stwierdził Shen.

– Nic im z tego nie przyjdzie. Albo zjawią się bez skafandrów i wtedy załatwimy ich tak, jak dzisiaj, albo w skafandrach, więc będziemy ich mogli zamrozić.

– Zresztą – dodał Alai – nauczyciele nie pozwolą, by coś takiego się powtórzyło.

Ender przypomniał sobie, co mówił Dink. Nie był pewien, czy Alai ma rację.

– Hej, Ender! – krzyknął jeden ze starszych chłopców, gdy wychodzili z sali. – Jesteś nikim, chłopie! Nikim!

– To mój dawny dowódca, Bonzo – wyjaśnił Ender. – Chyba mnie nie lubi.

Późnym wieczorem Ender sprawdził na komputerze wszystkie spisy. Czterech chłopców zgłosiło się do lekarza: z naruszonymi żebrami, z uszkodzeniem jąder, z naderwanym uchem, ze złamanym nosem i obluzowanymi zębami. Przyczyna wypadku była we wszystkich przypadkach ta sama:

PRZYPADKOWE ZDERZENIE W ZERO G

Jeśli nauczyciele pozwolili, by znalazło się to w oficjalnym raporcie, to najwyraźniej nie zamierzali nikogo karać za tę nieprzyjemną bójkę w sali treningowej. Czy nie mają zamiaru zrobić czegoś w tej sprawie? Nie obchodzi ich, co się dzieje w Szkole?

Ponieważ wrócił do koszar wcześniej niż zwykle, Ender wywołał na komputerze grę fantasy. Dawno już tego nie robił. Tak dawno, że komputer umieścił go nie tam, gdzie ostatnio przerwał. Zaczął przy zwłokach Olbrzyma. Tyle że teraz trudno było je rozpoznać. Musiałby odejść kawałek i przyjrzeć się im z daleka. Ciało rozsypało się tworząc niewielki pagórek opleciony trawą i zielskiem. Jedynie twarz Olbrzyma dawała się jeszcze rozróżnić – biała kość podobna do wapienia, odsłoniętego na starym, wietrzejącym wzgórku.

Ender nie cieszył się perspektywą walki z dziećmi-wilkami, ale ku jego zdziwieniu już ich nie spotkał. Może, raz zabite, znikały na zawsze. Ta myśl sprawiła, że posmutniał.

Przedostał się do podziemi i tunelami na urwisko ponad cudownym lasem. Znów rzucił się w dół i znów pochwyciła go chmura i przeniosła do komnaty w wieży zamku.

Wąż zaczął rozwijać się z dywanu i tym razem Ender się nie wahał. Nadepnął na jego głowę i przygniótł mocno. Wąż wił się i skręcał, a Ender dociskał go coraz mocniej do kamiennej podłogi. Wreszcie znieruchomiał. Ender podniósł go i potrząsał, aż odwinął się do końca i wzór na dywanie zniknął. Potem, ciągle wlokąc węża za sobą, zaczął się rozglądać za wyjściem.

Zamiast tego znalazł lustro. A w lustrze zobaczył twarz, którą rozpoznał natychmiast. To był Peter; krew kapała mu po brodzie, a z ust wystawał ogon węża.

Ender wrzasnął i odepchnął od siebie pulpit. Kilku chłopców na sali zaniepokoił jego krzyk, ale przeprosił wyjaśniając, że nic się nie stało. Odeszli. Spojrzał na ekran. Jego postać wciąż tam była i patrzyła w lustro. Próbował podnieść jakiś mebel, by rozbić zwierciadło, ale nie potrafił ich poruszyć. Lustro nie dało się zdjąć ze ściany. W końcu Ender cisnął weń wężem. Rozprysnęło się, odsłaniając dziurę w murze. Z tej dziury wypełzły dziesiątki maleńkich węży, raz po raz kąsających figurkę Endera. Odrywając je od siebie gorączkowymi ruchami, postać upadła i zginęła pod stosem wijących się ciał.

Ekran poczerniał i pojawił się tekst:

GRASZ DALEJ?

Ender wyłączył się i odsunął pulpit.

Następnego dnia kilku dowódców zjawiło się u Endera osobiście albo przysłało żołnierzy. Zapewnili go, że nie ma się czym martwić, że większość uważa jego treningi za świetny pomysł i powinien je kontynuować. I żeby się upewnić, że nikt nie będzie mu przeszkadzał, przyślą paru starszych żołnierzy, którym przydadzą się dodatkowe zajęcia.

– Są prawie tak duzi, jak ci robale, którzy was wczoraj napadli. Następnym razem pomyślą, zanim coś zrobią.

Tego wieczoru zamiast dwunastu chłopców miał czterdziestu pięciu, więcej niż armię. I może ze względu na obecność starszych chłopców po stronie Endera, a może dlatego, że mieli już dość, jego wrogowie nie pokazali się.

Ender nie wracał więcej do gry. Ta jednak żyła nadal w jego snach. Wciąż pamiętał, co czuł zabijając węża, miażdżąc go – to samo co nadrywając ucho temu chłopakowi, co zniszcząc Stilsona i łamiąc Bernardowi rękę. Wspominał, jak stał trzymając ciało swego wroga i widział twarz Petera patrzącą na niego z lustra. Ta gra wie o mnie za dużo. Ta gra obrzydliwie kłamie. Nie jestem Peterem. Nie mam serca mordercy.

Potem ogarniał go jeszcze większy strach, strach, że jednak jest mordercą, tylko sprytniejszym niż Peter, że to właśnie tak cieszy nauczycieli. Na wojnę z robalami potrzebowali zabójców. Ludzi, którzy potrafią wgnieść twarz wroga w ziemię i zalać wszystko jego krwią.

No dobra, jestem dla was kimś. Jestem tym cholernym sukinsynem, który był wam potrzebny, kiedy daliście zgodę na moje poczęcie. Jestem waszym narzędziem. Co za różnica, że nienawidzę tej części siebie, której potrzebujecie najbardziej? Co za różnica, że kiedy w grze zabiły mnie te małe węże, przyznawałem im rację i byłem zadowolony?

Rozdział 9

Locke i Demostenes

– Nie wzywałem pana tutaj, żeby marnować czas. W jaki sposób, do diabła, komputer mógł to zrobić?

– Nie wiem.

– Jak zdołał znaleźć obraz brata Endera i wstawić go do grafiki w procedurze Krainy Baśni?

– Pułkowniku Graff, nie ja go programowałem. Wiem tylko, że nigdy jeszcze nie zabrał nikogo do tego miejsca. Już Kraina Baśni była niezwykła, ale to już nie jest Krainą Baśni. To już jest poza Końcem Świata i...

– Znam nazwy tych miejsc. Nie wiem tylko, co one oznaczają.

– Kraina Baśni została wprogramowana. Wspomina się o niej w kilku innych punktach. Ale na temat Końca Świata nic nie wiadomo. Nie mamy w tej sprawie żadnego doświadczenia.

– Nie podoba mi się, że komputer pakuje się w taki sposób do umysłu Endera. Peter Wiggin jest najbardziej znaczącą osobą w jego życiu, może oprócz siostry, Valentine.

– Gra myślowa została zaprojektowana, by pomóc im się ukształtować. Znaleźć sobie światy, w których będzie im dobrze.

– Nie rozumie pan tego, majorze Imbu? Nie chcę, żeby Ender czuł się dobrze z Końcem Świata. Nasz zawód to zapobiec końcowi świata!

– Koniec Świata w grze to niekoniecznie koniec ludzkości w wojnie z robalami. Dla Endera ma on osobiste znaczenie.

– Dobrze. Jakie znaczenie?

– Nie wiem, sir. Nie jestem tym dzieciakiem. Niech pan jego zapyta.

– Majorze Imbu, pytam pana.

– Możliwe są tysiące znaczeń.

– Niech pan poda kilka.

– Izolował pan tego chłopca, sir. Może pragnie końca tego świata, Szkoły Bojowej. A może chodzi o koniec świata, w którym wyrastał jako dziecko, jego domu. Albo jest to sposób na poradzenie sobie z tym, że połamał ostatnio tyle dzieciaków. Ender to wrażliwy chłopak, wie pan, a że zrobił innym parę paskudnych rzeczy, może pragnąć końca takiego świata.

– Albo jeszcze coś innego.

– Gra myślowa jest relacją pomiędzy dzieckiem a komputerem. Wspólnie tworzą opowieści. I te opowieści są prawdziwe w tym sensie, że są odbiciami rzeczywistości życia dziecka. Tyle wiem.

– Powiem panu, co ja wiem, majorze. Tego wizerunku Petera Wiggina nie pobrano z naszych akt w szkole. Nie mamy żadnych danych na jego temat, ani elektronicznych ani żadnych innych. Nic, odkąd Ender do nas trafił. A ten obraz był dużo późniejszy.

– To zaledwie półtora roku, sir. Jak bardzo zmienia się chłopiec w takim okresie?

– Ma zupełnie inną fryzurę. Aparat ortodoncyjny zmienił mu kształt ust. Dostałem z planety jego nowe zdjęcie i porównałem. Komputer Szkoły Bojowej mógł dostać ten obraz wyłącznie żądając go od komputera na Ziemi. I to od żadnej z maszyn MF, co wymaga specjalnego dostępu. Nie możemy przecież jechać do Guilford County w Północnej Karolinie i wyciągnąć zdjęcia ze szkolnych rejestrów. Czy ktokolwiek z tej szkoły wyraził zgodę na wzięcie fotografii?

– Pan tego nie rozumie, sir. Komputer Szkoły Bojowej jest częścią sieci MF. Jeśli my potrzebujemy tego zdjęcia, musimy prosić o zgodę. Jeśli jednak potrzebuje go program gry myślowej...

– Może go sobie zwyczajnie wziąć.

– Nie tak zwyczajnie. Wyłącznie dla dobra dziecka.

– Zgoda, więc to dla jego dobra. Ale dlaczego? Jego brat jest niebezpieczny, został odrzucony przez nasz projekt, gdyż jest jedną z najgorszych istot ludzkich, jakie trafiły nam do rąk. Dlaczego dla Endera jest taki ważny? Dlaczego, po tak długim okresie?

– Uczciwie mówiąc, sir, nie wiem. A program gry myślowej jest tak zaprojektowany, że nie potrafi nam tego wyjaśnić. Może zresztą sam tego nie wie. Ale to i tak biała plama.

– Chce pan powiedzieć, że komputer wymyśla to wszystko w miarę rozwoju wypadków?

– Można to tak określić.

– Czuję się trochę lepiej. Myślałem, że tylko ja tak robię.

Valentine obchodziła ósme urodziny Endera w samotności, w porośniętym drzewami ogrodzie ich nowego domu w Greensboro. Oczyściła kawałek ziemi z sosnowych igieł i liści, i patyczkiem wydrapała w piachu jego imię. Potem z gałązek i igieł zbudowała maleńki szałasik i rozpaliła niewielkie ognisko. Dym unosił się w górę poprzez zwieszone nad jej głową konary sosny. Aż w kosmos, powiedziała bezgłośnie. Aż do Szkoły Bojowej.

Nie przychodziły żadne listy i – o ile wiedzieli – ich listy także do niego nie docierały. Kiedy go zabrali, ojciec i matka co kilka dni siadali przy stole i wystukiwali długie przesłania. Po pewnym czasie robili to tylko raz na tydzień, a kiedy wciąż nie było odpowiedzi – raz na miesiąc. Teraz mijały dwa lata od jego odjazdu bez wiadomości i nikt nie pamiętał o jego urodzinach. On nie żyje, pomyślała z goryczą, bo o nim zapomnieliśmy.

Valentine jednak nie zapomniała. Nie dawała tego poznać rodzicom, a już szczególnie się starała, by Peter nie zauważył, jak często myśli o Enderze, jak często wysyła do niego długie listy choć wie, że nie odpisze. A kiedy matka i ojciec oznajmili, że wyjeżdżają z miasta i przeprowadzają się aż do Północnej Karoliny, Valentine wiedziała, że nie spodziewają się już zobaczyć Endera. Zostawiali przecież jedyne miejsce, gdzie mógłby ich znaleźć. Jak trafi do nich tu, wśród drzew, pod tym zmiennym, niskim niebem? Całe życie spędził w tunelach miasta, a jeśli wciąż był w Szkole Bojowej, to jeszcze rzadziej widywał przyrodę. Jak sobie z tym poradzi?

Valentine domyślała się powodów przeprowadzki. Chodziło o Petera, o życie wśród drzew i małych zwierzątek tak, by Natura w swej formie tak surowej, jaką tylko matka i ojciec potrafili so-

207

bie wyobrazić, mogła wywrzeć kojący wpływ na ich niezwykłego i przerażającego syna. I Peter uległ temu wpływowi, na swój sposób. Chodził na długie wycieczki, wyprawy do lasu i na równiny; czasami znikał na cały dzień, zabierając w plecaku tylko kanapkę czy dwie i swój komputer, a w kieszeni scyzoryk.

Lecz Valentine wiedziała. Widziała wiewiórkę w połowie obdartą ze skóry, jej małe łapki przybite do ziemi patyczkami. Wyobrażała sobie, jak Peter chwyta zwierzątko, unieruchamia je, potem ostrożnie rozcina i zdejmuje skórę nie naruszając brzucha, jak się przygląda skurczonym i drgającym mięśniom. Jak długo umierała ta wiewiórka? A Peter przez cały czas siedział koło niej oparty o drzewo, w którym może miała dziuplę, i bawił się komputerem, gdy tymczasem z wiewiórki powoli wyciekało życie.

Z początku była przerażona i niewiele brakowało, by zwymiotowała przy kolacji widząc, jak Peter je z apetytem i rozmawia wesoło. Później jednak zastanowiła się i pomyślała, że może dla niego to coś w rodzaju magii, jak dla niej te małe ogniska, ofiara dla mrocznych bogów, nękających jego duszę. Lepiej, żeby torturował wiewiórki niż dzieci. Peter zawsze uprawiał ból, sadził go, żywił i pochłaniał łakomie, gdy dojrzał. Lepiej, by przyjmował go w tych niewielkich, ostrych dawkach, niż egzekwował z tępym okrucieństwem od innych dzieci.

– Wzorowy uczeń – mówili jego nauczyciele. – Szkoda, że w szkole nie ma stu takich. Uczy się bez przerwy, wszystkie prace oddaje w terminie. Kocha naukę.

Lecz Valentine wiedziała, że to oszustwo. Peter kochał naukę, to prawda, ale w szkole nie nauczyli go niczego, nigdy. Uczył się przy swoim komputerze, podłączając się do biblioteki i bazy danych, studiując, myśląc i – przede wszystkim – rozmawiając z Valentine. Mimo to w szkole zawsze udawał, że te dziecięce tematy nadzwyczaj go interesują. Ojej! Nie wiedziałem, że żaby tak wyglądają w środku, mówił na przykład, a potem w domu studiował wiązanie się komórek w organizmy poprzez filotyczne zestawienie DNA. Peter był mistrzem pochlebstwa.

Chociaż... był łagodniejszy niż kiedyś. Z nikim się nie bił, nad nikim nie znęcał. Ze wszystkimi się przyjaźnił. To był zupełnie nowy Peter.

Wszyscy w to uwierzyli. Ojciec i matka powtarzali to tak często, że Valentine miała ochotę krzyczeć: To nie nowy Peter! To stary Peter, tylko sprytniejszy!

Jak sprytny? Sprytniejszy od ciebie, tato. I ciebie, mamo. Sprytniejszy od każdego, kogo znacie.

Ale nie ode mnie.

– Zastanawiałem się – oświadczył Peter – czy cię zabić, czy nie.

Valentine oparła się o pień sosny. Jej małe ognisko było już tylko kupką dymiących popiołów.

– Ja ciebie też kocham, Peter.

– To takie proste. Stale rozpalasz te głupie ogniska. Wystarczyłoby cię stuknąć i spalić. Jesteś takim molem ogniowym.

– Myślałam, czy by cię nie wykastrować, kiedy zaśniesz.

– Nie myślałaś. Takie rzeczy przychodzą ci do

głowy tylko wtedy, kiedy jestem z tobą. Przy mnie wychodzi z ciebie to, co najlepsze. Nie, Valentine, postanowiłem cię nie zabijać. Uznałem, że mi pomożesz.

– Naprawdę? – jeszcze kilka lat temu Valentine byłaby przerażona groźbami Petera. Teraz jednak nie bała się tak bardzo. Nie wątpiła, że potrafiłby ją zabić. Nie mogła sobie wyobrazić niczego tak okropnego, by Peter nie mógł tego zrobić. Wiedziała też, że jej brat nie jest obłąkany, a przynajmniej, że panuje nad sobą. Panuje nad sobą lepiej niż ktokolwiek inny. Może oprócz niej. Umiał powstrzymać się z realizacją każdego pragnienia tak długo, jak to było potrzebne. Potrafił ukrywać wszelkie emocje. Dlatego była pewna, że nie zabije jej w ataku wściekłości. Zrobiłby to jedynie wtedy, gdyby zyski przeważyły nad ryzykiem. A tak nie było. Właściwie był to jedyny powód, dla którego wolała Petera niż innych ludzi. Zawsze kierował się inteligentnym egoizmem. Dla jej bezpieczeństwa wystarczyło więc, by większe korzyści odnosił z zachowania jej przy życiu, niż z jej śmierci.

– Valentine, zaczynają się dziać ważne rzeczy. Śledziłem ruchy wojsk w Rosji.

– O czym ty mówisz?

– O świecie, Val. Słyszałaś o Rosji? Tym wielkim imperium? Układ Warszawski? Władcy Eurazji, od Holandii do Pakistanu?

– Nie publikują komunikatów o ruchach wojsk.

– Naturalnie. Ale publikują rozkłady jazdy swoich pociągów pasażerskich i towarowych. Przeanalizowałem je na komputerze i sprawdziłem, kiedy pociągi wojskowe jeżdżą w tajemnicy po tych samych torach. Sprawdziłem to do trzech lat wstecz. Przez ostatnie sześć miesięcy te ruchy nasiliły się. Oni szykują się do wojny. Do wojny na Ziemi.

– Ale co z Ligą? Co z robalami? – Valentine nie miała pojęcia, do czego zmierza Peter, często zaczynający takie dyskusje o zdarzeniach w świecie. Wykorzystywał ją do sprawdzania swoich pomysłów, do ich udoskonalania. W trakcie tego doskonalszy stawał się także jej własny sposób myślenia. Zauważyła, że chociaż rzadko zgadzali się co do tego, jaki powinien być świat, to równie rzadko różnili się w ocenie tego, jaki jest. Nabrali sporej wprawy w odcedzaniu szczegółowych informacji od historyjek, pisanych przez beznadziejnie ignoranckich i naiwnych dziennikarzy. Peter nazywał ich stadem informacyjnym.

– Polemarcha jest Rosjaninem, prawda? I wie, co się dzieje z flotą. Albo stwierdzili, że robale jednak nam nie zagrażają, albo zbliża się wielka bitwa. Tak czy inaczej, wojna z robalami niedługo się skończy. Szykują się do tego, co będzie potem.

– Jeśli przerzucają wojska, muszą to robić pod kontrolą Strategosa.

– To posunięcia wewnętrzne, w granicach Układu Warszawskiego.

Sprawa była niepokojąca. Fasada pokoju i współpracy pozostawała nienaruszona niemal od początku wojny z robalami. Peter mówił o faktach, będących zasadniczym zagrożeniem światowego porządku. Wyobrażała sobie czasy, poprzedzające wymuszone przez robali zawarcie pokoju na Ziemi tak dokładnie, jakby sama je pamiętała.

– Czy grozi nam powrót do tego, co było?

– Z pewnymi zmianami. Ekrany ochronne powodują, że nikt już nie bawi się bronią jądrową. Musimy się zabijać tysiącami zamiast milionów – Peter wyszczerzył zęby. – Val, to musiało się stać. Istnieje obecnie potężna międzynarodowa flota i armia, w której przewagę mają Amerykanie. Kiedy skończy się wojna z robalami, cała ta potęga zniknie, gdyż zbudowano ją na strachu przed nimi. Rozejrzymy się nagle i stwierdzimy, że wszystkie dawne przymierza zniknęły, rozpłynęły się na dobre; z wyjątkiem jednego: Układu Warszawskiego. To będzie starcie dolara z pięcioma milionami laserów. Nam pozostanie pas asteroidów, ale oni utrzymają Ziemię, a bez Ziemi szybko skończą się artykuły typu rodzynki czy seler.

Valentine najbardziej zaniepokoił fakt, że Peter wcale nie wydawał się zmartwiony.

– Peter, dlaczego odnoszę wrażenie, że uważasz to za niepowtarzalną okazję dla Petera Wiggina?

– Dla nas obojga, Val.

– Peter, masz dwanaście lat. Ja mam dziesięć. Oni mają takie słowo na określenie ludzi w naszym wieku. Mówią na nas: dzieci i traktują jak myszy.

– Ale my nie myślimy tak, jak inne dzieci, prawda, Val? Nie mówimy jak inne dzieci. A przede wszystkim nie piszemy jak inne dzieci.

– Jak na dyskusję, która zaczęła się od grożenia mi śmiercią, zbyt daleko odeszliśmy od tematu – mimo to Valentine czuła narastające podniecenie. Pisanie było tym, co robiła lepiej od Petera. Oboje o tym wiedzieli. Peter nawet określił to kiedyś w ten sposób, że on zawsze potrafi dostrzec, co inni najbardziej w sobie nienawidzą i potem ich dręczyć; Valentine natomiast widzi to, co najbardziej w sobie lubią i może im pochlebiać. Sformułowanie było dość cyniczne, ale prawdziwe. Valentine potrafiła nakłonić innych do przyjęcia jej punktu widzenia – przekonać, że pragną tego, czego ona chce, by pragnęli. Z drugiej strony Peter umiał sprawić, by bali się tego, czego chciał, by się bali. Kiedy pierwszy raz powiedział Valentine o swoim spostrzeżeniu, poczuła się urażona. Chciała wierzyć, że przekonuje innych, ponieważ ma rację, nie dlatego, że jest inteligentna. Na próżno jednak powtarzała sobie, że nikogo nie chce wykorzystywać tak, jak to robi Peter; bawiło ją, że posiada pewnego rodzaju władzę nad ludźmi. I to nie władzę nad ich uczynkami, ale nad chęciami. Wstyd jej było, że odczuwa z tego powodu przyjemność, jednak czasem wykorzystywała swe zdolności. Żeby skłonić nauczycieli i innych uczniów do robienia tego, na czym jej zależało. Namówić matkę i ojca, by jej ustąpili. Czasem udawało jej się przekonać nawet Petera. To było najbardziej przerażające: że rozumiała go tak dobrze, miała z nim kontakt dość silny, by wykorzystywać jego skłonności. Była bardziej podobna do brata, niż chciała przyznać, choć czasem, mimo odrazy, zastanawiała się nad tym. A słuchając, co mówi Peter, myślała: marzysz o władzy, Peter, ale, na swój sposób, jestem silniejsza od ciebie.

– Studiowałem historię – oświadczył Peter. – Dowiedziałem się sporo na temat wzorców ludzkiego zachowania. Zdarzają się okresy, gdy świat organizuje się na nowo i w takich czasach właściwe słowa mogą go zmienić. Pomyśl, co robił Perykles w Atenach i Demostenes...

– Owszem, dwa razy udało im się zniszczyć Ateny.

– Peryklesowi tak, ale Demostenes miał rację co do Filipa...

– Albo go sprowokował...

– Widzisz? Tym właśnie zajmują się historycy: rozważają układy przyczyn i skutków, gdy tymczasem rzecz polega na tym, że kiedy panuje zamęt, właściwe słowa we właściwym momencie mogą poruszyć światem. Thomas Paine i Ben Franklin, na przykład. Bismarck. Lenin.

– Ich sytuacje nie były podobne, Peter – nie zgadzała się z nim z przyzwyczajenia; wiedziała, do czego zmierza i sądziła, że może się to udać.

– Nie liczyłem na to, że zrozumiesz. Ciągle wierzysz, że nauczyciele wiedzą coś, czego warto się dowiedzieć.

Rozumiem więcej niż myślisz, Peter.

– Więc uważasz siebie za Bismarcka?

– Uważam siebie za kogoś, kto wie jak zasiać pewne idee w umysłach ludzi. Czy nigdy ci się nie zdarzyło, Val, że wymyślasz zdanie, jakieś nieźle brzmiące hasło, a dwa tygodnie albo miesiąc później słyszysz, że jakiś dorosły powtarza je innemu, a ty nie znasz żadnego z nich? Albo widzisz je na wideo, albo łapiesz w sieci?

– Zawsze sądziłam, że słyszałam je już wcześniej i tylko mi się wydawało, że sama je wymyślam.

– Myliłaś się. Na świecie są dwa, może trzy tysiące ludzi tak inteligentnych, jak my, siostruniu.

Większość zarabia jakoś na życie. Uczą w szkołach, biedacy, albo prowadzą prace badawcze. Bardzo niewielu z nich znalazło się w kręgach władzy.

– Za to pewnie my należymy do tych szczęśliwców.

– Zabawne jak jednonogi królik, Val.

– Nie wątpię, że jest ich tu kilka w okolicznych lasach.

– I kicają sobie w kółeczko.

Valentine roześmiała się z tego obrzydliwego obrazu, jednocześnie nienawidząc siebie za to, że uznała rzecz za zabawną.

– Val, potrafimy wymyślić słowa, które po dwóch tygodniach będą powtarzać wszyscy. Umiemy to zrobić. Nie musimy czekać, aż dorośniemy i odstawią nas na bok, żebyśmy robili interesy.

– Peter, masz dwanaście lat.

– Nie, w sieciach wcale nie mam. W sieciach mogę się stać kimkolwiek zechcę. I ty też.

– W sieciach jesteśmy identyfikowani jako uczniowie i nie możemy się nawet włączyć w żadną poważną dyskusję. Najwyżej w trybie audiencyjnym, kiedy i tak nie możemy nic powiedzieć.

– Mam pewien plan.

– Zawsze masz – udawała obojętność, lecz słuchała pilnie.

– Możemy trafić do sieci jako dorośli o pełnych uprawnieniach, z takimi imionami, jakie sobie wymyślimy, jeśli ojciec włączy nas w swój dostęp obywatelski.

– A czemu miałby to robić? Mamy już dostęp uczniowski. Co mu powiesz? Że potrzebujesz obywatelskiego dostępu, aby zapanować nad światem?

– Nie, Val. Nic mu nie powiem. Ty powiesz, że martwisz się o mnie. Że staram się, jak mogę, żeby w szkole nie mieć kłopotów, ale widzisz, jak się męczę, kiedy nie mam kontaktu z nikim inteligentnym. Jestem za młody, więc każdy mnie zbywa i nigdy mi się nie uda porozmawiać z równymi sobie. Przekonasz go, że ten stres mnie wykańcza.

Valentine pomyślała o ciałku wiewiórki w lesie i zrozumiała, że nawet to było częścią planu Petera. Albo zostało włączone do tego planu, kiedy je znalazła.

– W ten sposób skłonisz go, żeby udzielił nam prawa do swojego obywatelskiego dostępu. Jeśli przyjmiemy tam inne imiona, ukryjemy, kim jesteśmy naprawdę, ludzie okażą nam intelektualny szacunek, na jaki zasługujemy.

Valentine mogła się z nim spierać o idee, ale nigdy o tego typu projekty. Nie potrafiła powiedzieć: niby dlaczego uważasz, że zasługujesz na szacunek? Czytała kiedyś o Adolfie Hitlerze. Ciekawe, jaki był w wieku dwunastu lat. Nie tak sprytny, w tym niepodobny do Petera, ale pewnie tak samo łaknący zaszczytów. Jak dziś wyglądałby świat, gdyby w dzieciństwie wciągnęła go młockarnia albo stratował koń?

– Val – odezwał się Peter. – Wiem, co o mnie myślisz. Uważasz, że nie jestem sympatyczną osobą.

Valentine rzuciła w niego sosnową igłą.

– Strzała w twoje serce.

– Od dawna zamierzałem z tobą porozmawiać. Ale ciągle się bałem.

Włożyła igłę do ust i dmuchnęła w jego stronę. Igła spadła w dół niemal natychmiast.

– Jeszcze jedno niepowodzenie.

Dlaczego udawał, że jest słaby?

– Val, bałem się, że mi nie uwierzysz. Nie uwierzysz, że potrafię tego dokonać.

– Peter, wierzę, że potrafisz dokonać wszystkiego. I prawdopodobnie dokonasz.

– Ale jeszcze bardziej się bałem, że mi uwierzysz i spróbujesz powstrzymać.

– No dalej, postrasz, że mnie zabijesz. – Czy naprawdę sądzi, że ją oszuka tą rolą miłego i proszącego dzieciaka?

– Mam wredne poczucie humoru. Przepraszam. Wiesz przecież, że tylko się z tobą drażniłem. Potrzebna mi twoja pomoc.

– Jesteś właśnie tym, kogo potrzebuje świat. Dwunastolatkiem, który rozwiąże wszystkie problemy.

– To nie moja wina, że mam dwanaście lat. I nie moja wina, że właśnie teraz pojawiły się możliwości. Nastał czas, kiedy potrafię wpłynąć na bieg wydarzeń. W chwilach zamętu świat zawsze jest demokratyczny i wygrywa człowiek z najsilniejszym głosem. Wszyscy myślą, że Hitler stał się potężny dzięki swoim armiom, dzięki temu, że chciały zabijać. To po części prawda, ponieważ w prawdziwym świecie władza zawsze opiera się na groźbie śmierci i hańby. Ale on panował przede wszystkim słowami, wypowiadając właściwe słowa we właściwym czasie.

– Właśnie myślałam o tym, by cię do niego porównać.

– Nie czuję nienawiści do Żydów, Val. Nie chcę nikogo niszczyć. I nie chcę wojny. Chciałbym, by świat był zjednoczony. Czy to źle? Nie chcę, żeby-

217

śmy wrócili do dawnych czasów. Czytałaś o wojnach światowych?

– Tak.

– Mogą się powtórzyć. Może być jeszcze gorzej. Możemy skończyć jako część Układu Warszawskiego. Sama widzisz, jakie to przyjemne.

– Peter, czy nie rozumiesz, że jesteśmy dziećmi? Chodzimy do szkoły, dorastamy... – ale nawet spierając się pragnęła, by ją przekonał. Chciała tego od samego początku.

Peter jednak jeszcze nie wiedział, że wygrał.

– Jeśli w to uwierzę, jeśli się z tym pogodzę, to powinienem czekać bezczynnie i patrzyć, jak znikają możliwości. A kiedy dorosnę, będzie już za późno. Posłuchaj mnie, Val. Wiem, co o mnie myślisz, co zawsze myślałaś. Byłem złym, złośliwym bratem. Byłem okrutny wobec ciebie i jeszcze bardziej wobec Endera, zanim go zabrali. Ale nie czułem do was nienawiści. Kochałem was oboje, musiałem tylko być... musiałem sprawować kontrolę, rozumiesz? To dla mnie najważniejsze, to mój największy talent, że dostrzegam słabe punkty, potrafię je wykorzystać. Po prostu je widzę, bez żadnego wysiłku. Mógłbym się zająć interesami, prowadzić jakąś wielką korporację. Kręciłbym i manewrował, aż znalazłbym się na szczycie. Co miałbym wtedy? Nic. Chcę rządzić, Val. Chcę sprawować władzę. Ale żeby to było coś, czym warto rządzić. Chciałbym osiągnąć coś wartościowego, Pax Americana na całym świecie. I jeśli ktoś przyjdzie, po tym, jak już pobijemy robali, przyjdzie tu, żeby nas pokonać, wtedy stwierdzi, że sięgnęliśmy do tysiąca planet, że żyjemy w pokoju ze sobą i że nie da się nas zniszczyć. Rozumiesz? Mam zamiar ocalić ludzkość przed samobójstwem.

Nigdy nie słyszała, by mówił z takim przekonaniem, bez śladu ironii, śladu kłamstwa w głosie. Był coraz lepszym aktorem. A może zbliżył się do prawdy.

– Sądzisz więc, że dwunastoletni dzieciak i jego młodsza siostra uratują świat?

– Ile lat miał Aleksander? Nie planuję tego na jeden dzień. Po prostu chcę zacząć już teraz. Jeśli mi pomożesz.

– Nie wierzę, że to, co robiłeś z wiewiórkami, było częścią planu. Robiłeś to, bo lubisz to robić.

Peter ukrył twarz w dłoniach i zaszlochał. Val uznała, że udaje, ale potem zastanowiła się. Przecież to możliwe, że naprawdę ją kocha i że w chwili, gdy pojawiła się okazja, chce osłabić siebie w jej oczach, by zdobyć jej miłość. Manipuluje mną, pomyślała, ale to nie znaczy, że nie jest szczery. Kiedy opuścił dłonie, miał mokre policzki i czerwone oczy.

– Wiem – powiedział. – To właśnie tego obawiam się najbardziej. Że jestem potworem. Nie chcę zabijać, ale nie mogę się powstrzymać.

Jeszcze nie widziała, by tak się odsłonił. Sprytny jesteś, Peter. Oszczędzałeś swoje słabości, żeby użyć ich teraz i wzruszyć mnie. Ale naprawdę była wzruszona. Ponieważ jeśli to prawda, choćby częściowa, że nie jest potworem, to ona też może zaspokoić swoje – tak podobne do Peterowego – pragnienie władzy i nie stać się nim. Wiedziała, że Peter kalkuluje nawet w tej chwili, ale sądziła, że mimo to mówi prawdę. Sondował ją tak długo, aż dotarł do ukrytego głęboko zaufania.

– Val, jeśli mi nie pomożesz, nie wiem, czym się stanę. Ale jeśli będziesz przy mnie jako partnerka we wszystkim, powstrzymasz mnie od zostania... czymś takim. Takim złym.

Kiwnęła głową. Tylko udajesz, że chcesz dzielić ze mną władzę, pomyślała, ale naprawdę ja mam władzę nad tobą, choć nic o tym nie wiesz.

– Dobrze. Pomogę ci.

• • •

Gdy tylko ojciec wprowadził ich na swój dostęp obywatelski, zaczęli badać środowisko. Trzymali się z daleka od sieci wymagających prawdziwych nazwisk. Nie było to trudne, jako że prawdziwe nazwiska wiązały się tylko z pieniędzmi. Nie potrzebowali pieniędzy. Szukali szacunku, a to mogli zdobyć. We właściwych sieciach, pod fałszywymi imionami, mogli być kimkolwiek: starcem, kobietą w średnim wieku, każdym, dopóki uważali na swój styl pisania. Wszyscy inni mieli widzieć tylko ich słowa, ich idee. Każdy obywatel startował w sieci na równych prawach.

Z początku używali naprędce wymyślonych pseudonimów, nie imion, jakie Peter planował uczynić sławnymi i wpływowymi. Naturalnie, nie występowali na wielkich konferencjach państwowych i międzynarodowych – mogli tylko słuchać, dopóki ich nie zaproszą lub nie wybiorą, by wzięli w nich udział. Włączali się jednak i obserwowali, czytali eseje podpisywane przez słynne nazwiska, słuchali dyskusji toczących się na ekranach komputerów.

Za to na mniejszych konferencjach, gdzie zwykli ludzie wypowiadali się na temat wielkich debat, zaczęli włączać własne komentarze. Na początku Peter upierał się, by były świadomie podżegające.

– Nie dowiemy się, jak działa nasz styl, dopóki nie uzyskamy reakcji. Jeśli będziemy uprzejmi, nikt nie odpowie.

Nie byli uprzejmi i ludzie odpowiadali. To, co pojawiało się na ich temat w sieciach publicznych było raczej kwaśne. To, co otrzymywali jako pocztę prywatną, było jadowite. Dowiedzieli się jednak, co w ich tekstach oceniane jest jako dziecinne i niedojrzałe. I poprawiali je.

Wreszcie Peter uznał, że wiedzą, jak pisać po dorosłemu. Zlikwidował dawne wcielenia i poważnie zaczął się przygotowywać do zwrócenia na siebie uwagi.

– Musimy sprawiać wrażenie zupełnie różnych osób. Zajmiemy się różnymi sprawami. Nigdy nie będziemy się na siebie powoływać. Twoim polem działania będą sieci zachodniego wybrzeża, moim południe. Także wydania lokalne. Bierzmy się do roboty.

Wzięli się do roboty. Mama i ojciec martwili się czasem, gdyż Peter i Valentine nie odstępowali od siebie na krok. Nie mogli jednak narzekać – mieli dobre stopnie, a Valentine tak dobrze wpływała na Petera. Zmieniła jego stosunek do całego otoczenia. Siadywali oboje wśród drzew, gdy nie padało, lub w małych restauracjach albo parkach pod dachem w czasie deszczu, i tworzyli swe polityczne komentarze. Peter starannie zaprojektował obie postacie tak, by żadna z nich nie prezentowała wszystkich jego poglądów. Mieli nawet w zapasie kilka wcieleń na wypadek, gdyby potrzebowali opinii kogoś trzeciego.

– Niech każde z nich samo znajduje sobie stronników – oświadczył Peter.

Kiedyś, zmęczona wygładzaniem i przepisywaniem tekstu, który ciągle nie mógł zyskać akceptacji Petera, Valentine zirytowała się.

– Sam sobie to napisz! – powiedziała.

– Nie mogę – odparł. – Oni nie mogą pisać w podobnym stylu. Nigdy. Zapominasz, że kiedyś będziemy tak znani, że ktoś przeprowadzi analizę. Za każdym razem musi stwierdzić, że jesteśmy różnymi ludźmi.

Pisała więc dalej. Występowała na ogół jako Demostenes – to Peter wybrał takie imię. Siebie nazwał Locke. Było oczywiste, że są to pseudonimy, ale to należało do planu.

– Przy odrobinie szczęścia zaczną zgadywać, kim naprawdę jesteśmy.

– Jeśli będziemy sławni, rząd może sprawdzić dostęp i się dowiedzieć.

– Wtedy nasza pozycja nie ucierpi za bardzo. Ludzie będą zaszokowani, że Demostenes i Locke to dwójka dzieciaków, ale już się przyzwyczają do słuchania tego, co mówimy.

Zaczęli opracowywać debaty dla swoich postaci. Valentine zaczynała artykułem otwierającym, a Peter wymyślał kogoś, kto jej odpowiadał. Odpowiedź była inteligentna, a cała dyskusja żywa, pełna delikatnych inwektyw i dobrej, politycznej retoryki. Valentine miała talent tworzenia aliteracji, dzięki czemu jej sformułowania zapadały w pamięć. Potem wprowadzali teksty do sieci, rozdzielone w czasie tak, by sprawiały wrażenie pisanych pod wpływem chwili. Czasami inni użytkownicy dokładali własne komentarze, ale Peter i Valentine zwykle ignorowali je lub nieznacznie tylko zmieniali własne wypowiedzi, aby odnotować, co zostało powiedziane.

Peter starannie zapisywał ich najlepiej brzmiące hasła i od czasu do czasu sprawdzał, czy nie pojawiają się u kogoś innego. Nie wszystkie znajdował, ale większość powtarzano tu czy tam, niektóre nawet w ważnych dyskusjach na głównych sieciach.

– Czytają nas – stwierdził. – Idee zaczynają się przesączać.

– A przynajmniej hasła.

– To tylko sposób pomiaru. Zaczynamy zdobywać wpływy. Nikt jeszcze nie powołuje się na nas z nazwiska, ale omawiają sprawy, które wskazaliśmy. Pomagamy układać program. Trafiamy, gdzie trzeba.

– Czy powinniśmy spróbować się włączyć do głównych dyskusji?

– Nie. Poczekamy, aż nas zaproszą.

Działali od siedmu miesięcy, kiedy jedna z sieci zachodniego wybrzeża przesłała Demostenesowi wiadomość. Proponowali objęcie cotygodniowej kolumny w prestiżowym programie informacyjnym.

– Nie mogę wziąć tygodniowej kolumny – zaprotestowała Valentine. – Nie mam jeszcze miesiączki.

– Te dwie rzeczy nie mają związku – odparł Peter.

– Dla mnie mają. Jestem jeszcze dzieckiem.

– Powiedz, że się zgadzasz, ale ponieważ nie chcesz zdradzać swojej tożsamości, niech ci płacą czasem w sieci. Dostaniesz nowy kod dostępu poprzez ich korporację.

– I kiedy rząd zechce mnie wyśledzić...

– Będziesz po prostu osobą, która może się włączyć poprzez CalNet. Dostęp obywatelski ojca nie będzie potrzebny. Nie mogę tylko pojąć, dlaczego chcą Demostenesa wcześniej niż Locke'a.

– Prawdziwy talent zwycięża.

Jako gra rzecz była dość zabawna. Valentine jednak nie podobały się niektóre z poglądów, jakie Peter kazał głosić Demostenesowi. Demostenes rozwijał się jako felietonista paranoicznie niemal anty-Warszawski. To ją niepokoiło, gdyż to Peter umiał wykorzystywać strach w swoich tekstach. Musiała przychodzić do niego po rady, jak powinna to robić. Tymczasem Locke głosił umiarkowaną strategię porozumienia. Miało to pewien sens. Każąc jej pisać jako Demostenes był pewien, że ujawni on także pewne tendencje porozumienia, gdy jednocześnie Locke potrafi rozgrywać cudze lęki. Podstawowym jednak skutkiem tego był fakt, że stała się nierozerwalnie związana z Peterem. Nie mogła go porzucić i wykorzystać Demostenesa dla własnych celów. Nie wiedziałaby, jak to zrobić. Ta niemożność odnosiła się także do drugiej strony. Bez niej nie potrafiłby pisać jak Locke. A może by potrafił?

– Zdawało mi się, że chodzi o zjednoczenie świata. Pisząc, co każesz, Peter, praktycznie nawołuję do wojny, by zgnieść Układ Warszawski.

– Nie do wojny, tylko otwartych sieci i zakazu kontroli dostępu. Swobodnego przepływu informacji. Na miłość boską, idzie o przestrzeganie praw Ligi.

Nieświadomie Valentine zaczęła przemawiać głosem Demostenesa, choć z pewnością nie prezentowała jego opinii.

– Wszyscy wiemy, że od chwili swego powstania Układ Warszawski powinien być traktowany jako jedność tam, gdzie w grę wchodzą prawa Ligi. Międzynarodowy przepływ informacji jest wciąż otwarty. Natomiast między narodami Układu te kwestie są ich sprawą wewnętrzną. Dlatego właśnie zgodzili się na amerykańską hegemonię w Lidze.

– Bronisz teraz poglądów Locke'a, Val. Zaufaj mi. Musisz nawoływać, by Układ Warszawski utracił swój oficjalny status. Musisz naprawdę denerwować ludzi. Żeby później, kiedy zaczniesz dostrzegać potrzebę kompromisu...

– Wtedy przestaną mnie czytać i pójdą na wojnę.

– Zaufaj mi, Val. Wiem, co robię.

– Skąd niby wiesz? Nie jesteś mądrzejszy ode mnie i nigdy przedtem tego nie robiłeś.

– Mam trzynaście lat, a ty dziesięć.

– Prawie jedenaście.

– I wiem, jak to wszystko działa.

– No dobrze. Zrobię, co mówisz. Ale nie mam zamiaru pisać żadnych tekstów typu wolność albo śmierć.

– Takie też napiszesz.

– I kiedy pewnego dnia nas złapią, będą się zastanawiać, czemu twoja siostra jest takim jastrzębiem. Już widzę, jak im tłumaczysz, że to ty mi kazałeś.

– Jesteś pewna, że nie masz właśnie okresu, mała kobietko?

– Nienawidzę cię, Peterze Wiggin.

Jednak najbardziej zmartwił Valentine fakt, że kiedy jej artykuły włączono do kilku miejsco-

225

wych sieci informacyjnych, ojciec zaczął je czytywać i cytować przy stole.

– Wreszcie ktoś obdarzony rozsądkiem – oświadczył. Potem odczytał kilka akapitów, których w swoim własnym tekście Valentine nienawidziła najbardziej. – Można pracować z tymi hegemonistycznymi Rosjanami, póki grożą nam robale. Ale kiedy wygramy, nie wyobrażam sobie, żeby połowa cywilizowanego świata pozostała w praktyce helotami. Co o tym sądzisz, kochanie?

– Chyba za bardzo się przejmujesz – odparła matka.

– Podoba mi się ten Demostenes. Rozsądnie myśli. Dziwne, że nie ma go w głównych sieciach. Sprawdzałem, czy nie bierze udziału w debatach o stosunkach międzynarodowych i wiesz, nigdy w nich nie wystąpił.

Valentine straciła apetyt i odeszła od stołu. Odczekawszy chwilę Peter wyszedł za nią.

– Widzę, że nie podoba ci się okłamywanie ojca – powiedział. – Co z tego? Przecież go nie okłamujesz. On nie przypuszcza, że to ty jesteś Demostenesem, a ty nie wierzysz w to, co Demostenes mówi. Wszystko się kasuje i nic z tego nie wynika.

– Właśnie takie rozumowanie sprawia, że Locke jest durniem.

Naprawdę jednak martwiło ją to, że ojciec rzeczywiście zgadzał się z Demostenesem. Sądziła, że tylko głupcy mogą go popierać.

Kilka dni później Locke został wybrany do prowadzenia kolumny w sieci informacyjnej Nowej Anglii, specjalnie po to, by prezentować poglądy przeciwne do głoszonych przez Demostenesa.

– Całkiem nieźle jak na parę dzieciaków, których owłosienie łonowe składa się z ośmiu włosów do spółki – stwierdził z zadowoleniem Peter.

– Od prowadzenia kolumny w sieci informacyjnej do rządzenia światem jest długa droga – przypomniała mu Valentine. – Tak długa, że nikt jej jeszcze nie przeszedł.

– Owszem, przeszedł. A przynajmniej jej psychologiczny odpowiednik. W moim pierwszym artykule mam zamiar umieścić kilka bardzo złośliwych uwag na temat Demostenesa.

– Demostenes nawet nie zauważy, że istnieje taki ktoś jak Locke. Nigdy.

– Na razie.

Teraz, kiedy ich wcielenia zyskały pełne utrzymanie z zysków płynących z pisania, korzystali z dostępu ojca jedynie dla rezerwowych postaci. Matka zauważyła, że zbyt wiele czasu poświęcają sieciom.

– Co za dużo to niezdrowo – powiedziała.

Peter pozwolił, by dłoń zadrżała mu lekko.

– Jeśli tak sądzisz, mogę przestać – powiedział.
– Chyba uda mi się panować nad sobą. Naprawdę.

– Nie, nie – przestraszyła się. – Nie chcę, żebyś przestawał. Po prostu bądź ostrożny, to wszystko.

– Jestem ostrożny, mamo.

• • •

Nic się nie zmieniło, nic nie zaszło w ciągu tego roku, Ender był tego pewien, a jednak miał wrażenie, że wszystko się psuje. Nadal prowadził w tabeli wyników i nikt już nie wątpił, że na to zasługiwał. W wieku dziewięciu lat dowodził już plutonem w Armii Feniksa, z Petrą

Arkanian jako komendantem. Nadal prowadził swoje ćwiczenia, tylko że teraz uczęszczała na nie elitarna, wyznaczona przez dowódców, grupa żołnierzy, choć każdy Starter, który miał ochotę, mógł także przyjść. Alai miał swój pluton w innej armii i nadal byli przyjaciółmi; Shen nie został dowódcą, ale to nie miało znaczenia. Dink Meeker zgodził się wreszcie objąć armię i zastąpił Rossa Nosa. Wszystko idzie dobrze, wręcz znakomicie. Nie mógłby marzyć o niczym lepszym...

Więc dlaczego nienawidzę takiego życia?

Przechodził przez codzienną rutynę treningów i gier. Lubił uczyć chłopców w swoim plutonie, a oni lojalnie podążali za nim. Zyskał powszechne poważanie, a na wieczornych ćwiczeniach traktowano go z szacunkiem. Dowódcy przychodzili obserwować jego manewry. Inni żołnierze zbliżali się do jego stołu w mesie i prosili o pozwolenie na zajęcie miejsca. Nawet nauczyciele odnosili się do niego uprzejmie.

Okazywali mu tyle szacunku, że miał ochotę krzyczeć.

Przyglądał się dzieciakom w armii, świeżo z grup startowych, jak bawią się, nabijają ze swoich plutonowych, gdy myślą, że nikt nie widzi. Obserwował starych przyjaciół, znających się od lat, gadających i śmiejących się, wspominających dawne bitwy, znajomych żołnierzy i dowódców, którzy już dawno skończyli Szkołę Bojową.

Wśród jego przyjaciół nie było śmiechu ani wspomnień. Tylko praca. Inteligentne dyskusje, podniecenie przed nadchodzącą bitwą, ale to wszystko. Tego wieczoru na ćwiczeniach zdarzyło się to znowu. Ender z Alai omawiali niuanse manewrów w otwartej przestrzeni, gdy podszedł Shen, słuchał przez chwilę, po czym złapał Alai za ramiona i krzyknął: „Nova! Nova! Nova!" Alai wybuchnął śmiechem i przez moment Ender patrzył, jak wspólnie przypominają sobie to starcie, gdy manewry w otwartej przestrzeni odbywały się naprawdę, kiedy przemykali obok starszych chłopców i...

Nagle przypomnieli sobie, że Ender stoi obok nich.

– Przepraszam cię, Ender – powiedział Shen. Przeprosił. Za co? Za przyjaźń?

– Przecież ja też tam byłem – odezwał się wtedy.

A oni przeprosili jeszcze raz. I z powrotem do pracy. I znowu szacunek. Ender pojął nagle, że w tym rozbawieniu, w tej ich przyjaźni nawet nie przyszło im do głowy, że to mogłoby dotyczyć także jego.

Jak mogą sądzić, że do nich należy? Czy się roześmiał? Czy włączył? Stał tylko i patrzył, jak nauczyciel.

Tak właśnie o mnie myślą. Nauczyciel. Legendarny żołnierz. Nie jeden z nich. Nie ktoś, kogo obejmujesz i szepczesz Salaam do ucha. To było dobre wtedy, gdy Ender wydawał się ofiarą innych, był narażony na ciosy. Teraz był żołnierzem doświadczonym i całkowicie, absolutnie samotnym.

Porozczulaj się nad sobą, Ender. Leżąc na posłaniu wystukał na klawiaturze: BIEDNY ENDER. Potem zaśmiał się z siebie i oczyścił ekran. W całej Szkole nie było nikogo, kto by nie chciał się z nim zamienić.

Wywołał grę fantasy. Przeszedł, jak robił to często, obok wioski, którą karły wyryły w pagórku utworzonym przez ciało Olbrzyma. Nietrudno było budować solidne ściany, gdy żebra wyginały się w odpowiedni sposób, a między nimi zostawało dość miejsca na okna. Całe ciało podzielono na mieszkania, wychodzące na drogę wzdłuż kręgosłupa. Publiczny amfiteatr wykuto w miednicy, a między nogami Olbrzyma pasło się stado kucyków. Ender nigdy nie był pewien, co robią karły, kiedy jego tam nie ma, ale zostawiały go w spokoju, gdy szedł przez wioskę, więc i on nie robił im krzywdy.

Przeskoczył przez miednicę u podstawy rynku i wszedł na pastwisko. Kucyki uciekły. Nie gonił ich. Nie rozumiał już, na jakiej zasadzie funkcjonuje gra. Za dawnych dni, kiedy po raz pierwszy dotarł do Końca Świata, istniała tylko walka i zagadki: pobić przeciwnika, zanim on cię zabije, albo wymyślić, jak ominąć przeszkodę. Teraz jednak nikt go nie atakował, nie było wojen i gdziekolwiek poszedł, nie spotykał żadnych przeszkód.

Z wyjątkiem, oczywiście, komnaty w zamku na Końcu Świata. To jedno niebezpieczne miejsce pozostało. I Ender, jakkolwiek by się zaklinał, że tego nie zrobi, zawsze tam wracał, zawsze zabijał węża, zawsze spoglądał w twarz swego brata w lustrze i zawsze, cokolwiek by zrobił, ginął.

Tym razem także nic się nie zmieniło. Spróbował użyć noża leżącego na stoliku, by wydłubać kamień z muru. Gdy tylko rozkruszył zaprawę, przez szparę chlusnęła woda i Ender przyglądał się swojej postaci, nad którą utracił kontrolę, walczącej szaleńczo o pozostanie przy życiu. Okna komnaty zniknęły, woda podniosła się i figurka utonęła. I przez cały czas twarz Petera Wiggina spoglądała na niego z lustra.

Jestem uwięziony, pomyślał Ender. Uwięziony na Końcu Świata, skąd nie ma wyjścia. Rozpoznał wreszcie gorzki smak, jaki go dręczył mimo wszystkich sukcesów w Szkole Bojowej. To była rozpacz.

• • •

Kiedy Valentine zjawiła się w szkole, przy wejściu czekali ludzie w mundurach. Nie stali tam jak strażnicy, raczej łazili dookoła jakby czekając na kogoś, kto załatwiał wewnątrz swoje sprawy. Nosili mundury marines MF, takie same, jakie oglądała na krwawych wideo z bitew. W szkole powiało przygodą, wszystkie dzieci były podniecone.

Oprócz Valentine. Przede wszystkim przypomniało jej to Endera. A po drugie, przestraszyła się. Ostatnio ktoś opublikował ostrą recenzję tekstów Demostenesa. Ta recenzja, a zatem i jej wypowiedzi, stały się tematem otwartej konferencji w sieci stosunków międzynarodowych, gdzie bardzo znani i wpływowi ludzie atakowali i bronili Demostenesa. Najbardziej przeraziła ją uwaga pewnego Anglika: „Czy tego chce, czy nie, Demostenes nie może wiecznie zachowywać swego incognito. Rozgniewał zbyt wielu rozsądnych ludzi i zadowolił zbyt wielu głupców, by nadal ukrywać się za tym aż nazbyt odpowiednim pseudonimem. Albo sam zdejmie maskę, by stanąć na czele sił ciemnoty, jakie zgromadził, albo przeciwnicy zedrą mu ją, by lepiej poznać i zrozumieć chorobę, która wydała tak skrzywiony, szalony umysł".

Peter był zachwycony, ale tego właśnie można się było po nim spodziewać. Valentine czuła lęk, że tak wielu wpływowych ludzi zirytowała drapieżność Demostenesa i że naprawdę mogą ją wyśledzić. MF potrafiłoby tego dokonać, nawet jeśli amerykańskiemu rządowi konstytucja zabrania takiej próby. A teraz żołnierze MF czekali wokół szkoły średniej w Western Guilford. Akurat tutaj. Nie był to przecież punkt werbunkowy dla marines.

Dlatego nie zdziwiła się, kiedy zaraz po włączeniu przez ekran komputera popłynęła wiadomość:

PROSZĘ SIĘ WYŁĄCZYĆ I NATYCH-
MIAST PRZEJŚĆ DO GABINETU.
                    DR LINEBERRY.

Valentine czekała nerwowo pod biurem dyrektorki. Wreszcie dr Lineberry otworzyła drzwi i skinęła na nią. Ostatnie wątpliwości rozwiały się, gdy zobaczyła tęgiego mężczyznę w mundurze pułkownika MF siedzącego w jednym z foteli.

– Jesteś Valentine Wiggin – powiedział.

– Tak – szepnęła.

– Pułkownik Graff. Już się spotkaliśmy.

Spotkali się? Nigdy nie miała do czynienia z MF.

– Przyjechałem, żeby porozmawiać z tobą w zaufaniu na temat twojego brata.

Więc nie tylko ona. Mają też Petera. A może to inna sprawa? Popełnił jakieś szaleństwo? Sądziłam, że przestał robić takie rzeczy.

– Valentine, wydajesz się przestraszona. Nie

232

ma powodów. Zapewniam cię, że twój brat czuje się dobrze. Z naddatkiem spełnił nasze oczekiwania.

Dopiero teraz, czując ogromną ulgę, zrozumiała, że pułkownik mówi o Enderze. Ender... Nie chodziło im o ukaranie jej, ale o małego Endera, który odszedł tak dawno temu i nie był wplątany w intrygi Petera. Ender miał szczęście. Odjechał, zanim Peter zdążył go wciągnąć do spisku.

– Jakie uczucia żywisz wobec brata, Valentine?
– Endera?
– Naturalnie.
– Jakie mogę mieć uczucia? Widziałam go ostatnio, kiedy miałam osiem lat. Od tego czasu żadnej wiadomości.
– Pani doktor, mogłaby pani zostawić nas samych?

Lineberry była wyraźnie niezadowolona.

– Chociaż wie pani, sądzę, że rozmowa z Valentine będzie bardziej owocna, jeśli wyjdziemy na spacer. Na podwórko. Daleko od urządzeń nagrywających, umieszczonych tu przez pani zastępcę.

Po raz pierwszy w życiu Valentine zobaczyła, jak dr Lineberry nie potrafi wykrztusić słowa. Pułkownik Graff odsunął wiszący na ścianie obraz i odkleił od tynku dźwiękoczułą membranę z przekaźnikiem.

– Tanie – stwierdził. – Ale skuteczne. Sądziłem, że pani wie.

Lineberry wzięła urządzenie i usiadła ciężko przy biurku. Graff wyprowadził Valentine na zewnątrz.

Ruszyli w stronę boiska. Żołnierze szli za nimi w pewnej odległości; rozdzielili się i uformowali

233

luźny krąg, by ich pilnować w możliwie szerokim promieniu.

– Valentine, musisz pomóc Enderowi.

– Jak pomóc?

– Nawet tego nie jesteśmy pewni. Potrzebujemy cię, żebyś nam pomogła wymyślić, jak możesz nam pomóc.

– Co się stało?

– To część naszych problemów. Nie wiemy.

Valentine nie mogła pohamować śmiechu.

– Nie widziałam go od trzech lat! A wy macie go u siebie przez cały czas!

– Valentine, mój przelot na Ziemię i z powrotem do Szkoły Bojowej kosztuje więcej, niż twój ojciec zarobi przez całe życie. Nie podróżuję bez powodu.

– Król miał sen – powiedziała Valentine. – Ale zapomniał go. Kazał więc mędrcom wytłumaczyć ten sen, jeśli nie chcą zginąć. Tylko Daniel to potrafił, ponieważ był prorokiem.

– Czytujesz Biblię?

– W tym roku na angielskim zajmujemy się klasyką. Nie jestem prorokiem.

– Żałuję, że nie mogę ci opowiedzieć wszystkiego o sytuacji Endera. Zajęłoby to długie godziny, może dni, a potem musiałbym cię umieścić w areszcie zapobiegawczym, gdyż większa część tego jest ściśle tajna. Zobaczmy więc, co można osiągnąć z ograniczoną informacją. Jest taka gra, w którą nasi kursanci grają z komputerem – i opowiedział jej o Końcu Świata, o zamkniętej komnacie i wizerunku Petera w zwierciadle.

– To komputer umieszcza tam obraz, nie Ender. Dlaczego nie zapytacie komputera?

234

– Komputer nie wie.

– A ja mam wiedzieć?

– Już drugi raz od chwili przybycia Ender doprowadza tę grę do ślepego zaułka. Do rozgrywki, która wydaje się nie mieć rozwiązania.

– Znalazł je za pierwszym razem?

– W końcu tak.

– Więc dajcie mu trochę czasu, a pewnie tę też rozwiąże.

– Nie jestem pewien. Wiesz, Valentine, twój brat jest bardzo nieszczęśliwym chłopcem.

– Dlaczego?

– Nie wiem.

– Niewiele pan wie, prawda?

Przez chwilę myślała, że pułkownik się rozgniewa. Zamiast tego jednak postanowił się roześmiać.

– Tak, to prawda. Valentine, dlaczego Ender wciąż widzi w lustrze twojego brata Petera?

– Nie powinien. To głupie.

– Dlaczego głupie?

– Ponieważ jeśli istnieje ktoś, kto jest całkowitym przeciwieństwem Endera, to właśnie Peter.

– W jaki sposób?

Valentine nie mogła wymyślić żadnej bezpiecznej odpowiedzi. Zbyt wiele pytań o Petera mogło sprowadzić kłopoty. Znała świat na tyle dobrze, by wiedzieć, iż nikt nie potraktuje poważnie planów Petera zdobycia władzy nad Ziemią, nikt nie uzna w nim zagrożenia dla istniejących rządów. Mogą jednak stwierdzić, że jest obłąkany i trzeba go leczyć z megalomanii.

– Przygotowujesz się, żeby mnie okłamać – stwierdził Graff.

– Szykuję się, żeby już z panem nie rozmawiać – odparła Valentine.

– I boisz się. Czego się boisz?

– Nie podobają mi się pytania o moją rodzinę. Proszę jej do tego nie mieszać.

– Valentine, właśnie próbuję nie mieszać do tej sprawy twojej rodziny. Przyszedłem do ciebie, żeby nie przeprowadzać całej masy testów na Peterze i nie przesłuchiwać rodziców. Staram się rozwiązać ten problem teraz, z osobą, którą Ender kocha i której ufa. Być może jedyną, którą kocha i ufa. Jeśli się nam nie uda, zażądamy twojej rodziny i od tego momentu będziemy robić to, co uznamy za stosowne. To bardzo poważna sprawa, Valentine, i nie odejdę tak po prostu.

Jedyna osoba, którą Ender kocha i której ufa. Poczuła ukłucie bólu, żalu; wstydu, że teraz Peter był jej bliski, Peter stał się ośrodkiem jej życia. Dla Endera pali ogniska na urodziny. Peterowi pomaga spełnić jego marzenia.

– Nigdy nie uważałam pana za miłego człowieka. Ani wtedy, kiedy przyjechał pan zabrać Endera, ani teraz.

– Nie udawaj, że jesteś głupiutką dziewczyneczką. Oglądałem twoje wyniki, kiedy byłaś mała i teraz niewielu profesorów w college'ach potrafiłoby ci dorównać.

– Ender i Peter nienawidzą się nawzajem.

– To wiem. Powiedziałaś, że są przeciwieństwami. Dlaczego?

– Peter... potrafi być czasem okropny.

– W jaki sposób okropny?

– Podły. Zwyczajnie podły i tyle.

– Valentine, dla dobra Endera powiedz mi, co on robi, kiedy jest podły.

– Często grozi śmiercią. Nie mówi poważnie. Ale kiedy byliśmy mali, Ender i ja baliśmy się go bardzo. Powtarzał, że nas zabije. Chociaż właściwie mówił, że zabije Endera.

– Widzieliśmy to czasem poprzez czujnik.

– Właśnie z powodu czujnika.

– To wszystko? Opowiedz mi o Peterze.

Więc powiedziała mu o dzieciach we wszystkich szkołach, do których chodził Peter. Nigdy ich nie bił, ale i tak znęcał się nad nimi. Odkrywał to, czego najbardziej się wstydziły i powtarzał osobie, na której szacunku najbardziej im zależało. Odkrywał, czego najbardziej się bały i pilnował, by spotykały się z tym możliwie często.

– Czy postępował tak wobec Endera?

Valentine pokręciła głową.

– Jesteś pewna? Czy Ender nie miał słabych punktów? Czegoś, czego się bał albo wstydził?

– Ender nigdy nie zrobił niczego, czego musiałby się wstydzić.

Nagle, sama zawstydzona tym, że zapomniała i zdradziła Endera, rozpłakała się.

– Czemu płaczesz?

Potrząsnęła głową. Nie umiałaby opisać tego uczucia, gdy myślała o swoim małym braciszku, takim dobrym, którego tak długo ochraniała, a potem uświadomiła sobie, że teraz jest sprzymierzeńcem Petera, niewolnicą Petera, pomocnikiem Petera w realizacji planu, nad którym zupełnie straciła kontrolę. Ender nigdy nie poddał się Peterowi, ale ona się zmieniła. Stała się jego częścią, czymś, czym Ender nigdy nie był.

- Ender nigdy nie ustępował - powiedziała.
- Przed czym?
- Przed Peterem. Przed staniem się takim, jak Peter.
Szli w milczeniu wzdłuż linii bramkowej.
- Jak Ender mógł się stać takim jak Peter?
Valentine wzruszyła ramionami.
- Już panu powiedziałam.
- Przecież nigdy nie zrobił nic takiego. Był tylko małym chłopcem.
- Ale oboje chcieliśmy. Chcieliśmy... zabić Petera.
- Aha.
- Nie, to nieprawda. Nigdy o tym nie mówiliśmy. Ender nigdy nie powiedział, że chciałby to zrobić. To ja... ja to myślałam. To ja, nie Ender. Nie powiedział, że chce go zabić.
- A czego chciał?
- Nie chciał być...
- Być czym?
- Peter torturuje wiewiórki. Rozpina je na ziemi, żywcem obdziera ze skóry, a potem siedzi i patrzy, jak umierają. Robił to kiedyś, teraz nie. Ale robił. Gdyby Ender wiedział, gdyby to zobaczył, chybaby...
- Chyba co? Ratował je? Próbował wyleczyć?
- Nie. W tamtych czasach nie... nie należało przeszkadzać w tym, co robił Peter. Ani mu się narażać. Ale Ender byłby dobry dla wiewiórek. Rozumie pan? On by je karmił.
- Przecież gdyby je karmił, stałyby się oswojone i Peter tym łatwiej by je łapał.
Valentine rozpłakała się znowu.
- Cokolwiek się zrobi, zawsze pomaga się Pete-

rowi. Wszystko pomaga Peterowi, wszystko, nie można mu uciec choćby nie wiem co.

– Czy pomagasz Peterowi? – spytał Graff.

Nie odpowiedziała.

– Czy Peter jest takim złym człowiekiem, Valentine?

Przytaknęła.

– Czy jest najgorszym człowiekiem na świecie?

– Jak mógłby? Nie wiem. Jest najgorszym człowiekiem, jakiego znam.

– A przecież ty i Ender jesteście jego siostrą i bratem. Macie te same geny, tych samych rodziców. Jak może być taki zły, jeśli...

Valentine odwróciła się i zaczęła krzyczeć, jakby chciał ją zabić:

– Ender nie jest jak Peter! Wcale nie jest jak Peter! Tyle, że jest inteligentny, ale to wszystko! W niczym innym nikt nie może być podobny do Petera on wcale ... wcale nie jest jak Peter! Wcale!

– Rozumiem – rzekł Graff.

– Wiem, co myślisz, ty draniu, myślisz, że się mylę, że Ender jest podobny do Petera. No więc może ja jestem do niego podobna, ale nie Ender, wcale nie, tak mu mówiłam, kiedy płakał, powtarzałam mu wiele razy, nie jesteś jak Peter, nie lubisz krzywdzić ludzi, jesteś łagodny i dobry i zupełnie nie jak Peter!

– I to prawda.

Jego zgoda trochę ją uspokoiła.

– Jasne, że prawda. To szczera prawda.

– Valentine, czy zechcesz pomóc Enderowi?

– Nic nie mogę dla niego zrobić.

– Chodzi o to samo, co zawsze dla niego robiłaś. Uspokój go, powiedz, że wcale nie lubi krzywdzić ludzi, że jest dobry i łagodny i wcale nie jak Peter. To najważniejsze. Że zupełnie nie jest podobny do Petera.

– Zobaczę go?

– Nie. Chcę, żebyś napisała list.

– Co to da? Ender nie odpowiedział na żaden z moich listów.

Graff westchnął.

– Odpowiedział na każdy list, jaki otrzymał.

Zrozumiała, nim minęła sekunda.

– Wy śmierdziele...

– Izolacja jest... optymalnym środowiskiem dla rozwoju kreatywności. Potrzebowaliśmy jego idei, nie... mniejsza z tym, nie muszę się przed tobą tłumaczyć.

Nie zapytała, czemu więc to robi.

– Ale on słabnie. Traci tempo. Chcemy pchnąć go naprzód, a on się opiera.

– Może wyświadczę mu przysługę, jeśli każę panu się wypchać.

– Już mi pomogłaś. Możesz pomóc bardziej. Napisz do niego.

– Proszę obiecać, że nie wytnie pan nic z tego, co napiszę.

– Nie mogę ci tego obiecać.

– Więc nie mamy o czym rozmawiać.

– Nie ma problemu. Sam napiszę ten list. Wykorzystamy twoje, żeby uchwycić styl pisania. Prosta sprawa.

– Chcę go zobaczyć.

– Pierwszą przepustkę dostanie, kiedy będzie miał osiemnaście lat.

– Powiedział mu pan, że kiedy będzie miał dwanaście.

– Zmieniliśmy przepisy.

– Czemu mam panu pomagać?

– Nie mnie. Pomóż jemu. Czy to ma znaczenie, że pomożesz przy okazji i nam?

– Co za straszne rzeczy robicie z nim tam, na górze?

Graff parsknął.

– Valentine, moja maleńka, straszne rzeczy mają się dopiero zacząć.

• • •

Ender przeczytał cztery linijki listu, zanim się zorientował, że to nie od któregoś z żołnierzy ze Szkoły Bojowej. Nadszedł zwykłą drogą – otrzymał wiadomość CZEKA POCZTA, kiedy włączył komputer. Przeczytał cztery linijki, przeskoczył na koniec i sprawdził podpis. Następnie wrócił do początku i skulił się na posłaniu, odczytując słowa:

ENDER.

TE DRANIE NIE PRZEPUŚCIŁY
ŻADNEGO MOJEGO LISTU AŻ DO
TERAZ.   PISAŁAM ZE STO RAZY,
A TY PEWNIE MYŚLAŁEŚ, ŻE WCALE.
ALE PISAŁAM. NIE ZAPOMNIAŁAM
O TOBIE. PAMIĘTAM O TWOICH
URODZINACH. PAMIĘTAM WSZYSTKO.
MOŻE NIEKTÓRZY MYŚLĄ, ŻE KIEDY
JESTEŚ ŻOŁNIERZEM, JESTEŚ TERAZ
OKRUTNY I TWARDY I LUBISZ
KRZYWDZIĆ LUDZI, JAK MARINES NA

WIDEO. ALE JA WIEM,
ŻE TO NIEPRAWDA, ŻE WCALE
NIE JESTEŚ JAK SAM—WIESZ—KTO.
ON TERAZ WYDAJE SIĘ MILSZY,
ALE W ŚRODKU DALEJ JEST
ŚWIŃSKIM DRANIEM. MOŻESZ UDAWAĆ
TWARDZIELA, ALE MNIE NIE
OSZUKASZ. WCIĄŻ JAKOŚ
WIOSŁUJĘ W STARYM CZUJ NIE.
KOCHAM CIĘ, INDYCZKU

                                    VAL

NIE ODPISUJ. PEWNIE BĘDĄ
PSYCHOALANIZOWAĆ TWÓJ LIST.

List wyraźnie został napisany z pełną aprobatą nauczycieli. Nie ulegało jednak wątpliwości, że pisała go Val. Słowo „psychoalanizować", określenie „świński drań" na Petera, przypomnienie żartu, kiedy wymawiali czółno jak „czuj no" – wszystkie te drobiazgi, o których wiedziała tylko Val.

A jednak było ich zbyt wiele, jak gdyby ktoś chciał się upewnić, że Ender uwierzy w autentyczność listu. Po co mieliby się tak starać, gdyby rzeczywiście był prawdziwy?

Zresztą, i tak nie jest. Nawet gdyby pisała go własną krwią, nie byłby prawdziwy, bo to oni kazali go napisać. Pisała wcześniej i nie przepuścili żadnego z jej listów. Tamte mogły być autentyczne, ale ten był pisany na ich prośbę, był częścią ich manipulacji.

Znów poczuł rozpacz. Teraz jednak znał jej powód. Wiedział, czego tak bardzo nienawidzi.

Nie kierował swym własnym życiem. To oni wszystko kontrolowali. Oni dokonywali wyborów. Jemu pozostała tylko gra i nic więcej. Wszystko inne należało do nich, do ich przepisów, planów, lekcji i programów. Tylko podczas bitwy mógł ruszyć w tę albo w tamtą stronę. Jedyne, co się liczyło, jedyne co było piękne i prawdziwe, to jego wspomnienie Valentine, osoby, która kochała go, zanim przystąpił do gry, kochała niezależnie od tego, czy trwała wojna z robalami. A oni mu ją zabrali i przeciągnęli na swoją stronę. Teraz była jedną z nich.

Nienawidził ich i ich gier. Nienawidził tak mocno, że zapłakał czytając pisany na zlecenie list Val. Inni chłopcy z Armii Feniksa zauważyli to i odwrócili wzrok. Ender Wiggin płacze? To było niepokojące. Działo się coś strasznego. Najlepszy żołnierz wszystkich armii leży na posłaniu i płacze. W sali panowała głęboka cisza.

Ender skasował list, usunął go z pamięci, po czym uruchomił grę fantasy. Nie wiedział, czemu tak mu zależy, by zagrać, by dotrzeć na Koniec Świata, ale nie tracił czasu. Dopiero płynąc na chmurze ponad jesiennymi barwami sielankowego świata, dopiero wtedy zrozumiał, co nienawidził najbardziej w liście Val. Ten list mówił tylko o Peterze. O tym, jak zupełnie nie jest podobny do Petera. Słowa, które mówiła tak często tuląc go i uspokajając, gdy drżał z lęku, wściekłości i odrazy, kiedy Peter znowu się nad nim znęcał. Niczego więcej w tym liście nie było.

O to właśnie ją prosili. Ci dranie wiedzieli o tym, i wiedzieli o Peterze w lustrze w komnacie na zamku, wiedzieli o wszystkim i Val była dla nich jeszcze jednym narzędziem potrzebnym, by go kontrolować, jeszcze jedną sztuczką w grze. Dink miał rację, to oni są wrogami, nie kochają niczego i o nic nie dbają. Nie miał już ochoty robić tego, czego od niego chcieli, nic nie miał zamiaru dla nich robić. Posiadał tylko jedno naprawdę własne wspomnienie, jedną dobrą myśl, a oni przeorali ją razem z resztą gnoju. Skończył z nimi, nie zamierzał grać dalej.

Jak zawsze, wąż czekał w komnacie na wieży odwijając się z dywanu na podłodze. Tym razem jednak Ender nie zgniótł go pod butem. Tym razem chwycił go w ręce, przyklęknął i delikatnie, bardzo delikatnie przysunął rozwartą paszczę węża do swoich ust.

I pocałował go.

Nie chciał tego robić. Miał zamiar pozwolić, by wąż ukąsił go w wargę. A może zamierzał zjeść węża żywcem, tak jak Peter z lustra, z pokrwawioną brodą i ogonem sterczącym jeszcze z ust. Zamiast tego jednak złożył pocałunek.

Wąż w jego rękach pogrubiał i wygiął się w inny kształt, ludzki. To była Valentine, która pocałowała go w odpowiedzi.

Ale przecież wąż nie mógł być Valentine. Zabijał go zbyt często, by teraz miał się okazać jego siostrą. Zbyt często pożerał go Peter, by Ender mógł znieść myśl, że przez cały czas była to Valentine.

Czy właśnie to planowali, kiedy pozwolili mu przeczytać list? Nic go to nie obchodziło.

Podniosła się z podłogi komnaty na wieży i podeszła do lustra. Ender kazał swojej postaci wstać także i iść za nią. Razem stanęli przed taflą, lecz zamiast okrutnego odbicia Petera zobaczył w niej smoka i jednorożca. Wyciągnął rękę i dotknął zwierciadła, a ściana rozpadła się odsłaniając szerokie, prowadzące w dół schody pokryte dywanem i wiwatujący, hałaśliwy tłum. Razem, ramię w ramię, on i Valentine ruszyli przed siebie. Łzy stanęły mu w oczach, łzy radości, że wyrwał się wreszcie z celi na Końcu Świata. I przez te łzy nie zauważył, że wszyscy w tłumie mieli twarz Petera. Wiedział tylko, że gdziekolwiek pójdzie w tym świecie, Valentine będzie przy nim.

• • •

Valentine otworzyła list, który podała jej dr Lineberry. „Droga Valentine", przeczytała. „Wyrażamy ci szczere podziękowanie i wdzięczność za twój wkład w wysiłek wojenny. Niniejszym zawiadamiamy, że przyznano ci Gwiazdę Orderu Ligi Ludzkości Pierwszej Klasy, najwyższe odznaczenie wojskowe, jakie może otrzymać osoba cywilna. Niestety, bezpieczeństwo MF nie pozwala, by przed zakończeniem bieżących operacji ogłosić ten fakt publicznie. Chcielibyśmy jednak poinformować cię, że twoje działania zostały uwieńczone całkowitym sukcesem. Z wyrazami szacunku, generał Shimon Levy, Strategos."

Kiedy przeczytała list dwa razy, dr Lineberry wyjęła jej go z ręki.

– Otrzymałam instrukcje, by pozwolić ci go przeczytać, a potem zniszczyć.

Wyjęła z szuflady zapalniczkę i podpaliła papier. Zapłonął jasno w popielniczce.

– Dobre czy złe wiadomości? – spytała.

– Sprzedałam swojego brata – odparła Valentine. – I teraz mi za to zapłacili.

– To trochę melodramatyczne, nie sądzisz?

Valentine wyszła nie odpowiadając. Tej nocy Demostenes opublikował zjadliwą krytykę praw ograniczających przyrost populacji. Ludzie powinni mieć tyle dzieci, ile zechcą, a nadwyżkę ludności należy wysyłać na inne planety, by ludzkość rozprzestrzeniła się w galaktyce tak szeroko, że żadna katastrofa, żadna inwazja nie mogłaby zagrozić zniszczeniem ludzkiej rasy. „Najwspanialszy tytuł, jaki może przysługiwać dziecku – pisał Demostenes – to Trzeci."

Dla ciebie, Ender, powtarzała pisząc.

Peter śmiał się zachwycony, gdy czytał tekst.

– Teraz poruszyłaś wszystkich. Muszą zwrócić na ciebie uwagę. Trzeci! Wspaniały tytuł! Och, bywasz czasem przewrotna.

Rozdział 10

Smok

– Już?

– Tak sądzę.

– To musi być rozkaz, pułkowniku Graff. Armie nie ruszają z miejsca dlatego, że dowódca mówi: „Sądzę, że czas atakować".

– Nie jestem dowódcą. Jestem nauczycielem małych dzieci.

– Panie pułkowniku, przyznaję, że nie zgadzałem się z panem. Przyznaję, że stawałem okoniem, ale udało się, wszystko poszło dokładnie tak, jak pan zaplanował. Przez ostatnie kilka tygodni Ender był nawet... nawet...

– Szczęśliwy.

– Zadowolony. Radzi sobie znakomicie. Jego umysł jest sprawny, rozgrywki prowadzi znakomicie. Wprawdzie jest młody, ale nigdy jeszcze nie mieliśmy tu chłopaka lepiej nadającego się na dowódcę. Zwykle dostają armię, kiedy mają jedenaście lat, ale on jest w szczytowej formie, choć ma dziewięć i pół.

– Owszem. Przez chwilę zastanawiałem się, jak nazwać człowieka, który leczy załamane dziecko, przynajmniej częściowo, tylko po to, żeby zaraz rzucić je z powrotem do walki. Taki drobny, osobisty dylemat moralny. Proszę nie zwracać na to uwagi. Byłem zmęczony.

– Ratujemy świat, pamięta pan?

– Proszę go wezwać.

– Robimy to, co konieczne, pułkowniku Graff.

– Daj spokój, Anderson, po prostu umierasz z ciekawości, jak on sobie poradzi z tymi wszystkimi nieuczciwymi grami, które kazałem ci przygotować.

– To obrzydliwe, co pan...

– Taki już ze mnie obrzydliwy facet. Nie oszukujmy się, majorze. Jesteśmy szumowinami tej ziemi. Ja też umieram z ciekawości, co on z tym zrobi. W końcu nasze życie zależy od tego, jak sobie poradzi. Nie?

– Chyba nie zaczyna pan używać slangu tych chłopców?

– Proszę go zaraz wezwać, majorze. Zrzucę tylko przygotowaną listę do jego zbioru i włączę mu system zabezpieczeń. To, co z nim robimy, nie jest do końca takie złe. Znów będzie miał trochę odosobnienia.

– Chciał pan powiedzieć: izolacji.

– Samotność władzy. Dalej, niech go pan zawoła.

– Tak jest, sir. Za piętnaście minut będziemy u pana.

– Na razie. Tak jest sir, tajest sir, tajessir. Mam nadzieję, że dobrze się bawiłeś. Mam nadzieję, że było ci przyjemnie, bardzo przyjemnie być szczęśliwym, Ender. Może po raz ostatni w życiu. Pozwól, chłopcze, wujaszek Graff ma coś dla ciebie.

Ender od pierwszej chwili wiedział, o co chodzi. Wszyscy oczekiwali, że wcześnie zostanie dowódcą. Może nie aż tak wcześnie, ale w końcu prowadził w tabeli od trzech lat, w punktacji nikt nawet się do niego nie zbliżył, a wieczorne treningi cieszyły się najwyższym prestiżem w całej szkole. Niektórzy zastanawiali się nawet, czemu nauczyciele tak długo zwlekają.

Ciekaw był, którą armię mu przydzielą. Trzech dowódców, w tym Petra Arkanian, miało wkrótce zakończyć szkolenie. Nie liczył na Armię Feniksa. Jeszcze nigdy nikomu nie udało się dowodzić tą samą armią, w której służył w chwili otrzymania awansu.

Anderson zabrał go najpierw do nowej kwatery. To rozstrzygało sprawę – tylko komendanci mieli prywatne kabiny. Potem kazał wziąć miarę na nowe mundury i kombinezony. Ender zajrzał w formularz, żeby sprawdzić, jak nazywa się jego armia.

Smok. Tak zostało tam napisane. Ale nie było żadnej Armii Smoka.

– Nigdy nie słyszałem o Armii Smoka – powiedział.

– To dlatego, że nie istnieje od czterech lat. Skasowaliśmy tę nazwę, bo powstał przesąd na jej temat. Podobno żadna Armia Smoka w całej historii Szkoły Bojowej nie wygrała nawet jednej trzeciej swoich gier. Ale to pewnie żart.

– Więc dlaczego znowu ją tworzycie?

– Mamy kupę mundurów, z którymi trzeba coś zrobić.

Siedzący za biurkiem Graff wydawał się grubszy i bardziej zmęczony niż ostatnim razem, kiedy Ender go widział. Wręczył Enderowi jego hak, niewielkie urządzenie, dzięki któremu dowódca podczas ćwiczeń mógł się poruszać, jak chciał. Wiele razy w czasie wieczornych treningów Ender marzył o tym, by móc korzystać z haka zamiast odbijać się od ścian. Dostał przyrząd teraz, kiedy umiał radzić sobie bez niego.

– Działa tylko podczas planowych zajęć ćwiczebnych – poinformował Anderson.

Oznaczało to – ponieważ Ender zamierzał prowadzić dodatkowe treningi – że nie zawsze będzie mógł używać haka. Wyjaśniało też, czemu wielu dowódców nie urządzało takich pozaplanowych ćwiczeń. Uzależnili się od swoich haków, które na dodatkowych zajęciach nie działały. Jeśli sądzili, że to urządzenie gwarantuje im autorytet i posłuszeństwo żołnierzy, tym bardziej unikali pracy bez niego. Dzięki temu będę miał przewagę przynajmniej nad częścią przeciwników, pomyślał Ender.

Wygłaszając oficjalną mowę Graff wydawał się znudzony i obojętny. Dopiero pod koniec okazał trochę zaangażowania.

– Zdecydowaliśmy się na pewne niezwykłe rozwiązanie – oświadczył. – Chyba nie będziesz miał nic przeciwko temu. Sformowaliśmy Armię Smoka przyspieszając przejście do niej ekwiwalentu pełnej grupy startowej i blokując awans kilku starszych uczniów. Sądzę, że będziesz zadowolony ze swoich żołnierzy. Mam nadzieję, że tak będzie, ponieważ otrzymujesz zakaz transferów.

– Żadnych zamian? – zdziwił się Ender. Wymieniając się między sobą dowódcy wzmacniali swoje słabe punkty.

– Żadnych. Widzisz, od trzech lat prowadzisz te swoje dodatkowe zajęcia. Masz wielu zwolenników. Dobrzy żołnierze będą wywierać nacisk na swoich dowódców, żeby przejść pod twoją komendę. Dajemy ci armię, która z czasem może zwyciężać. Nie pozwolimy, byś nieuczciwie zyskał przewagę.

– A jeśli dostanę żołnierza, z którym po prostu nie potrafię się dogadać?

– Dogadaj się z nim – Graff przymknął oczy. Anderson wstał rozmowa była skończona.

Smok dostał barwy szarą, pomarańczową, szarą; Ender przebrał się w skafander, po czym ruszył za świetlną nitką, aż do koszar, gdzie miała zamieszkać jego armia. Chłopcy już czekali i kręcili się przy wejściu. Ender natychmiast objął dowodzenie.

– Zająć posłania według starszeństwa. Weterani z tyłu, najmłodsi z przodu.

Odwracał zwyczajowy porządek i wiedział o tym. Nie miał zamiaru powtarzać błędu innych dowódców, którzy nigdy nie widywali nowych żołnierzy, ponieważ ci zawsze byli z tyłu.

Kiedy zajmowali posłania według dat przybycia do Szkoły, Ender przeszedł po sali tam i z powrotem. Prawie trzydziestu żołnierzy było całkiem nowych, prosto z grup startowych, bez żadnego doświadczenia w bitwie. Kilku nawet młodszych niż zwykle – ci koło drzwi wydawali się żałośnie mali. Pomyślał, że takim właśnie musiał go widzieć Bonzo Madrid, kiedy zjawił się w jego armii. Ale Bonzo musiał sobie radzić z jednym tylko nieletnim żołnierzem.

Żaden z weteranów nie należał do elitarnej grupy ćwiczeniowej Endera. Nikt z nich nie był nawet dowódcą plutonu. Właściwie ani jeden nie był starszy od Endera, co oznaczało, że nawet ci weterani mieli za sobą najwyżej osiemnaście miesięcy służby. Kilku nie rozpoznał, tak mało się wyróżniali.

Naturalnie, oni znali Endera, jako że był najpopularniejszym żołnierzem w szkole. Paru, jak zauważył, patrzyło na niego z niechęcią.

Przynajmniej tyle dla mnie zrobili, że żaden z moich żołnierzy nie jest starszy ode mnie, pomyślał.

Gdy każdy miał już swoje posłanie, Ender polecił im włożyć skafandry i przygotować się do ćwiczeń.

– Jesteśmy w planie na rano, treningi zaraz po śniadaniu. Formalnie macie godzinę wolnego między śniadaniem a zajęciami. Zobaczę, jak z tym będzie, kiedy się przekonam, co potraficie.

Po trzech minutach kazał wszystkim wyjść, choć wielu nie było jeszcze ubranych.

– Ale ja jestem goły! – zawołał któryś z chłopców.

– Następnym razem ubieraj się szybciej. Macie trzy minuty od rozkazu do opuszczenia sali. To w tym tygodniu. W przyszłym będą dwie minuty. Biegiem!

Niedługo cała szkoła będzie opowiadać dowcipy o Armii Smoka, która jest tak tępa, że musi trenować ubieranie się.

Pięciu chłopców było zupełnie nagich i biegnąc przez korytarze ciągnęli za sobą kombinezony. Niewielu tylko zdążyło ubrać się do końca. Mijając otwarte drzwi klas zwracali powszechną uwagę. Na pewno żaden się więcej nie spóźni.

W korytarzu prowadzącym do sali treningowej Ender kazał im biegać tam i z powrotem, szybko, tak, żeby się spocili. Tymczasem ci, którzy byli nago, zdążyli się ubrać. Potem doprowadził ich do górnych drzwi, otwierających się na środku ściany tak, jak w prawdziwej grze. Kazał im skakać w górę, chwytać za klamry na suficie i z ich pomocą wlatywać do sali.

– Zbiórka na przeciwnej ścianie – polecił. – Wszystko tak, jak w ataku na bramę nieprzyjaciela.

Chciał, by pokazali, co potrafią, skacząc czwórkami przez wrota. Prawie żaden z nich nie umiał dolecieć do celu w linii prostej, a kiedy dotarli już do ściany, tylko kilku zdołało się zatrzymać czy choćby kontrolować odbicie.

Ostatni z chłopców był bardzo mały, wyraźnie najmłodszy. Nie miał szans, by dosięgnąć uchwytu na suficie.

– Możesz użyć bocznej klamry – pozwolił Ender.

– Wypchaj się – odparł chłopiec. Odbił się z całej siły, końcami palców musnął uchwyt i wpadł przez bramę bez żadnej kontroli, wirując w trzech kierunkach równocześnie. Ender nie mógł się zdecydować, czy polubić dzieciaka za to, że nie korzystał z ułatwień, czy raczej zirytować się jego brakiem dyscypliny.

W końcu wszyscy stanęli w szeregu pod przeciwległą ścianą. Ender zauważył, że bez wyjątku ustawili się głowami w kierunku, jaki w korytarzu był „górą". Świadomie więc chwycił klamrę na tym, co traktowali jako podłogę i zawisł głową w dół.

– Dlaczego stoicie do góry nogami, żołnierze? – zapytał.

Kilku z nich zaczęło się odwracać.

– Baczność! – Znieruchomieli. – Pytałem, dlaczego stoicie do góry nogami!

Nikt nie odpowiedział.

– Zapytałem, dlaczego każdy z was ma nogi w powietrzu i głowę skierowaną w dół?

– Sir – odważył się wreszcie któryś. – W takim kierunku opuszczaliśmy korytarz.

– A jaką to robi różnicę? Jakie ma znaczenie kierunek ciążenia w korytarzu? Czy będziemy walczyć w korytarzu? Czy mamy grawitację?

– Nie, sir. Nie, sir.

– Od tej chwili możecie zapomnieć o grawitacji, zanim jeszcze przekroczycie bramę. Dawne ciążenie znika, kasuje się. Jasne? Nieważne, w którą stronę działa, kiedy podchodzicie do drzwi. Macie pamiętać o jednym: nieprzyjacielska brama jest na dole. Wasze stopy wskazują bramę wroga. Góra to tam, gdzie jest wasza brama. Północ jest tam, południe tam, wschód tam, a zachód... gdzie?

Pokazali.

– Tego się spodziewałem. Jedyne, co opanowaliście, to proces eliminacji, a to tylko dlatego, że można go dokonywać w toalecie. Co to był za cyrk? To ma być szereg? To miał być lot? Jazda, wszyscy startują i robią zbiórkę na suficie. Już! Ruszać się!

Tak, jak oczekiwał, spora część żołnierzy instynktownie wybiła się nie w stronę bramy, ale ku ścianie, którą Ender określił jako północ – w kierunku, w którym na korytarzu była góra. Oczywiście, szybko zauważyli pomyłkę, ale było za późno. Musieli czekać, aż będą mogli odbić się od ściany.

Tymczasem Ender dzielił ich w myślach na bardziej i mniej bystrych. Najmniejszy z chłopców, ten, który jako ostatni skakał z korytarza, teraz jako pierwszy dotarł do właściwej ściany i wyhamował zręcznie. Mieli rację awansując go. Poradzi sobie bez trudu. Był czupurny i buntowniczy, poza tym wściekły, że znalazł się wśród tych, którym Ender kazał biegać nago po korytarzach.

– Ty! – zawołał Ender wskazując go palcem. – Gdzie jest dół?

– Tam, gdzie brama nieprzyjaciela – padła szybka odpowiedź, jakby chłopak mówił: dobra, dobra, przejdźmy do ważniejszych spraw.

– Jak ci na imię, mały?

– Żołnierz ma na imię Groszek, sir.

– Ze względu na wzrost czy rozmiar mózgu? – chłopcy zachichotali nieśmiało. – No dobra, Groszek, widzę, że sobie radzisz. A teraz słuchajcie mnie wszyscy. Każdy, kto wchodzi przez tę bramę ma dużą szansę, że zostanie trafiony. Dawniej miało się dziesięć, dwadzieścia sekund rezerwy. Dzisiaj, jeśli nie znajdziecie się w środku, zanim pojawi się przeciwnik, jesteście zamrożeni. Co się dzieje, kiedy zostajecie zamrożeni?

– Nie można się ruszyć – odezwał się jeden z chłopców.

– Zamrożenie to właśnie oznacza – odparł Ender. – Ale co się wtedy z wami dzieje?

To właśnie Groszek, wcale niespeszony, odpowiedział rozsądnie:

– Leci się wtedy w tym samym kierunku co na początku. Z szybkością, jaką się miało w chwili trafienia.

– Zgadza się. Wy pięciu, tam na końcu, ruszać!

Zaskoczeni, chłopcy spoglądali na siebie niepewnie. Ender kasował ich po kolei.

– Następna piątka, ruszać!

Ruszyli. Ender zamroził ich także, ale lecieli dalej w stronę ściany. Pierwszych pięciu unosiło się bezwładnie w pobliżu głównej grupy.

– Spójrzcie na tych tak zwanych żołnierzy – powiedział Ender. – Dowódca kazał im ruszać, a teraz patrzcie tylko. Są zamrożeni, i to właśnie tutaj, gdzie mogą przeszkadzać. Za to tamci, ponieważ ruszyli zgodnie z rozkazem, zostali trafieni w dole, gdzie blokują drogi natarcia i utrudniają nieprzyjacielowi obserwację. Sądzę, że przynajmniej pięciu z was zrozumiało, o co chodziło w tej lekcji. Nie wątpię, że w tej piątce jest Groszek. Zgadza się, Groszek?

Groszek nie odpowiedział od razu. Ender patrzył na niego tak długo, aż mruknął:

– Zgadza się, sir.

– Więc o co chodziło?

– Kiedy każą ci ruszać, ruszaj szybko, bo kiedy zlodowaciejesz, będziesz latał po sali zamiast przeszkadzać w operacjach swojej własnej armii.

– Doskonale. Przynajmniej jeden z was rozumie tę rozgrywkę.

Ender widział, jak w żołnierzach narasta niechęć; poznawał to po tym, jak się poruszają, jak patrzą na siebie i unikają wzroku Groszka. Czemu to robił? Co ma wspólnego bycie dobrym dowódcą z wystawianiem tego małego wszystkim pozostałym na cel? Czy mógł mu to robić tylko dlatego, że tak właśnie postępowali z nim? Miał chęć odwołać swoje kpiny, przekonać wszystkich, że ten dzieciak bardziej niż ktokolwiek inny potrzebuje przyjaźni. Tyle że – oczywiście – nie mógł tego zrobić. Nie pierwszego dnia. Pierwszego dnia

256

nawet jego pomyłki musiały się wydawać częścią genialnego planu.

Ender przyciągnął się hakiem bliżej ściany i wskazał na jednego z chłopców.

– Wyprostuj się – polecił. Obrócił chłopca w powietrzu tak, by skierować go stopami w stronę grupy. Kiedy tamten spróbował się poruszyć, skasował go. Inni roześmiali się.

– W co możesz go trafić? – spytał Ender chłopca stojącego na wprost zamrożonego żołnierza.

– Właściwie tylko w stopy.

– A ty? – zwrócił się do jego sąsiada.

– Widzę jego korpus.

– A ty?

– W całe ciało – odpowiedział chłopak stojący dalej w szeregu.

– Stopy nie są zbyt duże. Nie dają dostatecznej osłony – odepchnął zamrożonego z drogi. Potem zgiął nogi w kolanach, jakby klękał w powietrzu i zamroził je. Nogawki kombinezonu zesztywniały natychmiast, nie pozwalając na zmianę pozycji.

Ender przekręcił się tak, że klęczał ponad swymi żołnierzami.

– Co widzicie? – zapytał.

– O wiele mniej – odpowiedzieli.

Ender wsunął miotacz między nogi.

– Ja widzę doskonale – oznajmił i zaczął kasować jednego po drugim. – Powstrzymajcie mnie! – zawołał. – Spróbujcie mnie trafić!

Udało im się, ale zdążył unieruchomić trzecią część grupy. Potem użył haka, by rozmrozić siebie i wszystkich pozostałych.

– A teraz – zaczął – w jakim kierunku leży brama nieprzyjaciela?

– Na dole!

– A w jakiej pozycji macie atakować?

Część zaczęła tłumaczyć, ale Groszek odpowiedział odskakując od ściany z podkurczonymi nogami, prosto ku bramie nieprzyjaciela, strzelając bez przerwy.

Przez chwilę Ender miał ochotę krzyknąć na niego, ukarać w jakiś sposób; zaraz jednak się opanował, stłumił nieprzyjazny odruch. Czemu miałbym się gniewać na tego małego?

– Czy tylko Groszek wie, jak się to robi?

Natychmiast cała armia ruszyła do przodu strzelając z miotaczy trzymanych między nogami i krzycząc ile sił w płucach. Może przyjść taka chwila, pomyślał Ender, kiedy dokładnie takiej strategii będę potrzebował: czterdziestu rozwrzeszczanych chłopców w szaleńczym ataku.

Kiedy wszyscy byli już po przeciwnej stronie, Ender kazał im, wszystkim na raz, zaatakować siebie. Tak, pomyślał. Całkiem nieźle. Dali mi niewyćwiczoną armię, bez jednego dobrego żołnierza, ale przynajmniej nie bandę głupców. Mogę coś z nimi zrobić.

Ustawili się znowu, rozśmiani i podnieceni. Wtedy Ender zaczął właściwe zajęcia. Polecił im pozamrażać nogi w pozycji podkurczonej.

– Do czego przydają się wam nogi? W walce?

– Do niczego – odpowiedzieli niektórzy.

– Groszek tak nie uważa – stwierdził Ender.

– Do tego, żeby odpychać się od ścian.

– Bardzo dobrze.

Inni zaczęli protestować, że odpychanie od ścian to poruszanie się, a nie walka.

– Nie ma walki bez ruchu – oświadczył Ender.

Chłopcy umilkli i nienawidzili Groszka trochę mocniej. – Czy z zamrożonymi nogami potraficie odpychać się od ścian?

Nikt nie odważył się odpowiedzieć. Bali się błędu.

– Groszek?

– Nigdy nie próbowałem, ale może gdyby stanąć twarzą do ściany, a potem zgiąć w pasie...

– Dobrze, ale nie tak. Patrzcie na mnie. Jestem odwrócony plecami do ściany. Ponieważ klęczę, stopy jej dotykają. Zwykle przy odbiciu pchacie stopami w dół i całe ciało wyciąga się z tyłu jak strączek grochu. Zgadza się?

Śmiech.

– Z zamrożonymi nogami wykorzystuję właściwie tę samą technikę, wyrzucam biodra i uda, tyle że teraz do tyłu odchylają się stopy i ramiona. Kiedy odlatuję, całe ciało jest zwarte i nie ciągnie się z tyłu. Patrzcie.

Wypchnął biodra do przodu i odskoczył od ściany; natychmiast ustabilizował pozycję tak, by podkurczone nogi mieć pod sobą. Wylądował na kolanach, przewrócił się na plecy i odbił w innym kierunku.

– Spróbujcie mnie trafić! – krzyknął. Zaczął wirować lecąc mniej więcej równolegle do ściany, przy której stali jego żołnierze. To wirowanie uniemożliwiało trafienie go ciągłym promieniem.

Rozmroził skafander i hakiem podciągnął się z powrotem.

– Popracujemy nad tym przez pierwsze pół godziny. Wyćwiczycie sobie mięśnie, o których istnieniu nawet nie wiedzieliście. Nauczycie się używać nóg jako tarczy i kontrolować ruchy tak, żebyście mogli wirować. Na bliskich dystansach nic to nie daje, ale z daleka nie mogą wam nic zrobić, kiedy się kręcicie. Promień miotacza musi padać przez chwilę w to samo miejsce, a to niemożliwe przy szybkich obrotach. A teraz zamrozić się i do roboty.

– Czy wyznaczysz nam strefy? – spytał któryś.

– Nie, nie wyznaczę. Chcę, żebyście się zderzali, żebyście potrafili sobie z tym radzić w każdych okolicznościach. Chyba że będziemy ćwiczyć w formacjach. Wtedy pewnie każę się wam zderzać celowo. A teraz, ruszać się!

Kiedy to powiedział, ruszyli.

● ● ●

Ender wyszedł z sali jako ostatni. Został dłużej, by pomóc najsłabszym w opanowaniu techniki. Mieli dobrych nauczycieli, ale przyszli prosto z grup startowych i brakowało im doświadczenia. Zupełnie sobie nie radzili, gdy trzeba było wykonywać dwie albo trzy rzeczy na raz. Dobrze im szły odbicia z zamrożonymi nogami, nie mieli problemów przy manewrowaniu w powietrzu, ale wystartować w jednym kierunku, strzelać w drugim, odskoczyć od ściany i strzelać we właściwą stronę – to całkowicie przekraczało ich możliwości. Ćwiczenia, ćwiczenia i jeszcze raz ćwiczenia – w tej chwili Ender nie mógł robić nic innego. Strategia i walka w szyku to piękna rzecz, ale na nic się nie przyda, jeśli żołnierze nie potrafią się zachować podczas bitwy.

Musiał przygotować swoją armię już. Wcześnie został dowódcą, a nauczyciele zmieniali reguły, nie pozwalali na zamiany, nie dali mu ani jednego weterana wysokiej klasy. Nie miał gwarancji, że odczekają zwyczajowe trzy miesiące, zanim poślą go do bitwy.

Dobrze, że przynajmniej wieczorami Alai i Shen pomogą mu trenować tych nowych.

Nie wyszedł jeszcze z korytarza prowadzącego do sali treningowej, gdy nagle znalazł się twarzą w twarz z małym Groszkiem. Groszek wyglądał na zagniewanego. Ender nie chciał, by już teraz wynikły jakieś problemy.

– Cześć, Groszek.

– Cześć, Ender.

Chwila milczenia.

– Sir – powiedział cicho Ender.

– Wiem, do czego zmierzasz, Ender, sir, i ostrzegam cię.

– Ostrzegasz?

– Mogę być twoim najlepszym żołnierzem, ale nie zaczynaj ze mną.

– Bo co?

– Bo będę twoim najgorszym żołnierzem. Jedno albo drugie.

– A czego się spodziewasz? Przytulanki i buzi na dobranoc? – teraz Ender zaczynał wpadać w gniew.

Groszek nie przejął się tym.

– Chcę dostać pluton.

Ender podszedł bliżej i spojrzał w dół, prosto w jego oczy.

– A dlaczego miałbym ci dać pluton?

– Bo wiedziałbym, co z nim robić.

– Nietrudno jest wiedzieć, co robić z plutonem. Trudno jest ich skłonić, żeby to właśnie robili. Dlaczego żołnierze mieliby wykonywać rozkazy takiego małego dupka?

261

– Słyszałem, że kiedyś na ciebie też tak wołali. Słyszałem, że Bonzo robi to nadal.

– Zadałem pytanie, żołnierzu.

– Zdobędę autorytet, jeśli nie będziesz mi przeszkadzał.

– Ja ci pomagam – uśmiechnął się Ender.

– Jak diabli – burknął Groszek.

– Nikt by cię nie zauważył, najwyżej po to, żeby się użalić nad takim maluchem. Dzięki mnie dzisiaj wszyscy cię zauważyli. Będą obserwować każdy twój ruch. Żeby zdobyć ich szacunek, wystarczy tylko być najlepszym.

– Więc nie mam nawet szansy, żeby się nauczyć, zanim mnie ocenią.

– Biedny dzidziuś. Są dla ciebie niedobrzy – Ender delikatnie pchnął Groszka na ścianę. – Powiem ci, jak zdobyć pluton. Udowodnij mi, że wiesz co robić jako żołnierz. Udowodnij, że potrafisz wykorzystywać w bitwie innych żołnierzy. A potem udowodnij, że ktoś chce iść za tobą do walki. Wtedy dostaniesz swój pluton. Ale ani chwili wcześniej.

Groszek uśmiechnął się.

– To uczciwe. Jeżeli naprawdę tak postąpisz, zostanę dowódcą plutonu w ciągu miesiąca.

Ender chwycił go za przód kombinezonu i przycisnął do ściany.

– Jeśli mówię, że coś zrobię, to znaczy, że to właśnie zrobię.

Groszek uśmiechał się tylko. Ender puścił go i odszedł. W swojej kabinie położył się na łóżku. Drżał cały. Co on wyprawia? Pierwszy trening, a już znęca się nad innymi jak Bonzo. I Peter. Pomiata ludźmi. Wybiera jakiegoś malucha, żeby inni mieli kogo nienawidzić. Obrzydliwe. Powtarza wszystko to, czego nie cierpiał u dowódcy.

Czy to leży w ludzkiej naturze, że zawsze stajesz się podobny do swojego pierwszego dowódcy? Jeśli tak, to lepiej już teraz się wycofać.

Raz za razem analizował wszystko, co robił podczas pierwszych ćwiczeń swojej nowej armii. Dlaczego nie mógł się zachowywać tak, jak w czasie zajęć wieczornych? Tam nie wydawał rozkazów, jedynie czynił sugestie. Ale w armii to niemożliwe. Jego nieformalna grupa nie musiała się uczyć, jak trzymać się razem i ufać sobie w czasie walki. Nie musiała natychmiast wykonywać rozkazów.

Gdyby zechciał, mógłby znaleźć się na przeciwnym końcu, być tak niedbały i niekompetentny jak Ross Nos. Mógłby popełniać głupie błędy, w każdej sytuacji. Musiał utrzymywać dyscyplinę, a to oznaczało wymaganie – i wymuszanie – natychmiastowego, pełnego połuszeństwa. Chciał stworzyć dobrze wyszkoloną armię, musiał więc powtarzać i jeszcze raz powtarzać kolejne elementy ćwiczeń, choćby żołnierze byli pewni, że opanowali wszystkie techniki. Tak długo, aż odpowiednie reakcje staną się całkowicie naturalne, by nie musieli o nich myśleć.

Ale co to ma wspólnego z Groszkiem? Dlaczego przyczepił się do najmniejszego, najsłabszego i prawdopodobnie najbardziej inteligentnego z chłopców? Czemu wobec niego zachowywał się tak, jak tamci dowódcy, którymi pogardzał?

Potem przypomniał sobie, że to wszystko nie zaczęło się od dowódców. Zanim Ross i Bonzo potraktowali go ze wzgardą, była izolacja w grupie startowej. I ta też nie zaczęła się od Bernarda. To Graff.

To nauczyciele robili takie rzeczy. I wcale nie przypadkowo. Teraz Ender widział to wyraźnie. Na tym polegała ich strategia. Graff świadomie próbował odizolować go od reszty chłopców, uniemożliwić próby zbliżenia. Teraz Ender zaczynał się domyślać, po co to robił. Nie po to, by grupa była zgrana, ale po to, by ją podzielić. Graff odseparował Endera, by zmusić go do walki. By udowodnił, nie to, że umie sobie radzić, ale że jest najlepszy ze wszystkich. Tylko w ten sposób mógł zdobyć przyjaźń i szacunek. Dzięki temu stał się lepszym żołnierzem, ale też był samotny, zalękniony, niespokojny i nieufny. I może te cechy także czyniły go lepszym żołnierzem.

Tak właśnie postępuje z Groszkiem. Rani go, żeby stał się jak najlepszym żołnierzem. Żeby musiał walczyć, nigdy nie zaznał spokoju, nigdy nie był pewien, co zdarzy się za chwilę, i zawsze gotów na wszystko, zdolny do improwizacji, zdecydowany zwyciężyć niezależnie od okoliczności. Sprawia też, że cierpi. Dlatego przydzielili go do Endera. Żeby był taki sam. Żeby Groszek, kiedy dorośnie, był starcem.

A Ender? Czy kiedy dorośnie, będzie podobny do Graffa? Gruby, zgorzkniały, zimny, manipulujący życiem małych chłopców tak, by opuścili tę fabrykę jako generałowie i admirałowie doskonali, gotowi poprowadzić flotę w obronie ojczyzny? Przyjemności Graffa, to przyjemności władcy marionetek. Aż do chwili, kiedy zdarzy się żołnierz, który potrafi więcej niż inni. Tego nie można znieść. To niszczy symetrię. Trzeba wtedy ściągnąć go na dół, złamać, wyizolować, zniszczyć, aż zacznie robić to, co wszyscy.

To właśnie zrobiłem dzisiaj tobie, Groszek, pomyślał. Tak postąpiłem. Ale będę cię obserwował, ze współczuciem, którego byś we mnie nie podejrzewał. A kiedy nadejdzie właściwy czas, przekonasz się, że jestem twoim przyjacielem, a ty stałeś się żołnierzem, jakim zawsze chciałeś być.

• • •

Tamtego popołudnia Ender nie poszedł na lekcje. Leżał na łóżku i spisywał opinie o każdym z chłopców w jego armii, wszystko to, co robili dobrze i to, nad czym trzeba będzie popracować. Na wieczornych ćwiczeniach miał zamiar porozmawiać z Alai. Razem na pewno wymyślą metodę szybkiego nauczenia chłopców tego, co musieli opanować. Przynajmniej nie będzie sam.

Kiedy jednak dotarł wieczorem do sali treningowej, gdy inni jeszcze jedli, zobaczył, że czeka na niego major Anderson.

– Zmieniły się pewne reguły, Ender. Od tej chwili tylko żołnierze tej samej armii mogą wspólnie trenować w czasie wolnym. Tym samym sale są dostępne wyłącznie według planu. Po dzisiejszych ćwiczeniach następne przypadają ci za cztery dni.

– Nikt inny nie prowadzi dodatkowych treningów.

– Teraz już tak, Ender. Teraz, kiedy dowodzisz własną armią, nie chcą, by ich chłopcy z tobą trenowali. To chyba oczywiste. Dlatego prowadzą własne ćwiczenia.

– Zawsze byłem w innej armii niż oni. A jednak przysyłali mi żołnierzy.

– Wtedy nie byłeś dowódcą.

– Dostałem zupełnych żółtodziobów, sir.

– Masz paru weteranów.

– Żaden nie jest dobry.

– Do Szkoły trafiają tylko wybitni. Zrób z nich dobrych żołnierzy, Ender.

– Potrzebuję Alai i Shena, żeby...

– Czas już, żebyś dorósł i zaczął działać samodzielnie. Nie potrzebujesz, żeby inni chłopcy trzymali cię za rękę. Jesteś dowódcą, więc zachowuj się jak dowódca.

Wymijając Andersona Ender ruszył do sali treningowej. Zatrzymał się w drzwiach i obejrzał.

– Jeśli wieczorne treningi odbywają się teraz według oficjalnego planu, to czy będę mógł używać haka? – zapytał.

Czyżby Anderson się uśmiechnął? Nie, to niemożliwe.

– Zobaczymy.

Ender odwrócił się i wszedł do sali. Wkrótce potem zjawili się chłopcy z jego armii. Nikt więcej. Może Anderson czekał w pobliżu, by zatrzymać wszystkich chętnych, a może cała szkoła już wiedziała, że właśnie od dzisiaj nieoficjalne wieczorne treningi Endera dobiegły końca.

Ćwiczenia się udały, wiele osiągnął, ale pod koniec czuł się zmęczony i samotny. Do ciszy nocnej zostało jeszcze pół godziny. Nie mógł odwiedzić koszar swojej armii – dawno już się przekonał, że dowódca powinien trzymać się z daleka, dopóki nie ma ważnego powodu do wizyty. Chłopcy muszą czasem mieć spokój, muszą odpocząć, gdy nikt nie słucha, by ich chwalić lub wykpiwać, zależnie od tego, co robią, mówią i myślą.

Poszedł więc do sali gier, gdzie kilku chłopców spędzało swoje pół godziny wolnego. Rozstrzygali jakieś zakłady albo próbowali poprawić wyniki. Żadna z gier nie wydała się Enderowi ciekawa, mimo to zagrał w jedną – prostą, animowaną zabawę wymyśloną dla Starterów. Znudzony, ignorował cel rozgrywki i wykorzystywał małą figurkę gracza do badania baśniowego świata gry.

– W ten sposób nigdy nie wygrasz.

Ender uśmiechnął się.

– Brakowało mi ciebie na treningu, Alai.

– Byłem. Ale umieścili twoją armię w osobnej sali. Wygląda na to, że jesteś teraz ważny i nie możesz się bawić z małymi chłopcami.

– Jesteś o cały łokieć wyższy ode mnie.

– Łokieć! Czy Pan kazał ci zbudować arkę albo co? Czy po prostu jesteś w takim archaicznym nastroju?

– Nie archaicznym, tylko wyrafinowanym. Tajemniczy, przebiegły, chytry. Stęskniłem się za tobą, ty obrzezany draniu.

– Czyżbyś nie wiedział? Jesteśmy teraz wrogami. Następnym razem, kiedy spotkamy się w bitwie, spuszczę ci lanie.

Żartował jak zwykle, lecz teraz była to prawda. Alai zachowywał się tak, jakby to wszystko było zabawą i Ender poczuł ukłucie bólu po stracie przyjaciela, silniejsze, gdy pomyślał, że Alai naprawdę cierpi tak mało, jak to okazuje.

– Spróbuj – odparł. – Nauczyłem cię wszystkiego, co umiesz. Ale nie wszystkiego, co ja umiem.

– Zawsze wiedziałem, że coś przed nami ukrywasz, Ender.

Milczenie. Miś Endera na ekranie znalazł się w kłopotach. Wszedł na drzewo.

– Nie ukrywałem, Alai. Niczego.

– Wiem. Ja też nie.

– Salaam, Alai.

– Niestety, to już niemożliwe.

– Co?

– Pokój. To właśnie oznacza salaam. Pokój z tobą.

Te słowa zbudziły echo wspomnień. Głos matki, czytający cicho, kiedy był jeszcze bardzo mały. Nie myślcie, że przybyłem, by zesłać pokój na ziemię. Nie przynoszę pokoju, ale miecz. Ender wyobrażał sobie matkę przebijającą zakrwawionym rapierem Petera Straszliwego i te słowa wraz z obrazem głęboko zapadły mu w pamięć.

W ciszy zginął niedźwiadek. To była słodka śmierć, przy wtórze zabawnej melodyjki. Ender odwrócił się, lecz Alai już odszedł. Poczuł się tak, jakby utracił cząstkę samego siebie, wewnętrzny zaczep, utrzymujący jego odwagę i pewność siebie. Z Alai, bardziej nawet niż z Shenem, odczuwał jedność tak mocno, że słowo my pojawiało się na ustach łatwiej niż ja.

Lecz Alai pozostawił coś po sobie. Ender leżał w łóżku na wpół drzemiąc i czuł wargi Alai na policzku, słyszał słowo pokój. Pocałunek, słowo i pokój wciąż miał w sobie. Jest się tylko tym, co się pamięta. Alai jest jego przyjacielem we wspomnieniach tak wyraźnych, że nie mogą mu go odebrać. Jak Valentine, najwyraźniejsze ze wszystkich wspomnień.

Następnego dnia spotkał Alai w korytarzu, przywitali się, podali sobie ręce, rozmawiali, ale obaj wiedzieli, że między nimi wyrósł mur. Można go będzie zburzyć, kiedyś w przyszłości, ale na razie łączyły ich tylko korzenie, sięgające pod murem tak głęboko, że nie dało się ich wyrwać.

Najstraszniejsza jednak była myśl, że muru nie da się zburzyć, że w głębi serca Alai cieszy się z rozstania, że jest gotów zostać przeciwnikiem Endera. Teraz, gdy nie mogli już być razem, oddalili się od siebie nieskończenie daleko i to, co kiedyś zdawało się pewne i nienaruszalne, teraz było delikatne i kruche. Od chwili rozstania Alai będzie kimś obcym, z własnym życiem, które nie będzie częścią Endera. A to znaczy, że kiedy się spotkają, nie będą już się znali.

Ta myśl pogrążyła go w smutku. Nie rozpłakał się jednak. Te rzeczy były już poza nim. Kiedy zmienili Valentine w kogoś obcego, kiedy zrobili z niej narzędzie, od tamtego dnia nic nie mogło już zmusić Endera do płaczu. Był tego pewien.

Pełen smutku i gniewu postanowił, że będzie dość silny, by ich pokonać – nauczycieli, jego wrogów.

Rozdział 11

Veni, vidi, vici

– *Nie mówi pan chyba poważnie o tym rozkładzie walk.*

– *Owszem, tak.*

– *Dostał armię dopiero trzy i pół tygodnia temu.*

– *Tłumaczyłem przecież, że wykonaliśmy symulację komputerową i mamy prognozę wyników. Proszę spojrzeć, co, według komputera, zrobi Ender.*

– *Chcemy go czegoś nauczyć, a nie doprowadzać do załamania nerwowego.*

– *Komputer zna go lepiej niż my.*

– *Komputer jest także znany ze swojego miłosierdzia.*

– *Jeśli chciał pan okazywać miłosierdzie, to czemu nie poszedł pan do klasztoru?*

– *A to niby nie jest klasztor?*

– *Tak będzie najlepiej dla Endera. Dzięki temu w pełni zrealizuje swoje możliwości.*

– *Miałem nadzieję, że damy mu dwa lata na stanowisku dowódcy. Zwykle planujemy im bitwy co dwa tygodnie, zaczynając po trzech miesiącach. Tym razem chyba pan przesadził.*

– *A mamy dwa lata?*

– No dobrze. Po prostu wyobraziłem sobie Endera za rok. Zupełny wrak, zużyty do końca. Ponieważ został zmuszony, by zrobić więcej, niż ktokolwiek inny byłby w stanie.

– Przekazaliśmy komputerowi, że naszym najwyższym priorytetem jest zachowanie przez obiekt użyteczności po zakończeniu programu szkolenia.

– No tak... jeśli będzie użyteczny...

– Proszę nie zapominać, pułkowniku Graff, że właśnie pan polecił mi przygotować to wszystko. Mimo moich protestów.

– Wiem. Ma pan rację. Nie powinienem pana obciążać własnymi rozterkami moralnymi. Ale mój zapał, by poświęcać te dzieciaki dla zbawienia ludzkości, zaczyna słabnąć. Polemarcha rozmawiał z Hegemonem. Rosyjski wywiad martwi się, że jacyś obywatele zaczynają już dyskutować w sieci, jak wykorzystać MF dla zniszczenia Układu Warszawskiego, kiedy pokonamy robali.

– Trochę to przedwczesne.

– To szaleństwo. Wolność słowa to jedno, ale żeby narażać istnienie Ligi, rozbudzając jakieś nacjonalistyczne fobie... i dla takich ludzi, krótkowzrocznych samobójców, pchamy Endera na krańce ludzkiej wytrzymałości...

– Sądzę, że nie docenia pan Endera.

– A ja się boję, że pan nie docenia głupoty reszty ludzkości. Czy naprawdę jesteśmy absolutnie pewni, że powinniśmy wygrać tę wojnę?

– Sir, takie stwierdzenia to zdrada.

– Tylko wisielczy humor.

– Mało zabawny. Kiedy chodzi o robale, nic...

– Nic nie jest zabawne. Tak, wiem.

Ender Wiggin leżał na posłaniu i wpatrywał się w sufit. Od kiedy został dowódcą, nie sypiał dłużej niż pięć godzin na dobę. Światła jednak gasły o 22.00 i zapalały się dopiero o 6.00. Czasami, mimo ciemności, pracował na komputerze, wytężając oczy, by odczytać coś z ekranu; zwykle jednak wpatrywał się w niewidoczny sufit i myślał.

Albo nauczyciele mimo wszystko zrobili mu przysługę, albo był lepszym komendantem, niż mu się wydawało. Niewielka grupa weteranów, mających w poprzednich armiach fatalną opinię, u niego przekształciła się w zespół doskonałych dowódców. Tak doskonałych, że zamiast zwykłych czterech plutonów utworzył pięć, każdy z dowódcą i zastępcą; zresztą nikt nie został bez funkcji. Ender prowadził ćwiczenia w ośmioosobowych plutonach i czteroosobowych półplutonach, tak że jego armia mogła wykonywać nawet dziesięć różnych manewrów równocześnie. Nikt inny nie próbował jeszcze takiego podziału, ale on nie zamierzał powtarzać tego, co ktoś robił już wcześniej. Większość komendantów trenowała manewry grupowe, podporządkowane strategii całej armii. Ender postępował inaczej: jego plutonowi wykorzystywali swe niewielkie jednostki dla osiągnięcia pewnych wyznaczonych celów. Bez żadnej pomocy, samotnie, zdani na własną inicjatywę. Po tygodniu zarządził już ćwiczebne bitwy – ostre starcia, po których wszyscy byli straszliwie zmęczeni. Wiedział jednak, że po niecałym miesiącu musztry jego armia była potencjalnie najlepszą, jaka kiedykolwiek brała udział w grze.

Czy nauczyciele to zaplanowali? Czy wiedzieli, że dają mu niedoświadczonych, ale znakomitych żołnierzy? Czy dostał tych trzydziestu Starterów, niektórych jeszcze zupełnie małych, właśnie dlatego, że mali chłopcy szybciej się uczą i szybciej myślą? A może każda grupa byłaby zdolna do tego samego, pod warunkiem, że miałaby dowódcę, który wiedział, czego chce od swojej armii i potrafił nauczyć żołnierzy, by to właśnie robili?

Endera męczyły te problemy, ponieważ nie wiedział, czy psuje szyki nauczycielom, czy może spełnia ich oczekiwania.

Jednego był pewien: że niecierpliwie czeka na bitwę. Zwykle armie potrzebowały trzech miesięcy praktyki, ponieważ żołnierze musieli opanować dziesiątki trudnych manewrów. Oni byli już gotowi. Chcieli walczyć.

Drzwi otworzyły się w ciemności. Ender nasłuchiwał. Szuranie stóp. Potem cichy trzask zamykanych drzwi.

Zsunął się na podłogę i przeczołgał przez dwa metry dzielące łóżko od drzwi. Znalazł pasek papieru. Naturalnie, nie mógł przeczytać, co tam napisano, ale wiedział: bitwa. Jak to miło z ich strony. Zamawia, a oni dostarczają.

• • •

Kiedy zapaliły się światła, Ender miał już na sobie skafander Armii Smoka. Natychmiast wybiegł na korytarz i o 6.01 był przy wejściu do koszar.

– Rozgrywamy bitwę z Armią Królika o 7.00. Zrobimy małą rozgrzewkę w normalnym ciążeniu. Rozebrać się i biegiem do sali gimnastycznej. Zabierzcie skafandry. Prosto stamtąd przechodzimy do sali bojowej.

– A śniadanie?

– Nie chcę, żeby ktoś rzygał w czasie walki.

– Czy można się przynajmniej wysiusiać?

– Najwyżej po dekalitrze.

Śmiali się. Ci, którzy nie sypiali nago, rozebrali się szybko; potem wszyscy zwinęli skafandry i lekkim truchtem pobiegli do sali. Ender dwa razy przegonił ich przez tor przeszkód, następnie podzielił na grupy, na zmianę ćwiczące na trapezie, ławeczkach i materacach.

– Nie przemęczajcie się. Wystarczy, jeśli się rozbudzicie.

Nie musiał się o to martwić. Byli w świetnej formie, sprawni i szybcy, a przede wszystkim podnieceni nadchodzącą bitwą. Kilku zaczęło się siłować – sala gimnastyczna, zwykle nudna i nieciekawa, wobec nadchodzącej bitwy stała się nagle miejscem zabaw i śmiechu. Chłopcy odczuwali pewność siebie, typową dla tych, którzy jeszcze nie walczyli, a sądzą, że są gotowi. Dlaczego nie mieli tak sądzić? Są gotowi. I on także.

O 6.40 kazał im się ubrać. Potem udzielił wskazówek dowódcom plutonów i ich zastępcom.

– Armia Królika to w większości weterani, ale Carn Carby został ich komendantem dopiero pięć miesięcy temu. Nigdy nie walczyłem pod jego dowództwem. Był świetnym żołnierzem, a Armia Królika od paru lat zajmuje niezłą pozycję w tabeli. Ale pewnie będą walczyć w szyku, więc nie ma się czym martwić.

O 6.50 polecił wszystkim położyć się i odprężyć. O 6.56 wstali i pobiegli korytarzem, prowadzącym do sali bojowej. Od czasu do czasu Ender podskakiwał, by dotknąć palcami sufitu, a chłopcy skakali za nim, starając się trafić w to samo miejsce. Nitka w ich kolorach zboczyła w lewo; Armia Królika już wcześniej skręciła na prawo. O 6.58 stanęli przed bramą.

Plutony ustawiły się w pięciu kolumnach. A i E czekały gotowe, by złapać boczne uchwyty i skoczyć w obie strony. B i D miały użyć równoległych klamer sufitowych i wystartować w górę. Pluton C powinien chwycić próg bramy i rzucić się w dół.

Góra, dół, prawo, lewo. Ender stał z przodu, pomiędzy kolumnami, by nie blokować drogi.

– Gdzie leży brama przeciwnika? – rzucił, by ich przeorientować.

Na dole, odpowiedzieli ze śmiechem. W tym momencie góra stała się północą, dół południem, prawo i lewo wschodem i zachodem.

Szara ściana przed nimi zniknęła i zobaczyli salę bojową. Góra nie była ciemna, ale i nie jasna – lampy świeciły połową mocy, tworząc półmrok. Z daleka widzieli bramę przeciwnika i światełka skafandrów, wsuwające się już do wnętrza. Ender poczuł satysfakcję. Wszyscy wyciągnęli wnioski z błędu Bonza i tego, jak niewłaściwie wykorzystał Endera Wiggina. Skakali przez bramę od razu i można było najwyżej określić formację, jakiej użyją. Dowódcy nie mieli czasu na zastanowienie. Ender postanowił się nie spieszyć, zaufać swoim żołnierzom, że potrafią walczyć z zamrożonymi nogami, gdyby zbyt późno znaleźli się w sali.

Ocenił zarys pomieszczenia; zauważył znajomą, otwartą kratownicę, typową dla większości wczesnych bitew i podobną do drabinek w parku;

w przestrzeni rozmieszczono sześć czy siedem gwiazd. Było ich wystarczająco dużo i na dostatecznie wysuniętach pozycjach, by opłacało się je zdobywać.

– Rozproszyć się wokół najbliższych gwiazd – polecił Ender. – C spróbuje prześliznąć się po ścianie. Jeśli się uda, A i E ruszają za nim. Jeśli nie, zdecyduję, co dalej. Będę przy D. Idziemy.

Wszyscy żołnierze wiedzieli, co się dzieje, ale taktyka walki zależała wyłącznie od dowódców plutonów. Nawet czekając na instrukcje Endera byli spóźnieni nie więcej niż o dziesięć sekund. Armia Królika na swoim końcu sali wykonywała już jakiś złożony taniec.

We wszystkich armiach, w jakich służył dotąd Ender, w tej chwili musiałby się martwić, czy razem ze swoim plutonem zajmuje właściwe miejsce w szyku. Teraz on i jego ludzie myśleli wyłącznie o tym, by ominąć formację przeciwnika, opanować gwiazdy i kąty sali, a potem rozbić tamtych na rozproszone, zdezorientowane grupki. Nawet po niecałych czterech tygodniach wspólnych treningów ten sposób walki wydawał się jedyną inteligentną, jedyną możliwą metodą. Ender odczuwał niemal zdumienie, że Armia Królika nie pojęła jeszcze, jak beznadziejnie jest opóźniona.

Pluton C przesuwał się po ścianie, kierując w stronę przeciwników podkurczone kolana. Zwariowany Tom, ich dowódca, najwidoczniej polecił swoim ludziom zamrozić własne nogi. W półmroku był to znakomity pomysł, ponieważ oświetlone skafandry ciemniały w punktach trafienia. Dzięki temu żołnierze byli mniej widoczni. Ender musiał pochwalić Toma.

Armia Królika zdołała odeprzeć atak plutonu C, ale wcześniej Zwariowany Tom i jego chłopcy przetrzebili ich porządnie. Zamrozili z tuzin wrogów, zanim się wycofali na pozycję za gwiazdą. Lecz gwiazda znajdowała się na tyłach formacji Królików, a to oznaczało, że będą łatwym celem.

Han Tzu, zwany powszechnie Kant Zupą, był dowódcą plutonu D. Pospiesznie prześliznął się przez brzeg gwiazdy do miejsca, gdzie czekał Ender.

– Może by przeskoczyć na północ i klęknąć im na głowach?

– Działaj – odparł Ender. – Ja wezmę B na południe, żeby ich zajść od tyłu.

– A i E, powoli na ściany! – krzyknął.

Przesunął się po gwieździe stopami w przód, zaczepił palce o krawędź, odskoczył do górnej ściany, po czym odbił się w dół, do gwiazdy plutonu E. Po chwili prowadził ich już do południowej ściany. Odbili się niemal równocześnie, by wylądować za dwoma gwiazdami, bronionymi przez żołnierzy Carna Carby'ego. Przypominało to krojenie masła gorącym nożem. Armia Królika przestała istnieć, pozostało tylko końcowe wymiatanie. Ender rozbił plutony na półplutony, by przeszukać wszystkie zakamarki i znaleźć żołnierzy przeciwnika, którzy byli jeszcze cali, lub tylko trafieni. Po trzech minutach dowódcy plutonów zameldowali, że sala jest czysta. Tylko jeden z chłopców Endera był całkowicie zamrożony – z plutonu C, który wziął na siebie całą siłę uderzenia wroga. Większość została trafiona, na ogół w nogi, często własnymi strzałami. Ogólnie rzecz biorąc, wszystko potoczyło się lepiej, niż Ender oczekiwał.

Pozwolił dowódcom plutonów pełnić honory przy bramie – czterech przyłożyło hełmy do rogów, a Zwariowany Tom przeszedł przez wrota. Komendanci brali do tego żołnierzy, którzy byli zdolni do ruchu; Ender mógł wyznaczyć właściwie każdego. Dobra bitwa.

Rozbłysły światła i sam major Anderson wszedł przez bramkę nauczycieli na południowym końcu sali. Wyglądał bardzo poważnie, gdy podawał Enderowi nauczycielski hak, tradycyjnie wręczany zwycięzcy. Chłopiec rozmiękczył najpierw skafandry własnych żołnierzy i ustawił ich w szyku, a dopiero potem rozmroził przeciwników. Chciał, by jego ludzie wyglądali godnie i po wojskowemu, gdy Carn Carby i Armia Królika odzyskają zdolność ruchu. Mogą przeklinać i kłamać, ale będą pamiętali, że ich zniszczyli. Nieważne, co powiedzą; inni żołnierze i inni dowódcy zobaczą prawdę w ich oczach. Te oczy mają ich widzieć w równym szyku, zwycięskich i prawie bez strat po pierwszej bitwie. Wkrótce cała Szkoła będzie znać Armię Smoka.

Rozmrożony Carn Carby natychmiast pogratulował Enderowi. Miał dwanaście lat i został dowódcą w swym ostatnim roku w Szkole. Nie był więc zarozumiały jak ci, którzy dostają armię rok wcześniej. Zapamiętam to, pomyślał Ender, kiedy mnie ktoś pokona. Trzeba zachować godność i wyrazić uznanie temu, kto na to zasłużył. Wtedy porażka nie przynosi wstydu. Ender miał nadzieję, że niezbyt często będzie musiał to robić.

Anderson zwolnił Armię Smoka, gdy Króliki wyszły już bramą zdobytą przez chłopców Endera. Dopiero po nich Ender wyprowadził swoich żołnierzy. Smuga światła pod drzwiami powiedziała im, gdzie znajdzie się dół, gdy powróci ciążenie. Wszyscy lądowali lekko. Potem ustawili się w korytarzu.

– Jest 7.15 – oznajmił Ender. – To znaczy, że macie jeszcze piętnaście minut na śniadanie. Potem czekam na was w sali treningowej.

Słyszał, jak szepczą do siebie: daj spokój, wygraliśmy, trzeba to uczcić. No dobrze, zgodził się.

– Dowódca zezwala rzucać w siebie jedzeniem przy śniadaniu.

Cieszyli się, krzyczeli, a potem Ender rozkazał rozejść się i ruszać biegiem do koszar. Zatrzymał jeszcze dowódców plutonów, by ich poinformować, że na porannych ćwiczeniach nie oczekuje nikogo przed 7.45, a sesja potrwa krócej, żeby chłopcy mieli czas się wykąpać. Pół godziny na śniadanie i brak czasu na prysznic po walce – reguły nadal były ostre, ale łagodniejsze w porównaniu z początkowym kwadransem. A Ender wolał, żeby wiadomość o dodatkowym czasie wolnym przekazali dowódcy plutonów – niech chłopcy wiedzą, że od nich pochodzą ulgi, surowość zaś cechuje komendanta. To zwiąże ich jeszcze mocniej.

Nie jadł śniadania. Nie był głodny. Zamiast tego poszedł do łazienki i stanął pod prysznicem. Skafander włożył do oczyszczalni, by był gotów, gdy skończy kąpiel. Wymył się dwa razy, po czym pozwolił, by woda spływała bez końca po jego ciele. Woda krążyła w obiegu zamkniętym. Niech wszyscy dzisiaj wypiją odrobinę mojego potu. Dali mu niewyćwiczoną armię, a on zwyciężył i to wcale nie o włos. Zwyciężył, mając tylko sześciu zamrożonych i unieruchomionych. Przekonają się, jak długo inni dowódcy będą próbować walki w szyku, gdy się dowiedzą, ile można dokonać stosując elastyczną strategię.

Unosił się w środku sali treningowej, gdy zaczęli się pojawiać jego żołnierze. Naturalnie, żaden się do niego nie odezwał. Wiedzieli, że sam zacznie mówić, gdy będzie gotów. Nie wcześniej.

Kiedy wszyscy byli już na miejscach, Ender zaczepił się hakiem przed nimi i spojrzał uważnie.

– Niezła pierwsza bitwa – zaczął, a chłopcy poruszyli się. Próbowali wznieść okrzyk „Smoki! Smoki!", ale uspokoił ich szybko. – Armia Smoka poradziła sobie z Armią Królika. Ale nieprzyjaciel nie zawsze będzie walczył tak fatalnie. Gdyby to była dobra armia, to wy, z plutonu C, atakując tak wolno, zostalibyście otoczeni ze skrzydeł przed osiągnięciem dobrej pozycji. Powinniście się rozdzielić i nacierać z obu stron, żeby nie mogli zaatakować z flanki. Plutony A i E – celność beznadziejna. Z tabeli wynika, że mieliście mniej więcej jedno trafienie na dwóch żołnierzy. To oznacza, że udawało się wyłącznie atakującym, którzy strzelali z bliska. Tak dalej być nie może – lepszy przeciwnik wyciąłby pozbawioną osłony grupę nacierającą. Wszystkie plutony będą ćwiczyć strzelanie z większych odległości, do ruchomych i nieruchomych celów. Półplutony służą na zmianę za cele. Rozmrażam skafandry co trzy minuty. Do roboty.

– Czy będą jakieś gwiazdy? – spytał Kant Zupa. – Żeby oprzeć na czymś rękę.

– Nie przyzwyczajajcie się do podpórek. Jeśli ręce się wam trzęsą, pozamrażajcie łokcie. Ruszać się.

Dowódcy plutonów szybko rozdzielili funkcje. Ender przesuwał się wśród nich, by udzielać rad i pomagać żołnierzom, mającym jakieś trudności. Chłopcy wiedzieli już, że Ender bywa brutalny, kiedy zwraca się do grupy, ale kiedy pracuje z pojedynczym żołnierzem, jest zawsze cierpliwy, sugeruje rozwiązania i jeśli trzeba tłumaczy po kilka razy. Nigdy jednak się nie śmieje, gdy próbują z nim żartować. Był dowódcą w każdej sekundzie wspólnie spędzanego czasu. Nie musiał im o tym przypominać. Po prostu był.

Pracowali wytrwale, wciąż czując w ustach smak zwycięstwa i cieszyli się głośno, kiedy o pół godziny wcześniej mogli wyjść na obiad. Ender zatrzymał dowódców plutonów aż do normalnej pory przerwy, żeby omówić z nimi taktykę, jaką zastosowali i ocenić poszczególnych żołnierzy. Potem wrócił do swojego pokoju i starannie przebrał się w mundur. Dotrze do mesy komendantów spóźniony o dziesięć minut – dokładnie tak, jak sobie zaplanował. Nigdy jeszcze tam nie był, ponieważ dopiero dziś zwyciężył po raz pierwszy. Chciał przyjść ostatni, gdy wywieszą wyniki porannych bitew. Armia Smoka nie będzie już wtedy zupełnie nieznana.

Z początku nikt nie zwrócił na niego uwagi. Ale kiedy pierwsi chłopcy zauważyli jego niewielki wzrost i smoki na rękawach munduru, zaczęli przyglądać mu się zupełnie otwarcie. Zanim odebrał swoją porcję i usiadł przy stole, w pokoju zaległa cisza. Ender jadł wolno i z uwagą, niby nie dostrzegając, że stał się ośrodkiem zainteresowania. Stopniowo chłopcy znowu zaczęli rozmawiać, a on mógł się odprężyć i rozejrzeć dookoła.

Całą ścianę zajmowała wielka tabela wyników. Żołnierze wiedzieli tylko, jakie rezultaty osiągała ich armia przez ostatnie dwa lata; tutaj rejestrowano wyniki każdego z dowódców. Nowy komendant nie mógł odziedziczyć pozycji po swym poprzedniku – liczyło się tylko to, czego sam dokonał.

Ender prowadził wyraźnie. Oczywiście, miał najlepszy z możliwych stosunek wygranych do porażek, ale i w pozostałych kategoriach wyprzedzał resztę. Średnie straty własne, średnie straty przeciwnika, średni czas osiągnięcia zwycięstwa – wszędzie był na czele.

Kończył jeść, gdy ktoś podszedł do niego z tyłu i klepnął w ramię.

– Mogę się przysiąść?

Ender nie musiał się oglądać, by wiedzieć, że to Dink Meeker.

– Cześć, Dink. Siadaj.

– Ty pozłacany pierdzielu – uśmiechnął się Dink. – Wszyscy tu próbujemy zgadnąć, czy twoje wyniki to cud, czy pomyłka.

– Przyzwyczajenie.

– Jedno zwycięstwo nie wystarczy, żeby się przyzwyczaić. Nie bądź taki hardy. Wszystkich nowych puszczają najpierw przeciwko słabym dowódcom.

– Nie zauważyłem, żeby Carn Carby był na końcu tabeli.

To była prawda. Carn Carby zajmował pozycję w okolicach środka.

– Jest w porządku – przyznał Dink. – Zwłaszcza że zaczął dopiero niedawno. Obiecujący. Ale ty nie jesteś obiecujący. Jesteś groźny.

– Groźny dla kogo? Nie dadzą ci jeść, jeżeli będziesz rzadziej wygrywał? To chyba ty powiedziałeś, że to wszystko jest tylko głupią zabawą, która nie ma żadnego znaczenia.

Dinkowi nie podobało się, że Ender wypomina mu jego własne słowa, zwłaszcza w obecnej sytuacji.

– A ty mnie namówiłeś, żebym grał z nimi dalej. Ale z tobą nie będę się bawił, Ender. Mnie nie pokonasz.

– Chyba nie – zgodził się Ender.

– To ja cię nauczyłem – dodał Dink.

– Wszystkiego, co umiem – przyznał Ender. – Teraz korzystam z tego, na wyczucie.

– Gratuluję.

– Dobrze wiedzieć, że ma się tu przyjaciela.

Lecz Ender nie był przekonany, że Dink wciąż jest jego przyjacielem. Dink także nie. Zamienili jeszcze kilka nic nie znaczących zdań i chłopiec wrócił do swojego stołu.

Ender skończył jeść i rozejrzał się. Dowódcy rozmawiali w małych grupkach. Zauważył Bonza, teraz jednego z najstarszych komendantów. Ross Nos skończył szkołę. Petra z kilkoma innymi siedziała w kącie pokoju i nie spojrzała na niego ani razu. Ponieważ wszyscy inni od czasu do czasu rzucali w jego stronę ukradkowe spojrzenia – także ci, z którymi rozmawiała – Ender był pewien, że świadomie unika jego wzroku. Tak to jest, jeśli się zwycięża od pierwszej walki, pomyślał. Traci się przyjaciół.

Trzeba im zostawić parę tygodni, żeby zdążyli się przyzwyczaić. Zanim wyznaczą następną bitwę, wszystko się uspokoi.

Carn Carby demonstracyjnie podszedł do Endera tuż przed końcem przerwy obiadowej. W przeciwieństwie do Dinka nie wydawał się zmieszany.

– Obecnie jestem w niełasce – wyznał otwarcie. – Nie wierzą, kiedy im mówię, że robiłeś rzeczy, jakich nikt tu jeszcze nie oglądał. Mam nadzieję, że rozbijesz na miazgę następną armię, z którą będziesz walczył. Zrób mi tę przysługę.

– Zrobię – odparł Ender. – I dzięki, że ze mną rozmawiasz.

– Uważam, że zachowują się wobec ciebie okropnie. Zwykle wszyscy gratulują nowym dowódcom, kiedy pierwszy raz przychodzą do mesy. Tyle że nowy dowódca, zanim wreszcie tu trafi ma za sobą parę przegranych. Mnie się udało dopiero miesiąc temu. Jeśli ktokolwiek zasłużył na gratulacje, to na pewno ty. Ale takie jest życie. Niech gryzą ziemię.

– Postaram się.

Carn Carby odszedł, a Ender wciągnął go na swą osobistą listę tych, których zakwalifikował jako istoty ludzkie.

Tej nocy Ender spał bardzo dobrze, co nie udało mu się już od dawna. Tak dobrze, że zbudził się dopiero po zapaleniu świateł. Wstał w znakomitym nastroju, pobiegł pod prysznic i nie zauważył paska papieru na podłodze, dopóki nie wrócił i nie zaczął się ubierać. Zobaczył go tylko dlatego, że papier podfrunął, gdy Ender szarpnął za leżący na krześle mundur. Podniósł go i przeczytał.

PETRA ARKANIAN, ARMIA FENIKSA,
7.00

284

To była jego dawna armia, którą opuścił niecałe cztery tygodnie temu. Na wylot znał formacje, których tam używano. Częściowo dzięki wpływowi Endera, Armia Feniksa działała najbardziej elastycznie, stosunkowo szybko reagując na nowe sytuacje. Z pewnością jest najlepiej przygotowana, by stawić czoło płynnym, nie pasującym do żadnych wzorów atakom Endera. Najwyraźniej nauczyciele postanowili uatrakcyjnić mu życie.

Rozkaz stwierdzał: 7.00, a była już 6.30. Część chłopców mogła wyjść na śniadanie. Ender odrzucił mundur, chwycił skafander i po chwili stał przy drzwiach do koszar.

– Panowie, mam nadzieję, że czegoś się wczoraj nauczyliście, ponieważ dzisiaj robimy to jeszcze raz.

Nie od razu zrozumieli, że chodzi mu o bitwę, nie o ćwiczenia. To na pewno pomyłka, mówili. Nikt nie walczy dwa dni pod rząd.

Ender podał pasek papieru Fly Molo, dowódcy plutonu A.

– Skafandry! – krzyknął natychmiast chłopiec i zaczął się przebierać.

– Czemu nie powiedziałeś nam wcześniej? – zapytał z wyrzutem Kant Zupa. Kant lubił stawiać Enderowi pytania, których nikt inny nie ośmielał się zadać.

– Pomyślałem, że przyda się wam prysznic. Wczoraj Armia Królika twierdziła, że wygraliśmy, bo smród zemdlił ich zupełnie.

Ci, którzy go usłyszeli, wybuchnęli śmiechem.

– Znalazłeś rozkaz dopiero kiedy wyszedłeś spod prysznica, zgadza się?

Ender spojrzał w stronę, z której dochodził głos. To był Groszek, z zuchwałą miną. Czyżby przyszła pora odpłacić za dawne upokorzenia?

– Oczywiście – odparł pogardliwym tonem. – Mam dalej do podłogi, niż ty.

Śmiech. Groszek zaczerwienił się ze złości.

– Sprawa jest jasna. Nie możemy liczyć na to, że będą nas normalnie traktować – zawołał Ender. – Lepiej bądźcie gotowi do bitwy w każdej chwili. I często. Nie będę udawał, że mi się to podoba, ale jestem zadowolony, że moja armia potrafi sobie z tym poradzić.

Po tych słowach poszliby za nim wszędzie, nawet na spacer po Księżycu bez skafandrów.

Petra nie była Carnem Carbym. Miała szyki bardziej elastyczne, reagowała o wiele szybciej na błyskawiczne, nieprzewidywalne ataki Endera. W rezultacie pod koniec bitwy Armia Smoka miała trzech zamrożonych i dziewięciu unieruchomionych. W dodatku Petra nie podeszła, by uścisnąć mu rękę. Jej płonące gniewem oczy zdawały się mówić: byłam twoim przyjacielem, a teraz tak mnie upokarzasz?

Ender udawał, że nie widzi, jak bardzo jest wściekła. Po kilku kolejnych bitwach zrozumie, iż w walce z nim zyskała więcej trafień, niż spodziewałby się po kimkolwiek. Zresztą, nadal uczył się od niej. Tego dnia na ćwiczeniach musi pokazać dowódcom plutonów, jak przeciwdziałać manewrom, których użyła Petra. Niedługo znów będą przyjaciółmi.

Miał nadzieję.

• • •

Przez pierwszy tydzień Armia Smoka rozegrała siedem bitew, osiągając 7 zwycięstw i 0 porażek. Ender ani razu nie poniósł strat większych, niż w walce z Armią Feniksa, a w dwóch bitwach nie miał ani jednego zamrożonego czy unieruchomionego. Nikt już nie uważał, że to szczęśliwy traf wyniósł go na wierzchołek tabeli. Pobił najlepsze armie z przewagą, o jakiej nikt jeszcze nie słyszał. Inni dowódcy nie mogli go dłużej ignorować. Zawsze kilku siadało przy jego stole i próbowało się dowiedzieć, jak pokonał ostatnich przeciwników. Tłumaczył im chętnie, pewien, że niewielu tylko potrafi tak wyszkolić żołnierzy i plutonowych, by potrafili to samo, co jego ludzie.

A kiedy mówił, dużo większa grupa zbierała się wokół pokonanych przez Endera. Próbowali znaleźć sposób, by z nim zwyciężyć.

Wielu go nienawidziło. Za to, że jest młody i zdolny, że przez niego ich zwycięstwa straciły na znaczeniu. Po raz pierwszy Ender dostrzegł to w ich twarzach, gdy mijali się na korytarzu; potem zauważył, że niektórzy chłopcy wstają i przechodzą do innego stolika, gdy w mesie usiadł blisko nich; czyjeś łokcie trafiały go przypadkowo w sali treningowej, stopy wplątywały się w jego stopy, gdy wracał z gimnastyki; ślina i kulki mokrego papieru uderzały go w plecy, gdy biegał po korytarzach. Wiedzieli, że nie pobiją go w sali bojowej, więc próbowali tam, gdzie nic im nie groziło, gdzie nie był gigantem, ale zwykłym, małym chłopcem. Ender gardził nimi, ale w głębi duszy – tak głęboko, że sam o tym nie wiedział – bał się ich. To Peter dokuczał mu zawsze w ten sposób, a Ender zaczynał czuć się za bardzo jak w domu.

Wszystko to były jednak drobne przykrości i Ender zdołał sam siebie przekonać, że należy je traktować jako jeszcze jedną formę wyrażania podziwu. Inne armie zaczynały go już naśladować. Żołnierze atakowali z podkurczonymi kolanami, łamały się szyki, a komendanci wysyłali plutony, by prześlizgiwały się po ścianach. Nikt jeszcze nie przejął podziału na pięć plutonów – ten fakt dawał Enderowi pewną przewagę. Gdy przeciwnik zlokalizuje cztery plutony, nie będzie szukał piątego.

Ender uczył wszystkich taktyki walki w zerociążeniu. A gdzie sam mógł iść, by się czegoś nauczyć?

Zaczął odwiedzać salę wideo, pełną propagandowych filmów o Mazerze Rackhamie i innych wybitnych dowódcach z czasów Pierwszej i Drugiej Inwazji. Kończył treningi o godzinę wcześniej i pozwalał plutonowym samodzielnie prowadzić ćwiczenia pod jego nieobecność. Zwykle organizowali potyczki, pluton na pluton. Ender zostawał w sali jeszcze przez chwilę, a gdy był pewien, że wszystko idzie dobrze, wychodził oglądać dawne bitwy.

Większość filmów była tylko stratą czasu. Porywająca muzyka, zbliżenia dowódców i dekorowanych orderami żołnierzy, chaotyczne zdjęcia marines atakujących instalacje robali. Tu i tam jednak trafiał na coś użytecznego: statki, jak punkty światła, manewrujące w czarnej przestrzeni, albo lepiej jeszcze: światełka na komputerowych ekranach sytuacyjnych, ukazujących całość bitwy. Na wideo trudno było dostrzec, jak przebiega walka w trzech wymiarach, a sekwencje często były krótkie i bez żadnych wyjaśnień. Ender widział jednak wyraźnie, w jak doskonały sposób robale wykorzystywały pozornie losowe tory lotu dla wywołania zamętu, jak używały przynęt i udawanych odwrotów, by zwabić statki MF w pułapkę. Niektóre starcia pocięto na wiele fragmentów, rozrzuconych po różnych filmach; oglądając je po kolei Ender potrafił zrekonstruować przebieg bitwy. Dostrzegał to, o czym nigdy nie wspominali oficjalni komentatorzy, zawsze próbujący wzbudzić w widzach dumę ze zwycięstw ludzi i odrazę dla robali. Zaczynał się zastanawiać, w jaki sposób ludzkości w ogóle udało się zwyciężyć. Okręty MF były niezdarne; flotylle nieznośnie wolno reagowały na nowe zdarzenia, podczas gdy flota robali działała z perfekcyjną dokładnością i błyskawicznie znajdowała wyjście z zaskakujących sytuacji. Naturalnie, podczas Pierwszej Inwazji okręty ludzi zupełnie nie były przystosowane do szybkich starć, ale statki robali także nie. Dopiero przy Drugiej Inwazji pojawiły się szybkie, śmiercionośne okręty i równie śmiercionośna broń.

Tak więc od robali, nie od ludzi, uczył się Ender strategii. Trochę się tego wstydził i obawiał, gdyż był to najstraszniejszy nieprzyjaciel, odrażający, obrzydliwy i morderczy. Robale były jednak doskonałe w tym, co robiły. Do pewnych granic. Stosowały właściwie tylko jedną strategię: zgromadzić jak najwięcej statków w kluczowym dla starcia punkcie. Nigdy nie zrobiły niczego zaskakującego, co by pokazało geniusz albo głupotę któregoś z oficerów. Najwyraźniej panowała tam bardzo ostra dyscyplina.

Jedno tylko nie przestawało go dziwić: chociaż tak wiele się mówiło o Mazerze Rackhamie, nie było prawie wcale filmów ze stoczonej przez niego bitwy. Kilka scen z pierwszych etapów starcia, z maleńką grupą Rackhama wyglądającą żałośnie na tle głównych sił robali. Robale rozbiły już trzon ziemskiej floty w rejonie tarczy kometarnej, zniszczyły wiele okrętów i zdawały się kpić z ludzkiej strategii – ten film pokazywano dość często, by przypominać grozę, jaką wzbudziło zwycięstwo najeźdźców. Potem obca flota przesunęła się do Saturna, gdzie czekała, beznadziejnie nieliczna flotylla ziemska. I wtedy...

Wtedy następował strzał z małego krążownika Mazera Rackhama i jeden nieprzyjacielski statek rozpadał się. Nic więcej nigdzie nie pokazano. Na wielu filmach można było zobaczyć marines wdzierających się do statków robali i ciała samych robali wewnątrz. Nigdy natomiast walki wręcz – oprócz wstawek z Pierwszej Inwazji. Ta oczywista cenzura, zastosowana wobec zwycięstwa Mazera Rackhama, bardzo irytowała Endera. Uczniowie Szkoły Bojowej mogli się wiele nauczyć od tego dowódcy, a ukrywano przed nimi wszystko, co się zdarzyło. To zamiłowanie do tajności nie mogło pomóc dzieciom, mającym w przyszłości powtórzyć wyczyn Mazera Rackhama.

Naturalnie, gdy tylko rozeszły się słuchy, że Ender Wiggin bez przerwy ogląda filmy z wojny, do sali wideo zaczęły ściągać tłumy. Przychodzili głównie dowódcy; oglądali to samo co Ender i udawali, że rozumieją, po co to robi. Ender niczego nie tłumaczył. Kiedyś wyświetlił siedem sekwencji z tego samego starcia, filmowanego z różnych punktów, i jeden z chłopców zapytał nieśmiało: „Czy niektóre z tych filmów nie pokazują tej samej bitwy?".

Ender wzruszył tylko ramionami, jakby nie miało to żadnego znaczenia.

W ostatniej godzinie ćwiczeń siódmego dnia, ledwie kilka godzin po tym, jak armia Endera wygrała swą siódmą bitwę, major Anderson osobiście wszedł do sali wideo. Podał pasek papieru jednemu z siedzących tam dowódców, po czym podszedł do Endera.

– Masz się zgłosić do gabinetu pułkownika Graffa. Natychmiast.

Ender wstał i ruszył za Andersonem. Major przytknął dłoń do zamka, nie pozwalającego uczniom na wejście do kwater oficerów i po chwili obaj znaleźli się w miejscu, gdzie Graff zapuścił korzenie w kręconym krześle, przyśrubowanym do stalowej podłogi. Brzuch przelewał mu się przez poręcze, nawet teraz, gdy siedział wyprostowany. Ender wysilił pamięć. Graff nie wydał mu się szczególnie gruby, kiedy spotkali się po raz pierwszy, cztery lata temu. Czas i życie w napięciu nie potraktowały łagodnie administratora Szkoły Bojowej.

– Minęło siedem dni od twojej pierwszej bitwy, Ender – odezwał się Graff.

Ender nie odpowiedział.

– I wygrałeś ich siedem, po jednej dziennie.

Ender kiwnął głową.

– Osiągnąłeś niezwykle wysokie wyniki.

Ender zamrugał.

– Czemu, dowódco, przypisujesz swoje zdumiewające sukcesy?

– Daliście mi armię, która realizuje wszystko, co zdołam dla niej wymyślić.

– A co dla niej wymyśliłeś?

291

– Orientujemy się na bramę przeciwnika i używamy nóg jako osłony. Unikamy walki w szyku i zachowujemy ruchliwość. Bardzo pomaga to, że mam pięć plutonów po ośmiu ludzi, zamiast czterech po dziesięciu. A także, że nasi przeciwnicy nie mieli czasu opracować skutecznej riposty na nasze metody, więc pokonujemy ich wciąż tymi samymi sztuczkami. To już długo nie potrwa.

– Więc sądzisz, że nie będziesz już wygrywał?

– Nie tymi samymi sposobami.

Graff skinął głową.

– Siadaj, Ender.

Ender i Anderson usiedli. Graff spojrzał na majora, który zapytał:

– W jakiej formie jest twoja armia, po tak częstych walkach?

– Wszyscy są już weteranami.

– Ale jak sobie radzą? Są zmęczeni?

– Jeśli tak, nie zechcą się przyznać.

– Czy wciąż zachowują gotowość?

– To wy macie gry komputerowe, bawiące się ludzkimi umysłami. Wy powinniście mi to powiedzieć.

– Wiemy, co wiemy. Chcemy wiedzieć, co ty wiesz.

– To doskonali żołnierze, panie majorze. Jestem przekonany, że dla nich także istnieją granice, ale jeszcze ich nie osiągnęliśmy. Ci mniej doświadczeni miewają kłopoty, gdyż nie opanowali do końca pewnych podstawowych technik, ale pracują ciężko i są coraz lepsi. Co mam powiedzieć? Że potrzebują odpoczynku? Jasne, że potrzebują. Potrzebują paru tygodni wolnego. Ich nauka idzie w diabły, nikt nie radzi sobie z lekcjami. Ale wiecie o tym i najwyraźniej nie przejmujecie się, więc czemu ja mam się przejmować?

Graff i Anderson wymienili spojrzenia.

– Ender, dlaczego stale oglądasz widea z wojen z robalami?

– Żeby poznawać strategię, oczywiście.

– Te filmy powstały dla celów propagandy. Wszystko, co wskazywało na używaną strategię, zostało wycięte.

– Wiem.

Graff i Anderson znowu spojrzeli na siebie. Graff bębnił palcami po stole.

– Nie grasz już w grę fantasy – stwierdził. Ender milczał.

– Wytłumacz, dlaczego przestałeś.

– Bo wygrałem.

– W tej grze nie da się wygrać wszystkiego. Zawsze coś pozostaje.

– Wygrałem wszystko.

– Ender, chcemy ci pomóc, chcemy, żebyś był możliwie szczęśliwy, ale jeśli ty sam...

– Chcecie, żebym był możliwie najlepszym żołnierzem. Zejdźcie na dół i obejrzyjcie tabelę. Obejrzyjcie tabelę od początku Szkoły. Jak dotąd doskonale wam idzie. Gratulacje. Kiedy każecie mi walczyć przeciwko dobrej armii?

Zaciśnięte wargi Graffa rozciągnęły się i pułkownik zatrząsł się od bezgłośnego śmiechu.

Anderson podał Enderowi pasek papieru.

– Teraz – powiedział.

BONZO MADRID, ARMIA SALAMANDRY, 12.00

– To za dziesięć minut – zaprotestował Ender. – Moi żołnierze pewnie się teraz kąpią po ćwiczeniach.

Graff uśmiechnął się.

– Więc spiesz się, chłopcze.

• • •

Pięć minut później był już w koszarach. Większość chłopców ubierała się właśnie po kąpieli, część wyszła do sali gier lub wideo, by tam doczekać do obiadu. Wysłał trzech najmłodszych, by zawołali wszystkich i nakazał jak najszybciej przebrać się do bitwy.

– Będzie ostro i nie mamy czasu – powiedział. – Zawiadomili Bonza jakieś dwadzieścia minut temu, a zanim dojdziemy do bramy, oni będą wewnątrz od co najmniej pięciu minut.

Chłopcy byli wściekli i narzekali głośno w slangu, którego zwykle starali się nie używać w obecności dowódcy. Co oni z nami? Wariaci, nie?

– Nie zastanawiajcie się, dlaczego. Pomówimy o tym wieczorem. Jesteście zmęczeni?

– Zaharowaliśmy własne tyłki na ćwiczeniach – odpowiedział mu Fly Molo. – Nie wspominając już o spuszczeniu lania Armii Łasicy, dziś rano.

– Nikt nie ma dwóch bitew jednego dnia! – zawołał Zwariowany Tom.

– Nikt także nie pobił jeszcze Armii Smoka – odparł Ender. – Chcesz stracić szansę przegranej?

Ironiczny ton był odpowiedzią na ich skargi. Mówił: najpierw zwyciężyć, potem zadawać pytania.

Wszyscy byli już w sali i większość w skafandrach.

– Biegiem! – zawołał Ender i ruszyli za nim. Niektórzy kończyli się ubierać, gdy dotarli już do korytarza przed salą bojową. Wielu było zdyszanych – zły znak; byli zbyt zmęczeni, by walczyć. Brama stała otworem. Nie widzieli żadnych gwiazd. Tylko pustą, absolutnie pustą przestrzeń w oślepiająco jasnej sali. Nie mieli gdzie się ukryć, nawet w cieniu.

– O rany – mruknął Zwariowany Tom. – Oni też jeszcze nie wyszli.

Ender podniósł palec do warg, nakazując ciszę. Przy otwartych wrotach nieprzyjaciel słyszał każde ich słowo. Ender wskazał ręką wokół bramy, by ostrzec, że Armia Salamandry zajęła pewnie pozycje na ścianie dookoła wejścia, gdzie jej żołnierze pozostają niewidoczni i mogą zgasić każdego, kto spróbuje wejść.

Gestem nakazał im wycofać się od bramy. Potem wybrał kilku wyższych chłopców, w tym Zwariowanego Toma i polecił im klęknąć – bez przysiadania na piętach, w pozycji wyprostowanej, tak że ich ciała miały kształt litery L. Zgasił ich. Cała armia przyglądała mu się w milczeniu. Wskazał najmniejszego z chłopców, Groszka, podał mu miotacz Toma i kazał uklęknąć na Toma zamrożonych nogach. Potem przesunął ręce Groszka, z miotaczami w obu dłoniach, pod pachami unieruchomionego żołnierza.

Chłopcy zrozumieli. Tom był tarczą, pancernym kosmolotem, a Groszek krył się za nim. Z pewnością można było go trafić, ale zyskiwał czas.

Ender wyznaczył jeszcze dwóch chłopców, by wrzucili Toma i Groszka przez bramę, nakazał im jednak czekać. Potem szybko podzielił armię na czwórki: tarczę, strzelca i dwóch rzucających. Kiedy wszyscy byli już zamrożeni, uzbrojeni lub gotowi do rzutu, gestem polecił rzucającym podnieść ładunek, cisnąć go przez wrota i skoczyć za nim.

– Już! – krzyknął.

Ruszyli. Pary tarcza-strzelec wpadały przez bramę po dwie, plecami do przodu, by osłona znalazła się między strzelającym a przeciwnikiem. Nieprzyjaciel natychmiast otworzył ogień, trafiając na ogół w zamrożonego już chłopca. Tymczasem drugi, z dwoma miotaczami i celem ustawionym równo na ścianie, nie miał żadnych problemów. Trudno było nie trafić. Rzucający także przeskoczyli wrota, chwycili za klamry na tej samej ścianie co przeciwnicy i strzelali z tak morderczego kąta, że Salamandry nie mogły się zdecydować, czy prowadzić ogień do schowanych za tarczami strzelców, czy bronić się przed atakującymi z ich poziomu. Zanim sam Ender wskoczył do sali, bitwa była skończona. Trwała niecałą minutę od chwili, gdy pierwszy Smok znalazł się wewnątrz. Straty wyniosły dwudziestu zamrożonych lub unieszkodliwionych i tylko dwunastu żołnierzy nie otrzymało trafienia. Był to najgorszy, jak dotąd, wynik. Ale wygrali.

Kiedy wszedł major Anderson i podał Enderowi hak, ten nie potrafił ukryć gniewu.

– Myślałem, że postawicie nas przeciw armii, która potrafi nam dorównać w uczciwej walce.

– Gratuluję zwycięstwa, dowódco.

– Groszek! – krzyknął Ender. – Co byś zrobił, gdybyś dowodził Armią Salamandry?

Groszek, unieruchomiony, choć nie do końca zamrożony, odpowiedział z miejsca, gdzie unosił się przed nieprzyjacielską bramą.

– Nakazałbym nieregularne, ale ciągłe przesunięcia wokół wrót. Nie można czekać nieruchomo, jeśli przeciwnik dokładnie wie, gdzie jesteś.

– Jeśli już oszukujecie – zwrócił się Ender do majora – to czemu nie nauczycie tej drugiej armii oszukiwać inteligentnie!

– Proponuję, żebyś uwolnił swoich żołnierzy – powiedział Anderson.

Ender wcisnął klawisze, by odmrozić obie armie równocześnie.

– Armia Smoka! Rozejść się! – zawołał natychmiast. Nie miał zamiaru ustawiać szyku, by przyjąć kapitulację tamtych. Chociaż zwyciężyli, walka nie była uczciwa. Nauczyciele planowali klęskę i ocaliła ich tylko głupota Bonza. Nie było się czym szczycić.

Dopiero wychodząc z sali bojowej, Ender zdał sobie sprawę, że Bonzo nie zrozumie, że był wściekły na nauczycieli. Hiszpański honor. Bonzo wie tylko, że został pokonany, mimo pozycji lepszej pod każdym względem; że Ender nakazał najmłodszemu z całej armii głośno powiedzieć, co Bonzo powinien zrobić, by zwyciężyć; że Ender nie zaczekał nawet, by przyjąć jego honorową kapitulację. Gdyby nawet Bonzo nie nienawidził wcześniej Endera, to z pewnością zacząłby teraz. A że go nienawidził, jego wściekłość będzie mordercza. Bonzo był ostatnią osobą, która Endera uderzyła. Na pewno o tym pamiętał.

Sam także nie zapomniał krwawej bójki w sali treningowej, gdy starsi chłopcy chcieli przerwać ćwiczenia jego grupy. Inni także nie. Wtedy chcieli krwi; teraz Bonzo będzie jej pożądał. Ender rozważył możliwość zaawansowanego kursu walki wręcz. Jednak, gdy mógł się spodziewać bitew nie tylko codziennie, ale nawet dwóch jednego dnia, nie mógł tracić czasu. Musiał zaryzykować. Nauczyciele go w to wpakowali – teraz powinni pilnować, żeby nic mu się nie stało.

• • •

Groszek skoczył na posłanie. Był wykończony. Połowa chłopców już spała, choć do zgaszenia świateł pozostało jeszcze piętnaście minut. Westchnął, sięgnął do szafki, wyjął i włączył komputer. Jutro miał test z geometrii i był rozpaczliwie nie przygotowany. Zawsze mógłby coś wymyślić, gdyby miał dość czasu, Euklidesa czytał w wieku pięciu lat. Ale w teście obowiązywał limit czasowy, więc nie będzie się kiedy zastanowić. Musiał wiedzieć. A nie wiedział. I na pewno wypadnie marnie. Ale wygrali dzisiaj dwa razy, więc był w dobrym nastroju.

Jednak, gdy tylko włączył komputer, wszelkie myśli o geometrii ulotniły się natychmiast. Wokół ekranu płynęła wiadomość:

PRZYJDŹ DO MNIE NATYCHMIAST –
ENDER.

Była już 21.50, dziesięć minut do zgaszenia świateł. Kiedy Ender to nadał? Mimo wszystko lepiej było nie lekceważyć wezwania. Rano mogą mieć kolejną bitwę – na samą myśl o tym poczuł się bardziej zmęczony – i nie będzie czasu na to, co Ender ma mu do powiedzenia.

Groszek zsunął się z posłania i ciężkim krokiem przeszedł przez korytarz do pokoju dowódcy. Zapukał.

– Wejść – zawołał Ender.

– Właśnie znalazłem twoją wiadomość.

– Dobrze.

– Zaraz gaszą.

– Pomogę ci wrócić po ciemku.

– Nie byłem pewien, czy wiesz, która jest godzina...

– Zawsze wiem, która jest godzina.

Groszek westchnął. Znowu to samo. Kiedy tylko zaczynał rozmawiać z Enderem, rozmowa zamieniała się w kłótnię. Groszek nie cierpiał tych kłótni. Uznawał geniusz Endera i szanował dowódcę. Czemu Ender nie chce w nim dostrzec żadnej pozytywnej cechy?

– Pamiętasz, Groszek, cztery tygodnie temu? Kiedy prosiłeś, żebym cię zrobił dowódcą plutonu?

– Yhm.

– Przez ten czas mianowałem pięciu dowódców i pięciu zastępców. I ty nie jesteś żadnym z nich – Ender uniósł brwi. – Miałem rację?

– Tak, sir.

– Więc powiedz, jak sobie radziłeś w tych ośmiu bitwach.

– Dzisiaj pierwszy raz mnie unieruchomili, ale komputer podał, że uzyskałem jedenaście trafień, zanim musiałem przerwać walkę. Nigdy nie miałem mniej niż pięć trafień w bitwie. Wypełniałem też wszystkie wyznaczone mi zadania.

– Dlaczego tak wcześnie zrobili cię żołnierzem, Groszek?

– Nie wcześniej niż ciebie.

– Ale dlaczego?

– Nie wiem.

– Owszem, wiesz. I ja też wiem.

– Myślałem o tym... ale to tylko domysły. Jesteś... bardzo dobry. Wiedzieli o tym i pchali cię naprzód...

– Powiedz czemu, Groszek.

– Bo nas potrzebują – Groszek usiadł na podłodze i spojrzał na stopy Endera. – Bo chcą mieć kogoś, kto pobije robali. To jedyna rzecz, jaka ich obchodzi.

– To ważne, że zrozumiałeś, Groszek. Większość chłopców w szkole uważa, że gra jest ważna sama w sobie, ale to nieprawda. Jest ważna, gdyż pomaga im wyszukać dzieci, które mogą wyrosnąć na prawdziwych dowódców w prawdziwej wojnie. A co do gry, pieprz ją. Oni właśnie to robią. Rozpieprzają grę.

– Zabawne. Myślałem, że chodzi tylko o nas.

– Bitwa dziewięć tygodni przed czasem. Bitwa codziennie. Dwie bitwy jednego dnia. Groszek, nie wiem, o co chodzi nauczycielom, ale moja armia jest zmęczona, ja jestem zmęczony, a oni się nie przejmują regułami gry. Wyciągnąłem z komputera stare tabele. W całej historii gry nikt jeszcze nie zniszczył tylu nieprzyjaciół przy tak małych stratach własnych.

– Jesteś najlepszy, Ender.

Ender potrząsnął głową.

– Może. Ale nie przez przypadek przydzielili mi żołnierzy, jakich dostałem. Starterzy, odrzuce-

ni z innych armii, ale wystarczy zebrać ich razem
i mój najgorszy żołnierz mógłby gdzie indziej zostać dowódcą plutonu. Ułatwiali mi wszystko, a teraz robią trudności. Groszek, oni chcą nas złamać.

– Nie potrafią cię złamać.

– Zdziwisz się – Ender odetchnął głośno i szybko, jakby poczuł nagle ukłucie bólu, albo musiał
złapać oddech na wietrze. Patrząc na niego Groszek zrozumiał, że zdarzyło się to, co było niemożliwe. Ender Wiggin nie nabijał się z niego, ale naprawdę mu się zwierzał. Niewiele. Ale zawsze.
Ender okazał się człowiekiem, a Groszkowi dane
było to zobaczyć.

– Może to ty się zdziwisz – odparł.

– Są pewne granice. Na ile świetnych pomysłów mogę wpadać każdego dnia? W końcu ktoś
wymyśli na mnie coś takiego, o czym wcześniej
nie pomyślałem, a ja nie będę gotowy.

– Co takiego strasznego się stanie? Przegrasz
jedną bitwę.

– Tak. To właśnie będzie straszne. Nie mogę
przegrać żadnej bitwy. Bo jeśli przegram choć
jedną...

Nie dokończył, a Groszek nie pytał.

– Chcę, żebyś był sprytny, Groszek. Chcę, żebyś wymyślał rozwiązania problemów, których
jeszcze nikt nie dostrzega. Żebyś wypróbowywał
takie rzeczy, których jeszcze nikt nie próbował,
ponieważ są absolutnie głupie.

– Dlaczego ja?

– Dlatego, że chociaż w Armii Smoka jest kilku lepszych od ciebie żołnierzy – niewielu, ale są
– to nie ma nikogo, kto myślałby lepiej i szybciej
niż ty.

Groszek milczał. Obaj wiedzieli, że to prawda.
Ender podsunął mu komputer. Na ekranie było dwanaście imion. Po dwa lub trzy z każdego plutonu.

– Wybierz z nich pięciu – powiedział Ender. – Jednego z każdego plutonu. To będzie grupa specjalna i ty sam będziesz ich trenował. Wyłącznie w czasie dodatkowych ćwiczeń. Informuj mnie, co robicie. Nie poświęcaj zbyt wiele czasu na pojedyncze sprawy. Normalnie ty i twoja grupa będziecie częścią regularnej armii, częścią własnych plutonów. Dopóki nie będę was potrzebował. Dopóki nie będzie trzeba zrobić czegoś takiego, co tylko wy potraficie.

– Oni wszyscy są nowi – zauważył Groszek. – Ani jednego weterana.

– Po ostatnim tygodniu wszyscy nasi żołnierze są weteranami. Czy nie zauważyłeś, że w tabeli wyników indywidualnych cała czterdziestka mieści się w górnej pięćdziesiątce? Że musisz zjechać siedemnaście pozycji w dół, zanim znajdziesz żołnierza, który nie jest z Armii Smoka?

– A jeśli nic nie wymyślę?

– To znaczy, że się pomyliłem co do ciebie.

Groszek wyszczerzył zęby.

– Nie pomyliłeś się.

Światła zgasły.

– Trafisz z powrotem, Groszek.

– Chyba nie.

– Więc zostań. Jeśli będziesz dobrze nadstawiał uszu, usłyszysz, jak nocą przychodzi dobra wróżka i zostawia nam kartkę z przydziałem na jutro.

– Nie wyznaczą nam chyba na jutro jeszcze jednej bitwy?

Ender nie odpowiedział. Groszek słyszał, jak kładzie się do łóżka. Wstał z podłogi i poszedł za nim. Zanim zasnął, przeanalizował pół tuzina pomysłów. Ender byłby zadowolony – wszystkie były głupie.

Rozdział 12

Bonzo

– *Proszę usiąść, panie generale. Domyślam się, że sprawa, która pana tu sprowadziła, jest dość pilna.*

– *Na ogół, pułkowniku, staram się nie ingerować w wewnętrzne sprawy Szkoły Bojowej. Macie zagwarantowaną autonomię i zdaję sobie sprawę, że mimo różnicy stopni mam prawo jedynie doradzać. Nie mogę nakazać panu działania.*

– *Działania?*

– *Niech pan nie żartuje, pułkowniku. Amerykanie znakomicie potrafią udawać durniów, kiedy im na tym zależy, ale ja nie pozwolę się oszukać. Wie pan dobrze, po co przyleciałem.*

– *Och. Domyślam się, że Dap wysłał raport.*

– *Żywi on pewne... ojcowskie uczucia wobec uczniów. Uważa, że lekceważenie przez pana potencjalnie śmiertelnie groźnej sytuacji to coś więcej niż niedbalstwo... że graniczy to ze spiskiem w celu pozbawienia życia lub zdrowia jednego z uczniów Szkoły.*

– *Tutaj uczą się dzieci, generale Pace. Nie sądzę, by istniały powody tłumaczące przybycie dowódcy żandarmerii MF.*

– Pułkowniku Graff, imię Endera Wiggina jest dobrze znane w sztabie. Dotarło nawet do moich uszu. Słyszałem, że określa się go, delikatnie mówiąc, jako naszą jedyną nadzieję na zwycięstwo podczas zbliżającej się inwazji. Jeśli jego życie lub zdrowie jest zagrożone, to chyba nie dziwi pana, że żandarmeria stara się ocalić i ochronić tego chłopca? Prawda?

– Niech diabli wezmą Dapa, i pana także, sir. Wiem, co robię.

– Naprawdę?

– Lepiej, niż ktokolwiek inny.

– To na pewno, ponieważ nikt poza panem nie ma najmniejszego pojęcia, co się właściwie dzieje. Od ośmiu dni wiadomo, że grupa pańskich najbardziej złośliwych „dzieci" postanowiła pobić Endera, jeśli tylko się uda. I że niektórzy członkowie tej grupy, z niejakim Bonito de Madrid, zwanym powszechnie Bonzo na czele, najprawdopodobniej nie przejawią żadnych zahamowań, gdy ten akt będzie miał miejsce. Tym samym Enderowi Wigginowi, którego wartości nie sposób przecenić, zupełnie poważnie grozi rozsmarowanie mózgu po ścianach pańskiej małej, orbitującej szkółki. A pan, w pełni świadom tego zagrożenia, proponuje nie robić dokładnie...

– Nic.

– Sam pan rozumie, że to budzi pewne obawy.

– Ender Wiggin znalazł się już wcześniej w podobnej sytuacji. Na Ziemi, kiedy stracił swój czujnik, a potem jeszcze raz, kiedy spora grupa starszych chłopców...

– Nie zjawiłem się tutaj bez pewnych informacji na temat przeszłości. Wiem, że Ender Wiggin prowo-

305

kował Bonza Madrida ponad granice ludzkiej wytrzymałości. A pan nie ma żandarmerii, która mogłaby zapobiec bójce. To nieodpowiedzialne.

– Kiedy Ender Wiggin obejmie dowództwo naszych flotylli, kiedy będzie musiał podejmować decyzje, które doprowadzą do naszego zwycięstwa lub klęski, czy wtedy znajdzie się żandarmeria, gotowa go ratować, gdy straci panowanie nad sytuacją?

– Nie dostrzegam związku.

– Najwyraźniej. Ale ten związek istnieje. Ender Wiggin musi wiedzieć, że cokolwiek się stanie, nikt z dorosłych nie przyjdzie mu z pomocą. Musi wierzyć, aż do samej głębi swej duszy, że może dokonać tylko tego, do czego dojdzie sam, on i inne dzieci. Jeśli w to nie uwierzy, nigdy się osiągnie szczytu swoich możliwości.

– Nie osiągnie go także wtedy, gdy będzie martwy lub trwale okaleczony.

– Nie będzie.

– Dlaczego po prostu nie odeśle pan Bonza ze Szkoły? Jest wystarczająco duży.

– Ponieważ Ender wie, że Bonzo chce go zabić. Jeśli przeniesiemy Bonza przedterminowo, będzie wiedział, że to my go ocaliliśmy. A Bóg mi świadkiem, że Bonzo nie jest na tyle dobrym dowódcą, by go awansować z powodów czysto merytorycznych.

– A inne dzieci? Można by je skłonić, żeby pomogły Enderowi.

– Zobaczymy, co się stanie. Tak brzmi moja pierwsza, ostatnia i jedyna decyzja.

– Niech Bóg ma pana w swej opiece, jeśli się pan pomylił.

– Jeśli się pomyliłem, niech Bóg ma w opiece nas wszystkich.

– *Postawię pana przed sądem wojennym, okryję pańskie imię hańbą, jeśli się okaże, że nie ma pan racji.*

– *Zgoda. Ale proszę pamiętać: jeśli będę miał rację, załatwi mi pan parę tuzinów medali.*

– *Za co?*

– *Za to, że nie pozwoliłem się panu wtrącać.*

Ender siedział w kącie sali treningowej. Zaczepiwszy ramię o klamrę obserwował, jak Groszek ćwiczy ze swoją grupą. Wczoraj trenowali atak bez miotaczy i rozbrajanie przeciwnika samymi nogami. Ender pomagał im, demonstrując pewne techniki walki wręcz w normalnej grawitacji. Wiele trzeba było zmienić, ale bezwładność lotu dało się wykorzystywać tak samo dobrze w nullo, jak w ciążeniu.

Dziś jednak Groszek miał nową zabawkę. Przyniósł martwą strunę, jeden z tych cieniutkich, niewidzialnych niemal splotów, jakich używano podczas prac konstrukcyjnych w przestrzeni, by połączyć dwa przedmioty razem. Martwe struny miewały czasem po kilka kilometrów długości. Ta była niewiele dłuższa niż krawędź ściany sali treningowej i Groszek bez trudu zwinął ją wokół pasa. Teraz ściągnął ją przez głowę, jak część ubrania, i podał koniec jednemu z żołnierzy.

– Zaczep to o klamrę i zawiń parę razy – polecił.

Sam przeleciał z drugim końcem w przeciwny róg sali.

Po chwili zdecydował, że struna nie nadaje się na potykacz. Owszem, trudno ją było zauważyć, ale jedno pasmo splotu nie zatrzyma przeciwnika, mogącego bez trudu przelecieć nad nim lub

307

pod nim. Po chwili jednak wpadł na pomysł, by wykorzystać strunę do zmiany kierunku ruchu w locie. Nie odczepiając jej od klamry zawiązał drugi koniec wokół pasa, przesunął się o kilka metrów i wystartował na wprost. Struna zatrzymała go nagle i zmieniła tor lotu tak, że po zatoczeniu krótkiego łuku Groszek huknął całym pędem o ścianę.

Krzyczał i krzyczał, a Ender dopiero po chwili zorientował się, że to nie z bólu.

– Widzieliście, jak szybko leciałem? A jak skręciłem!

Wkrótce cała Armia Smoka przerwała ćwiczenia, żeby przyglądać się wyczynom Groszka ze struną. Gwałtowne skręty były szokujące, zwłaszcza gdy ktoś nie wiedział, gdzie szukać splotu. Kiedy Groszek użył jej, by owinąć się wokół gwiazdy, osiągnął szybkość, jakiej nikt jeszcze w tej sali nigdy nie widział.

O 21.40 Ender zakończył wieczorne ćwiczenia. Armia, zmęczona, lecz zachwycona faktem, że widziała coś całkiem nowego, ruszyła korytarzami do koszar. Ender szedł między nimi. Nie rozmawiał, ale słuchał rozmów. Chłopcy byli wyczerpani, to prawda – od ponad czterech tygodni codziennie bitwy, często w układzie, który wymagał najwyższego zaangażowania. Byli jednak dumni, szczęśliwi, bliscy sobie... ani razu nie przegrali i nauczyli się sobie ufać. Wiedzieli, że każdy z nich będzie walczyć sprawnie i z zacięciem, że dowódcy raczej wykorzystają, niż zmarnują ich wysiłki; przede wszystkim zaś ufali Enderowi: że przygotuje ich na wszystko, co tylko może się wydarzyć.

Idąc korytarzem Ender zauważył kilku starszych chłopców, na pozór pogrążonych w rozmowach. Stali w odnogach głównego korytarza, przy drabinkach; kilku zbliżało się z naprzeciwka. Trudno było uwierzyć, że tylko przypadkiem większość z nich nosi mundury Salamandry, a pozostali pochodzą z tych armii, których dowódcy najbardziej nienawidzą Endera Wiggina. Niektórzy patrzyli na niego i zbyt szybko odwracali wzrok; inni zdawali się zbyt nerwowi, jakby w napięciu starali się udawać spokój i odprężenie. Co zrobi, jeśli zaatakują jego armię tutaj, w korytarzu? Chłopcy są młodzi, mali, bez żadnego doświadczenia w walce w ciążeniu. Kiedy mieli się jej nauczyć?

– Hej, Ender! – zawołał ktoś. Ender zatrzymał się i obejrzał. To była Petra. – Ender, mogę z tobą pogadać?

Ender natychmiast pojął, że jeśli zatrzyma się choćby na chwilę, jego armia szybko go wyminie i zostanie na korytarzu sam z Petrą.

– Przejdź się ze mną – odpowiedział.

– To tylko chwila.

Ender odwrócił się i ruszył za swymi żołnierzami. Słyszał, jak Petra dogania go.

– No dobra, pójdę.

Ender poczuł, że ogarnia go napięcie. Czy była jedną z nich? Jedną z tych, którzy nienawidzili go tak bardzo, że chcieli go skrzywdzić?

– Twój przyjaciel prosił, żebym cię ostrzegła. Jest paru chłopców, którzy chcą cię zabić.

– To niespodzianka – stwierdził Ender. Kilku jego żołnierzy nadstawiło uszu. Najwyraźniej spisek przeciwko dowódcy bardzo ich zainteresował.

– Ender, oni naprawdę mogą to zrobić. Powiedział, że planują to od dnia, kiedy zostałeś dowódcą...

– Chcesz powiedzieć: od dnia, kiedy pobiłem Salamandrę.

– Wiesz, Ender, ja też cię nienawidziłam, kiedy pobiłeś Armię Feniksa.

– Nie mówię, że mam do kogokolwiek pretensje.

– To prawda. Prosił, żebym odciągnęła cię na bok, kiedy będziesz wracał z ćwiczeń i uprzedziła, żebyś jutro na siebie uważał, bo...

– Petra, gdybyś rzeczywiście teraz odciągnęła mnie na bok, to jest tu tuzin takich, co wzięliby się za mnie od razu w korytarzu. Chcesz mi wmówić, że ich nie zauważyłaś?

Zaczerwieniła się nagle.

– Nie, nie zauważyłam. Jak mogłeś pomyśleć coś takiego? Nie wiesz, kto jest twoim przyjacielem?

Wyprzedziła go, przecisnęła się przez szeregi Armii Smoka i wspięła po drabince na wyższy poziom.

– Czy to prawda? – spytał Zwariowany Tom już w koszarach.

– Czy co prawda? – Ender rozejrzał się po sali, wypatrzył hałasującą dwójkę i krzyknął, by kładli się do łóżek.

– Że paru starszych chłopaków chce cię wykończyć?

– Głupie gadanie – odparł. Ale wiedział, że tak nie jest. Petra dowiedziała się czegoś. To, co widział po drodze, też nie było wytworem wyobraźni.

– Może i głupie gadanie, ale myślę, że nas zrozumiesz. Pięciu dowódców plutonów będzie cię eskortować do sypialni.

– Nie ma potrzeby.

– Zrób nam tę przyjemność. Jesteś nam chyba coś winien.

– Nic wam nie jestem winien. – Byłby głupcem, gdyby odrzucił ich propozycję. – Róbcie, co chcecie.

Odwrócił się i wyszedł. Plutonowi ruszyli za nim. Jeden pobiegł naprzód i otworzył pokój. Sprawdzili wszystko, zmusili go, by obiecał, że zatrzaśnie drzwi i wyszli tuż przed zgaszeniem świateł.

Na ekranie czekała wiadomość.

NIE CHODŹ NIGDZIE SAM. NIGDY. –
DINK

Ender uśmiechnął się. A więc Dink nadal był przyjacielem. Niech się nie martwi. Nic mu nie zrobią. Ma swoją armię.

Ale w ciemności nie miał żadnej armii. Tej nocy śnił o Stilsonie, tylko że teraz widział, jaki był mały i jak śmieszne było całe jego pozowanie na twardziela; mimo to Stilson i jego koledzy związali go tak, by nie mógł się bronić, a potem wszystko, co naprawdę zrobił tamtemu, oni we śnie zrobili Enderowi. Później Ender zobaczył siebie, bełkocącego jak idiota. Ze wszystkich sił próbował wydać rozkazy swej armii, ale wykrzykiwał tylko jakieś bzdury.

Przebudził się w ciemności, czując lęk. Potem uspokoił się myślą, że nauczyciele muszą go cenić; inaczej nie zmuszaliby go do takich wysiłków. Nie pozwolą, by coś mu się stało, w każdym razie coś naprawdę złego. Wtedy, parę lat temu, kiedy starsi chłopcy zaatakowali go w sali treningowej, nauczyciele pewnie czekali za drzwiami, żeby sprawdzić, jak sobie poradzi. Gdyby sytuacja rozwinęła się nie tak, jak trzeba, wkroczyliby i zakończyli całą sprawę. Mógł zwyczajnie siedzieć i nic nie robić, a oni już by dopilnowali, żeby jakoś z tego wyszedł. W grze naciskają go tak mocno, jak tylko mogą, ale poza grą będą chronić.

Pewien tego zasnął znowu, ocknął się dopiero, gdy cicho otworzyły się drzwi, a ktoś wsunął informację o porannej bitwie.

● ● ●

Wygrali, naturalnie, ale było to wyczerpujące starcie, a salę bojową wypełniał taki labirynt gwiazd, że wymiatanie nieprzyjaciół zajęło czterdzieści pięć minut. Walczyli z Armią Borsuka Pola Slattery i tamci nie chcieli poddać się bez oporu. Na dodatek do gry wprowadzono pewne urozmaicenie – każdy trafiony, a nawet unieruchomiony przeciwnik tajał po mniej więcej pięciu minutach, tak jak w czasie ćwiczeń. Jedynie całkowicie zamrożeni pozostawali wyłączeni z akcji do końca. To stopniowe rozmrażanie nie przeszkodziło jednak Armii Smoka. Zwariowany Tom pierwszy zauważył, co się dzieje, kiedy zaczęły ich trafiać strzały od tyłu, oddawane przez ludzi, o których sądzili, że są wyeliminowani. Po bitwie Slattery uścisnął Enderowi rękę i powiedział:

– Cieszę się, że wygrałeś. Jeśli cię kiedykolwiek pobiję, to chcę to zrobić uczciwie.

– Używaj tego, co ci dają – odparł Ender. – Jeśli masz przewagę nad przeciwnikiem, korzystaj z niej.

– Korzystam – uśmiechnął się Slattery. – Jestem uczciwy tylko przed i po bitwach.

Bitwa trwała tak długo, że nie zdążyli na śniadanie. Ender spojrzał na swych zgrzanych, spoconych, zmęczonych żołnierzy, czekających w korytarzu.

– Na dzisiaj wystarczy – oznajmił. – Nie będzie ćwiczeń. Odpocznijcie trochę. Pobawcie się. Zdajcie jakiś test.

Byli tak znużeni, że nawet się nie ucieszyli, nie zaśmiali. Powlekli się tylko do koszar i zaczęli rozbierać. Poszliby na trening, gdyby ich o to poprosił, ale sięgali już granic wytrzymałości. Brak śniadania był kroplą, która przepełniła czarę.

Ender chciał od razu wejść pod prysznic, ale był zbyt zmęczony. Położył się w kombinezonie na łóżku, tylko na chwilę, i przebudził dopiero w porze obiadu. Tyle wyszło z jego zamiaru, by rano dowiedzieć się czegoś więcej o robalach. Zostało mu akurat dość czasu, żeby się ogarnąć, zjeść coś i biec na lekcje.

Ściągnął cuchnący potem kombinezon. Było mu zimno i czuł dziwną słabość. Nie powinien spać w ciągu dnia. Robi się miękki. Zaczyna się zużywać. Powinien coś z tym zrobić.

Pobiegł więc do sali gimnastycznej i zmusił do trzykrotnej wspinaczki po linie. Dopiero potem poszedł do łazienki. Nie przyszło mu do głowy, że w mesie dowódców wszyscy zauważą jego nieobecność; że biorąc prysznic w środku dnia, gdy jego żołnierze pochłaniają właśnie swój pierwszy posiłek, zostanie zupełnie, całkowicie sam.

Nawet kiedy usłyszał, jak wchodzą, nie zwrócił na to uwagi. Pozwalał, by woda spływała mu po głowie i całym ciele. Cichy odgłos kroków był niemal niesłyszalny. Pomyślał, że może jest już po obiedzie. Albo ktoś poźniej skończył trening.

A może nie. Obejrzał się. Było ich siedmiu; opierali się o metalowe umywalki i ścianki kabin i przyglądali mu się. Bonzo stał na czele. Kilku uśmiechało się tryumfująco, jak łowcy, którzy osaczyli zwierzynę. Bonzo był poważny.

– Cześć – rzucił Ender.

Nikt nie odpowiedział.

Ender zakręcił prysznic, choć nie spłukał jeszcze z siebie mydła, i sięgnął po ręcznik. Nie było go. Jeden z chłopców trzymał go w ręku: Bernard. Do pełnego obrazu brakowało jeszcze, by byli tu Peter i Stilson. Przydałby się im uśmiech Petera i bijąca w oczy głupota Stilsona.

Wiedział, że ręcznik jest manewrem otwierającym. Biegając za nim nago wyglądałby głupio i słabo. Tego właśnie chcieli: poniżyć go i załamać. Nie miał zamiaru się poddać. Nie chciał czuć się bezbronnym tylko dlatego, że był mokry, zmarznięty i bez ubrania. Stał przed nimi spokojnie, z opuszczonymi rękami. Patrzył w oczy Bonza.

– Twój ruch – powiedział.

– To nie jest gra – oświadczył Bernard. – Mamy cię już dosyć, Ender. Dzisiaj kończysz szkołę. Wychodzisz na mróz.

Ender nawet na niego nie spojrzał. To Bonzo pragnął jego śmierci, choć nie odezwał się jeszcze ani słowem. Pozostali tylko mu towarzyszyli, sprawdzali, jak daleko mogą się posunąć. Bonzo wiedział, jak daleko się posunie.

– Bonzo – odezwał się cicho Ender. – Twój ojciec byłby z ciebie dumny.

Bonzo zesztywniał.

– Ucieszyłby się, gdyby cię teraz zobaczył, jak przyszedłeś bić się z nagim chłopcem w łazience, mniejszym od ciebie, i przyprowadziłeś sześciu kolegów. Powiedziałby: jak honorowo.

– Nie chcemy się z tobą bić – stwierdził Bernard. – Wpadliśmy tylko cię namówić, żebyś uczciwie rozgrywał walki. Może byś przegrał parę od czasu do czasu.

Chłopcy zaśmiali się. Wszyscy prócz Bonza. I Endera.

– Brawo, dzielny Bonito. Będziesz mógł wrócić do domu i opowiadać: tak, pobiłem Endera Wiggina, który dopiero skończył dziesięć lat, a ja miałem trzynaście. Miałem do pomocy tylko sześciu kolegów, ale jakoś udało nam się go pokonać, mimo że był nagi, mokry i sam. Ender Wiggin był taki straszny i niebezpieczny, że właściwie powinno nas być dwustu.

– Zamknij się, Wiggin – warknął jeden z chłopców.

– Nie przyszliśmy tu słuchać gadania tego szczeniaka – dodał inny.

– To wy się zamknijcie – rozkazał Bonzo. – Siedźcie cicho i nie przeszkadzajcie.

Zaczął zdejmować mundur.

– Nagi, mokry i sam, Ender. Szanse są równe. Nic nie poradzę, że jestem większy. Przy twoim geniuszu może wymyślisz, jak sobie z tym poradzić.

Obejrzał się na pozostałych.

– Pilnujcie drzwi – polecił. – Nikogo tu nie wpuszczajcie.

Łazienka była nieduża i wszędzie sterczały rury. Wystrzelono ją już gotową, jako nisko orbitującego satelitę, wypakowanego sprzętem do odzyskiwania wody. Nie było tu wolnego miejsca. Taktyka była oczywista: będą rzucać się wzajemnie na krany i rury, dopóki jeden z nich nie odniesie tylu obrażeń, że nie będzie mógł walczyć.

Ender spojrzał w twarz Bonza i poczuł, że serce przestaje mu bić. Bonzo także chodził na kurs. I to chyba dłużej niż Ender. Miał dłuższe ręce, był silniejszy i przepełniała go nienawiść. Nie będzie delikatny. Spróbuje atakować głowę. Przede wszystkim będzie się starał uszkodzić mózg. A jeśli walka potrwa dłużej, z pewnością wygra. Pokona go swoją siłą. Jeśli Ender chce stąd wyjść na własnych nogach, musi zwyciężyć szybko i pewnie. Przed oczami stanął mu Stilson i poczuł mdłości przypominając sobie, jak kości tamtego pękały pod uderzeniem. Tym razem to będą jego kości, chyba że on pierwszy go złamie.

Cofnął się, przekręcił sitko prysznica kierując je na zewnątrz i odkręcił gorącą wodę. Natychmiast uniosła się para. Powtórzył to w sąsiedniej kabinie i w następnej.

– Nie boję się gorącej wody – bardzo cicho powiedział Bonzo.

Ale Enderowi nie chodziło o gorącą wodę. Chodziło o ciepło. Wciąż był namydlony i kiedy pot zwilży skórę, stanie się bardziej śliski, niż Bonzo mógłby się spodziewać.

– Przestańcie! – krzyknął nagle ktoś od drzwi.

Przez chwilę Ender miał nadzieję, że któryś z nauczycieli przyszedł zapobiec bójce, ale był to tylko Dink Meeker. Koledzy Bonza przytrzymali go przy drzwiach.

– Przestań, Bonzo! – krzyczał Dink. – Nie rób mu krzywdy!

– Dlaczego nie? – spytał Bonzo i po raz pierwszy uśmiechnął się. No tak... On uwielbia, żeby ktoś go doceniał, widział, że jest silny i ma władzę.

– Bo jest najlepszy! Dlatego! Kto jeszcze może walczyć z robalami? Tylko to się liczy, ty durniu! Robale!

Bonzo przestał się uśmiechać. Tego właśnie najbardziej w Enderze nienawidził: że naprawdę był ważny dla ludzi, podczas gdy Bonzo, w ostatecznym rozrachunku, nie. Te słowa mnie zabiły, Dink. Bonzo nie lubi słuchać o tym, że Ender może ocalić świat.

Zastanawiał się gdzie są nauczyciele. Czy nie rozumieją, że pierwsze zwarcie w tej walce może być ostatnim? To nie jest sala bojowa, gdzie nikt nie może zrobić nikomu krzywdy. Tu jest grawitacja; ściany i podłoga są twarde i sterczy z nich metal. Niech przerwą to zaraz, bo będzie za późno.

– Jeśli go dotkniesz, będziesz za robalami! – krzyczał Dink. – Będziesz zdrajcą! Jeżeli go skrzywdzisz, zasłużysz na śmierć!

Chłopcy przycisnęli mu twarz do drzwi i umilkł.

Para z pryszniców wypełniła pomieszczenie i po skórze Endera spływały strużki potu. Teraz, póki nie ścieknie z niego mydło. Póki jest za śliski, żeby go utrzymać.

Ender cofnął się i pozwolił, by lęk, który odczuwał, odbił się na twarzy.

– Nie bij mnie, Bonzo – powiedział. – Proszę.

Na to właśnie czekał Bonzo: wyznanie, że to on jest silniejszy. Innym chłopcom wystarczyłaby może kapitulacja Endera; dla Bonza była jedynie znakiem, że zwycięstwo jest pewne. Zamachnął się nogą, jak do kopnięcia, ale w ostatniej chwili skoczył. Ender dostrzegł przeniesienie ciężaru ciała i pochylił się nisko, by Bonzo nie mógł stanąć pewnie, gdy spróbuje go złapać do rzutu.

Twarde żebra Bonza trafiły Endera w twarz, a dłonie uderzyły o plecy szukając uchwytu. Ender jednak skręcił tułów i palce ześliznęły się po skórze. W jednej chwili Ender – wciąż w uścisku Bonza – wykonał pełny obrót. Klasycznym posunięciem w takiej sytuacji byłoby uderzyć piętą w krocze przeciwnika. To jednak wymagało precyzji, a Bonzo spodziewał się takiego ruchu. Podnosił się już na palce i odsuwał biodra, by Ender nie mógł go dosięgnąć. Ender nie patrząc wiedział, że tamten musi obniżyć głowę, dotykając niemal jego włosów. Zamiast więc próbować kopnięcia, wybił się z podłogi potężnym pchnięciem obu nóg, jak żołnierz odbijający się od ściany i uderzył głową w twarz Bonza.

Odwrócił się w samą porę, by zobaczyć, jak Bonzo zatacza się w tył dysząc z bólu i zdziwienia, a krew płynie mu z nosa. Ender wiedział, że mógłby teraz wyjść z łazienki i zakończyć bójkę. Tak, jak uciekł z sali bojowej, gdy polała się pierwsza krew. Ale potem starcie powtórzyłoby się znowu. I jeszcze raz, i następny, dopóki nie zniknęłaby wola walki. By ostatecznie zakończyć sprawę, musiał zranić Bonza tak mocno, że lęk stanie się silniejszy od nienawiści.

Dlatego oparł się o ścianę, wyskoczył i odepchnął się ramionami. Jego stopy wylądowały na brzuchu i piersi Bonza. Ender obrócił się w powietrzu, lądując na dłoniach i palcach stóp, zrobił przewrót, znalazł się pod przeciwnikiem i gdy tym razem obiema nogami kopnął w górę, trafił mocno i pewnie.

Bonzo nie krzyknął z bólu. W ogóle nie zareagował. Tylko jego ciało uniosło się trochę. Zdawało się, że Ender kopnął mebel. Bonzo upadł w bok i rozciągnął się pod strumieniem gorącej wody z prysznica. Nie wykonał najmniejszego ruchu, by uciec od morderczego gorąca.

– Boże! – krzyknął ktoś. Koledzy Bonza skoczyli, by zakręcić wodę. Ender wstał powoli. Ktoś wcisnął mu ręcznik. To był Dink.

– Wyjdźmy stąd – powiedział.

Gdy odprowadzał Endera, słychać było ciężkie kroki dorosłych, zbiegających po drabince. Teraz zjawiali się nauczyciele. Personel medyczny. Żeby opatrzyć rany przeciwnika Endera. Gdzie byli przed walką, kiedy jeszcze wszystko mogło się skończyć bez ran?

Ender nie miał już żadnych wątpliwości: nikt mu nie pomoże. Cokolwiek go spotka, teraz czy kiedykolwiek, znikąd nie otrzyma pomocy. Peter mógł być draniem, ale miał rację: moc zadawania bólu jest jedyną, która ma znaczenie, moc zabijania i niszczenia, ponieważ jeśli nie możesz zabijać, jesteś zawsze we władzy tych, którzy potrafią. A wtedy nic i nikt nigdy cię nie ocali.

Dink odprowadził go do pokoju i położył na łóżku.

– Boli cię coś? – zapytał.

Ender pokręcił głową.

– Rozwaliłeś go. Myślałem, że jesteś już trupem, kiedy cię złapał. Ale rozwaliłeś go. Gdyby wytrzymał dłużej, chyba byś go zabił.

– To on chciał mnie zabić.

– Wiem. Znam go. Nikt nie potrafi tak nienawidzić, jak Bonzo. Ale to już koniec. Jeśli nawet go za to nie wymrożą i nie odeślą do domu, nigdy więcej nie spojrzy ci w oczy. Tobie ani nikomu. Miał dwadzieścia centymetrów wzrostu przewagi, a wyglądał jak kulawa krowa, co tylko stoi i przeżuwa.

Ender jednak pamiętał Bonza tylko w chwili, gdy kopnął go w krocze. Puste, martwe spojrzenie. Był już wtedy skończony. Nieprzytomny. Oczy miał otwarte, ale już nie myślał i nie ruszał się; tylko ten martwy, idiotyczny wyraz twarzy i niewidzące spojrzenie. Tak wyglądał Stilson, kiedy z nim skończył.

– Ale wymrożą go – stwierdził Dink. – Wszyscy wiedzą, że to on zaczął. Widziałem, jak wstają i wychodzą z mesy dowódców. Parę sekund trwało, zanim zrozumiałem, że ciebie też tam nie ma, a potem jeszcze minutę, żeby sprawdzić, gdzie poszedłeś. Powiedziałem ci, żebyś nigdzie nie chodził sam.

– Przepraszam.

– Na pewno go wymrożą. Rozrabiacz. On i ten jego kretyński honor.

Wtedy, ku zdziwieniu Dinka, Ender wybuchnął płaczem. Leżąc na łóżku, wciąż mokry od potu i wody, szlochał głośno, a łzy spływały mu przez zamknięte powieki, by stopić się z wilgocią na twarzy.

– Nic ci nie jest?

– Nie chciałem go skrzywdzić! – krzyknął Ender. – Dlaczego nie zostawił mnie w spokoju?

• • •

Usłyszał, jak drzwi otwierają się cicho i zaraz zamykają. Wiedział, że chodzi o bitwę. Otworzył oczy, oczekując mroku wczesnego ranka, przed 6.00. Zobaczył płonące światła. Był nagi, a kiedy wstał, zauważył, że łóżko ocieka wilgocią. Oczy miał opuchnięte i obolałe od płaczu. Spojrzał na zegar. Wskazywał 18.20. Dzień jeszcze nie minął. Miał już dzisiaj bitwę. Miał dwie bitwy – ci dranie wiedzą, przez co przeszedł, a jednak mu to robią.

WILLIAM BEE, ARMIA GRYFA,
TALO MOMOE, ARMIA TYGRYSA, 19.00

Usiadł na skraju posłania. Wiadomość drżała mu w dłoni. Nie da rady, stwierdził bezgłośnie. A potem, już na głos:

– Nie dam rady!

Wstał ciężko i rozejrzał się za skafandrem. Potem sobie przypomniał: zanim wszedł pod prysznic, włożył go do oczyszczalni. Pewnie ciągle tam leżał.

Z kartką w ręku wyszedł z pokoju. Kolacja dobiegała końca i kilka osób stało w korytarzu. Nikt się do niego nie odezwał. Patrzyli tylko. Może przerażeni tym, co zaszło w łazience, może ze względu na ponury, straszny wyraz jego twarzy. Chłopcy byli już w koszarach.

– Cześć, Ender. Będziemy dzisiaj ćwiczyć?

Ender podał kartkę Kant Zupie.

– To sukinsyny – mruknął chłopiec. – Dwie na raz?

– Dwie armie! – krzyknął Zwariowany Tom.

– Będą na siebie włazić – stwierdził Groszek.

– Muszę się umyć – oświadczył Ender. – Przygotujcie, co trzeba, zbierzcie wszystkich. Spotkamy się na miejscu, przy bramie.

Wyszedł z koszar. Słyszał gwar rozmów, wrzask Zwariowanego Toma:

– Dwie armie pierdzieli! Spierzemy im tyłki!

Łazienka była pusta. Wyczyszczona. Ani śladu krwi, która spłynęła z nosa Bonza i zmieszała się z wodą. Wszystko zniknęło. Jakby nic nie zaszło.

Ender wszedł pod prysznic i spłukał się dokładnie, zmył pot walki i pozwolił, by spłynął do ścieku. Wszystko zniknęło. Ale przejdzie przez oczyszczalnię i rano wszyscy będą pili wodę z krwią Bonza. Usuną z niej życie, ale krew to krew, jego krew i pot Endera, spłukany ich głupotą albo okrucieństwem, albo czymkolwiek, co sprawiło, że na to pozwolili.

Wytarł się, włożył skafander i ruszył do sali bojowej. Jego armia czekała już w korytarzu przed zamkniętą jeszcze bramą. Chłopcy przyglądali się w milczeniu, jak przechodzi na czoło i staje przed matowym, szarym polem. Naturalnie, wszyscy wiedzieli o jego dzisiejszej walce; to, razem ze zmęczeniem po porannej bitwie, sprawiało, że milczeli. A świadomość, że mają walczyć z dwoma armiami, napełniała ich lękiem.

Wszystko, co tylko mogą, żeby mnie pokonać, myślał Ender. Co tylko potrafią wymyślić, zmienić wszystkie zasady, nieważne, byleby przegrał. Miał dosyć tej gry. Nic nie jest warte krwi Bonza, barwiącej wodę na podłodze łazienki. Mogą go wymrozić, odesłać do domu. Nie chciał więcej grać.

Brama zniknęła. Niecałe trzy metry za nią wisiały obok siebie cztery gwiazdy, całkowicie zasłaniając pole widzenia.

Dwie armie nie wystarczyły. Postanowili go zmusić, by wprowadzał żołnierzy na ślepo.

– Groszek – rzucił Ender. – Weź swoich chłopców i sprawdź, co się dzieje za tą gwiazdą.

Groszek odwinął z pasa zwój struny, obwiązał się nią, podał koniec jednemu z chłopców swojej grupy, po czym spokojnie przestąpił próg. Jego zespół ruszył za nim. Ćwiczyli ten manewr wielokrotnie, więc po chwili stali już wsparci mocno o gwiazdę, trzymając koniec struny. Groszek odbił się mocno i poleciał niemal równolegle do bramy; kiedy dotarł do rogu, odbił się jeszcze raz i pomknął w stronę nieprzyjaciela. Błyski światła na ścianie dowodziły, że przeciwnicy strzelają. Struna owijała się wokół gwiazdy, Groszek leciał coraz ciaśniejszym łukiem i gwałtownie zmieniał kierunki. Nie można było go trafić. Chłopcy pochwycili go sprawnie, gdy nadleciał z drugiej strony. Machał rękami i nogami, by czekający jeszcze w korytarzu wiedzieli, że nie został trafiony.

Ender przeskoczył przez bramę.

– Jest dość ciemno – powiedział Groszek. – Ale na tyle jasno, że trudno będzie rozpoznawać ich ruchy po światłach skafandrów. Najgorsza możliwa widoczność. Otwarta przestrzeń od tego miejsca aż do nieprzyjacielskiej części sali. Mają tam osiem gwiazd ustawionych w kwadrat wokół bramy. Nie zauważyłem nikogo, tylko tych, co wyglądali zza pudeł. Oni tam zwyczajnie siedzą i czekają na nas.

Jakby dla potwierdzenia, przeciwnicy zaczęli ich nawoływać.

– Hej! Jesteśmy głodni, chodźcie nas nakarmić! Tyłki wam się wloką! Wloką się tyłki Smokom!

Ender poczuł, że martwota ogarnia jego umysł. Sytuacja była bez wyjścia. Nie miał żadnych szans, zmuszony do atakowania osłoniętego przeciwnika, przy stosunku sił dwa do jednego.

– W prawdziwej wojnie każdy dowódca obdarzony nawet śladowym rozsądkiem wycofałby się, by ratować własną armię.

– Do diabła, przecież to tylko gra – powiedział Groszek.

– To przestała być gra w chwili, gdy odrzucili zasady.

– Więc też je odrzuć.

– Dobra. Dlaczego nie? – uśmiechnął się Ender. – Zobaczymy, jak zareagują na formację.

– Formację? – Groszek był zdumiony. – Nigdy nie ćwiczyliśmy formacji, ani razu, odkąd tworzymy armię.

– Został jeszcze miesiąc do normalnego końca waszego szkolenia. Akurat pora, żebyśmy zaczęli ćwiczyć walkę w szyku. To zawsze trzeba umieć.

Pokazał palcami A i skinął ręką. Pluton A natychmiast przekroczył bramę, a Ender zaczął ustawiać ich w ukrytej za gwiazdami przestrzeni. Trzymetrowa odległość wystarczała, a chłopcy byli trochę przestraszeni i niespokojni, więc minęło prawie pięć minut, zanim pojęli, co mają robić.

Żołnierze Tygrysa i Gryfa zajmowali się kocim muzykowaniem, a ich dowódcy kłócili się, czy wykorzystać przewagę liczebną i zaatakować Armię Smoka, zanim wyłoni się zza gwiazd. Momoe chciał nacierać.

– Mamy przewagę dwa do jednego – przekonywał.

– Siedźmy spokojnie, a nie możemy przegrać – mówił Bee. – Jeśli się ruszymy, on wykombinuje, jak nas pokonać.

Siedzieli więc spokojnie, aż wreszcie dostrzegli w półmroku, jak zza gwiazd Endera wynurza się wielka bryła. Nie zmieniała kształtu, nawet kiedy przestała się przesuwać w bok i ruszyła w sam środek ośmiu gwiazd, za którymi kryło się osiemdziesięciu dwóch żołnierzy.

– O, rany – odezwał się jakiś Gryf. – Ustawili formację.

– Musieli formować szyk przez całe pięć minut – stwierdził Momoe. – Gdybyśmy zaatakowali w tym czasie, rozbilibyśmy ich bez problemu.

– Ugryź się, Momoe – szepnął Bee. – Sam widziałeś, jak przeleciał ten mały. Obleciał całą gwiazdę i wrócił bez dotykania ścian. Może oni wszyscy dostali haki. Pomyślałeś o tym? Na pewno mają coś nowego.

Formacja była niezwykła. Kwadratowy szyk ciasno ustawionych ciał tworzył mur z przodu. Za nim znajdował się cylinder, mający sześciu chłopców w obwodzie, wysoki na dwóch. Wszyscy mieli wyciągnięte i zamrożone ramiona, więc nie mogli się trzymać. Mimo to lecieli razem jak związani – co zresztą było prawdą.

Z wnętrza formacji Armia Smoka strzelała z przerażającą precyzją, nie pozwalając Tygrysom i Gryfom na wysunięcie się zza osłony.

– To paskudztwo jest otwarte od tyłu – zauważył Bee. – Kiedy tylko wlecą między gwiazdy, możemy ich obejść...

– Nie opowiadaj o tym. Rób to! – rzucił Momoe, po czym, stosując się do własnej rady, rozkazał swoim chłopcom skakać na ścianę, żeby się odbić i wylądować na tyłach Armii Smoka.

W zamieszaniu startowym, gdy Armia Gryfa nadal trzymała się gwiazd, szyk Smoków zmienił się nagle. Cylinder i przedni mur rozpadły się na dwie części, wypuszczając ukrytych we wnętrzu żołnierzy. Niemal jednocześnie formacja zmieniła kierunek lotu i ruszyła wolno w stronę bramy Smoków. Większa część Gryfów ostrzeliwała szyk i tych, którzy cofali się wraz z nim. Tymczasem Tygrysy zaatakowały niedobitków Armii Smoka od tyłu.

Coś się jednak nie zgadzało. Po chwili namysłu William Bee zrozumiał, co to było. Taka formacja nie może zawrócić w powietrzu, chyba że ktoś wystartuje w przeciwnym kierunku. A jeśli odbili się dostatecznie mocno, by zmienić kierunek ruchu dwudziestoosobowego szyku, to muszą lecieć szybko.

Zauważył ich: sześciu małych żołnierzy Armii Smoka w pobliżu jego, Williama Bee, własnej bramy. Po liczbie świateł na kombinezonach poznał, że trzech było unieszkodliwionych, dwóch trafionych i tylko jeden cały. Nie ma się czym przejmować. Od niechcenia wycelował miotacz, nacisnął guzik i...

Nic się nie stało.

Zapłonęły światła.

Gra była skończona.

Mimo że patrzył wprost na nich, dopiero po chwili zdał sobie sprawę z tego, co się stało. Czterech żołnierzy Smoków przyłożyło hełmy do czterech rogów bramy. A jeden właśnie przechodził. Dopełnili rytuału zwycięstwa. Byli niszczeni, nie zadali prawie żadnych strat, a mieli czelność to zrobić i zakończyć grę pod jego nosem.

Dopiero wtedy William Bee uświadomił sobie, że Armia Smoka nie tylko skończyła bitwę, ale całkiem możliwe, że – zgodnie z regułami – wygrała. W końcu, niezależnie od tego, co się działo, zostaje się zwycięzcą jedynie wtedy, gdy ma się wystarczającą liczbę sprawnych żołnierzy, by dotknęli rogów bramy, a jeden wszedł do nieprzyjacielskiego korytarza. Zatem, w pewien sposób, końcowy rytuał był zwycięstwem. Bez wątpienia sala bojowa uznała go za zakończenie walki.

Otworzyła się nauczycielska bramka i do sali wszedł major Anderson.

– Ender! – zawołał rozglądając się.

Jeden z zamrożonych żołnierzy Smoka usiłował mu odpowiedzieć przez unieruchomione skafandrem szczęki. Anderson podleciał bliżej i rozmiękczył go.

Ender uśmiechał się.

– Pobiłem pana znowu, sir – oświadczył.

– Bzdura, Ender. Walczyłeś z Gryfem i Tygrysem.

– Za jakiego durnia mnie pan uważa?

Anderson powiedział głośno:

– Po tej akcji reguły zostały zmienione. Wszyscy żołnierze przeciwnika muszą być zamrożeni lub unieruchomieni, by otworzyła się brama.

– To i tak mogło się udać tylko raz – stwierdził Ender.

Anderson podał mu hak. Ender rozmroził wszystkich od razu. Do diabła z protokołem. Do diabła z tym wszystkim.

– Hej! – krzyknął, gdy Anderson już odchodził.

– Co będzie następnym razem? Moja armia w klatce, bez broni, przeciwko całej Szkole? Co pan powie o równych szansach, dla odmiany?

Wśród chłopców podniósł się gwar. Popierali go nie tylko żołnierze z Armii Smoka. Anderson nie obejrzał się nawet, słysząc wyzwanie Endera. To William Bee odpowiedział:

– Ender, jeśli ty walczysz po jednej stronie, szanse nie będą równe, niezależnie od warunków.

Racja! wołali chłopcy. Wielu się śmiało.

– Brawo Ender! – zawołał Talo Momoe klaszcząc w ręce. Inni też klaskali i wykrzykiwali imię Endera.

Ender przeszedł przez bramę przeciwnika. Za nim szli jego żołnierze. Echo ich krzyków niosło się po korytarzach.

– Ćwiczymy dzisiaj? – spytał Zwariowany Tom.

Ender pokręcił głową.

– Dopiero jutro rano?

– Nie.

– Więc kiedy?

– Jeśli o mnie chodzi, to nigdy.

Usłyszał za plecami pomruk zdumienia.

– To nie w porządku – odezwał się jeden z chłopców. – Nie nasza wina, że nauczyciele rozwalają grę. Nie możesz przestać nas uczyć tylko dlatego, że...

Ender z całej siły uderzył otwartą dłonią o ścianę.

– Gra już mnie nie obchodzi! – krzyknął jak mógł najgłośniej.

Głos odbił się echem po korytarzu. Chłopcy z innych armii podchodzili zaciekawieni.

– Możesz to zrozumieć? – spytał Ender wśród zaległej nagle ciszy. – Gra się skończyła.

Samotnie ruszył do swojego pokoju. Chciał się położyć, ale łóżko było zupełnie mokre. To na nowo przypomniało mu o wszystkim, co zdarzyło się tego dnia. Wściekły, zerwał materac razem z pościelą i cisnął wszystko na korytarz. Potem zwinął mundur, żeby mieć jakąś poduszkę i rzucił się na rozpiętą na ramie drucianą siatkę. Było mu niewygodnie, ale nie na tyle, żeby wstać.

Leżał tak ledwie parę minut, gdy ktoś zapukał do drzwi.

– Idź sobie – odezwał się cicho. Ten, kto pukał, nie usłyszał go albo się nie przejął. Wreszcie Ender kazał mu wejść.

To był Groszek.

– Zostaw mnie, Groszek.

Chłopiec skinął głową, ale nie ruszył się z miejsca. Stał wpatrzony ponuro w czubki butów. Niewiele brakowało, by Ender zaczął na niego wrzeszczeć i przeklinać, krzykiem wyrzucać z pokoju. Spostrzegł jednak, że Groszek jest potwornie znużony, zgarbiony ze zmęczenia, z oczami czerwonymi od niewyspania. Mimo to nadal miał skórę dziecka, delikatną i aksamitną, lekko pucołowate policzki i chude ramiona małego chłopca. Nie skończył jeszcze ośmiu lat. Nieważne, że był lojalny, błyskotliwy i inteligentny. Ciągle był dzieckiem. Był młody.

Ender pomyślał, że to nieprawda. Mały, to fakt. Ale Groszek walczył w bitwie, w której los całej armii zależał od niego i żołnierzy, którymi dowodził. Poradził sobie znakomicie i zwyciężyli. To nie jest młodość. Ani dzieciństwo.

Uznając milczenie i łagodniejszy wyraz twarzy dowódcy za zgodę na pozostanie, Groszek przestąpił próg pokoju. Dopiero wtedy Ender zauważył, że ma w ręce pasek papieru.

– Przenoszą cię? – zapytał. Był niebotycznie zdumiony, lecz jego głos zabrzmiał obojętnie i martwo.

– Do Armii Królika.

Ender pokiwał głową. To oczywiste; nie potrafią pokonać jego i jego armii, więc zabierają mu armię.

– Carn Carby to dobry dowódca – stwierdził. – Mam nadzieję, że pozna się na tobie.

– Carn Carby skończył dzisiaj szkolenie. Dostał wiadomość, kiedy walczyliśmy.

– Kto, w takim razie, dowodzi Królikami?

Groszek bezradnie rozłożył ręce.

– Ja.

Ender spojrzał na sufit i skinął głową.

– Jasne. Przecież do regulaminowego wieku brakuje ci tylko czterech lat.

– To wcale nie jest śmieszne. Nie wiem, o co

w tym wszystkim chodzi. Po co te wszystkie zmiany w grze. A teraz jeszcze to. Nic jeszcze nie wiesz, ale nie tylko ja odchodzę. Połowa komendantów skończyła dziś szkolenie i przenoszą naszych, żeby objęli ich armie.

– Kogo z naszych?

– Wychodzi na to, że wszystkich dowódców plutonów i wszystkich zastępców.

– Jasne. Jeśli zechcą zlikwidować mi armię, wyrżną ją równo z ziemią. Cokolwiek robią, robią dokładnie.

– I tak będziesz wygrywał. Wszyscy to wiemy. Zwariowany Tom powiedział: czy oni liczą, że wykombinują sposób na Armię Smoka? Wszyscy wiedzą, że jesteś najlepszy. Nie mogą cię złamać, cokolwiek...

– Już mnie złamali.

– Nie, Ender, to niemożliwe...

– Ich gra już mnie nie obchodzi, Groszek. Nie mam zamiaru w nią grać. Nie będzie więcej treningów. Nie będzie bitew. Mogą sobie zostawiać karteczki, ale ja nigdzie nie pójdę. Podjąłem decyzję, zanim wieczorem przekroczyłem próg sali. Dlatego kazałem wam atakować bramę. Nie przypuszczałem, że to się uda, ale już mnie to nie interesowało. Chciałem tylko odejść w dobrym stylu.

– Żałuj, że nie widziałeś miny Williama Bee. Stał jak wmurowany i wciąż nie kapował, w jaki sposób przegrał, jeśli ty miałeś tylko siedmiu chłopaków, którzy mogli jeszcze kiwnąć choćby palcem, a on tylko trzech, którzy tego nie mogli.

– Czemu miałbym oglądać minę Williama Bee? Czemu miałbym kogoś jeszcze pobić? – En-

331

der przycisnął dłonie do oczu. – Dzisiaj pobiłem Bonza, Groszek. Pobiłem go naprawdę ostro.

– Sam się prosił.

– Kopnąłem go. Myślałem, że jest już trupem. A potem biłem go dalej.

Groszek milczał.

– Chciałem tylko mieć pewność, że nigdy więcej nie zrobi mi krzywdy.

– Na pewno nie. Odesłali go do domu.

– Już?

– Nauczyciele nigdy za wiele nie mówią. Teraz też nie. Oficjalnie podali, że skończył Szkołę, ale gdzie go przydzielili, wiesz, czy do szkoły taktyki, grup wsparcia, na wstępne szkolenie dowodzenia czy nawigacji – nie wiadomo. Napisali tylko: Cartagena, Hiszpania. Tam mieszka.

– Cieszę się, że ma to za sobą.

– Daj spokój, Ender. My się cieszymy, że już go nie ma. Gdybyśmy wiedzieli, co chce ci zrobić, zabilibyśmy go z miejsca. Czy to prawda, że miał cały gang do pomocy?

– Nie. Sprawa była między nim a mną. Walczył honorowo. Gdyby nie to, zabraliby się do mnie wszyscy razem. Mogli mnie nawet zabić. Jego poczucie honoru ocaliło mi życie. Ja nie byłem honorowy – dodał po chwili. – Walczyłem, żeby zwyciężyć.

– I zwyciężyłeś – roześmiał się Groszek. – Wykopałeś go z orbity.

Ktoś zastukał do drzwi i otworzył je, zanim Ender zdążył odpowiedzieć. Spodziewał się kogoś ze swoich żołnierzy, ale w progu stanął major Anderson. A za nim pułkownik Graff.

– Enderze Wiggin – odezwał się Graff.

Ender wstał z łóżka.

– Tak, sir.

– Twoje dzisiejsze zachowanie w sali bojowej było przejawem niesubordynacji i nie powinno więcej mieć miejsca.

– Tak, sir – powtórzył Ender.

Groszek wciąż miał ochotę na niesubordynację i wcale nie uważał, by Ender zasłużył na naganę.

– Ktoś wreszcie powinien powiedzieć, co myślimy o tym wszystkim, co z nami robicie.

Dorośli nie zwrócili na niego uwagi. Anderson podał Enderowi kartkę papieru. Cały arkusz. Nie wąski pasek, na jakich drukowano w Szkole Bojowej wewnętrzne rozkazy – tym razem był to pełnowymiarowy wykaz instrukcji. Groszek wiedział, co to oznacza: Ender opuszczał Szkołę.

– Koniec szkolenia? – zapytał. Ender kiwnął głową. – Czemu to trwało tak długo? Tylko dwa, najwyżej trzy lata wcześniej niż normalnie. Umiesz przecież chodzić, mówić, a nawet sam się ubierasz. Czego jeszcze chcieli cię nauczyć?

Ender wzruszył ramionami.

– Wiem tylko, że gra skończona – poskładał kartkę. – W samą porę. Mogę powiadomić swoich żołnierzy?

– Nie ma czasu – odparł Graff. – Twój prom startuje za dwadzieścia minut. Poza tym, kiedy dostałeś już rozkazy, lepiej, żebyś z nimi nie rozmawiał. Tak jest łatwiej.

– Dla nich, czy dla pana? – spytał Ender, ale nie czekał na odpowiedź. Podszedł do Groszka, uścisnął mu rękę, po czym ruszył do drzwi.

- Czekaj – zwołał Groszek. – Gdzie cię przenoszą? Taktyka? Nawigacja? Wsparcie?

- Szkoła Dowodzenia.

- Szkolenie wstępne?

- Szkoła – powtórzył Ender i wyszedł. Anderson ruszył za nim. Groszek złapał pułkownika Graffa za rękaw.

- Nikt poniżej szesnastu lat nie idzie do Szkoły Dowodzenia!

Graff strząsnął jego rękę i wyszedł, zamykając za sobą drzwi.

Groszek stał na środku pokoju i usiłował zrozumieć to, co zaszło. Nikt nie trafiał do Szkoły Dowodzenia bez trzech lat szkolenia wstępnego, albo w Taktyce, albo we Wsparciu. Ale też nikt nie opuszczał Szkoły Bojowej wcześniej, niż po sześciu latach nauki, podczas gdy Ender był tu tylko cztery.

System się sypał. Nie było wątpliwości. Może ktoś na górze dostał fioła albo coś źle poszło na wojnie – prawdziwej wojnie, wojnie z robalami. Inaczej po co by rozwalali system szkolenia, w taki sposób likwidowali grę? Dlaczego by stawiali takiego malucha jak on na czele armii?

Groszek zastanawiał się nad tym idąc korytarzem. Światła zgasły akurat w chwili, gdy dotarł do swojego posłania. Rozebrał się w ciemnościach, starając się po omacku poukładać mundur w szafce, której nie widział. Czuł się okropnie. Z początku myślał, że po prostu boi się dowodzić armią, ale to nie była prawda. Wiedział, że będzie dobrym komendantem. Miał ochotę płakać. Nie płakał ani razu od tamtych pierwszych dni, kiedy tęsknił za domem. Próbował jakoś nazwać ten stan, który sprawiał, że czuł dławienie w gardle i szlochał bezgłośnie, choć z całej siły starał się opanować. Gryzł się w rękę, by ból zagłuszył gwałtowne uczucie żalu. Nic nie pomagało. Już nigdy nie zobaczy Endera.

Kiedy już wiedział, co go dręczy, mógł to kontrolować. Położył się na wznak i zmusił do powtarzania, raz po raz, procedury relaksującej; wreszcie nie miał już ochoty płakać. Potem napłynął sen. Dłoń Groszka spoczywała na poduszce koło ust, jakby chłopiec nie mógł się zdecydować, czy obgryzać paznokcie, czy może ssać kciuk. Marszczył czoło, oddychał płytko i szybko. Był żołnierzem i gdyby ktoś go zapytał, kim chce zostać, kiedy dorośnie, nie wiedziałby, o co chodzi.

• • •

Wchodząc na prom, Ender zauważył nowe dystynkcje na mundurze majora Andersona.

– Tak, jest teraz pułkownikiem – potwierdził Graff. – Co więcej, major Anderson został mianowany komendantem Szkoły Bojowej. Od dzisiejszego popołudnia. Mnie powierzono inne obowiązki.

Ender nie spytał jakie.

Graff przypiął się pasem do fotela po drugiej stronie przejścia. Oprócz nich w kabinie był tylko jeden pasażer, spokojny mężczyzna w cywilnym ubraniu. Graff przedstawił go jako generała Pace'a. Pace trzymał na kolanach neseser, ale poza tym prawie nie miał bagażu. Graff także nic nie zabierał, co dziwnie uspokajało Endera..

Przez całą drogę odezwał się tylko raz.

– Dlaczego lecimy do domu? – zapytał. – Myślałem, że Szkoła Dowodzenia jest w pasie asteroidów.

– Jest – potwierdził Graff. – Ale Szkoła Bojowa nie ma urządzeń niezbędnych dla dokowania statków dalekiego zasięgu. W rezultacie dostaniesz krótki urlop na Ziemi.

Ender chciał spytać, czy będzie mógł zobaczyć się z rodziną, ale nagle pomyślał, że jest to możliwe, przestraszył się i nie powiedział ani słowa. Zamknął tylko oczy i próbował zasnąć. Siedzący z tyłu generał Pace przyglądał mu się uważnie, lecz Ender nie potrafił zgadnąć, dlaczego.

Kiedy wylądowali, na Florydzie było gorące, letnie popołudnie. Ender od tak dawna nie widział słońca, że blask niemal go oślepił. Mrużył oczy, krzywił się i chciał wracać do zamkniętych pomieszczeń. Wszystko zdawało się płaskie i dalekie; ziemia, nie wyginając się w górę, jak podłogi w Szkole Bojowej, sprawiała wrażenie opadającej w dół i Ender, stojąc na płaskim gruncie, czuł się jak na szczycie góry. Prawdziwe ciążenie było zupełnie inne niż tamto i Ender powłóczył nogami. Nienawidził tego. Chciał wrócić do domu, do Szkoły Bojowej, do jedynego miejsca we Wszechświecie, gdzie był u siebie.

● ● ●

– *Aresztowany?*

– *No cóż, to dość naturalna teoria. Generał Pace jest dowódcą żandarmerii, a uczeń Szkoły poniósł śmierć.*

– *Nie powiedzieli, czy pułkownik Graff awanso-*

wał, czy ma stanąć przed sądem wojennym. Tylko tyle, że został przeniesiony i ma się zameldować u Polemarchy.

– To dobry znak, czy zły?

– Kto wie? Z jednej strony, Ender Wiggin nie tylko przeżył, ale zakończył szkolenie w niesamowicie dobrej formie. To trzeba Graffowi przyznać. Z drugiej jednak strony, prom wiezie czwartego pasażera. Tego, który podróżuje w worku.

– To dopiero drugi zgon w historii Szkoły. Przynajmniej tym razem to nie było samobójstwo.

– W czym morderstwo jest lepsze, majorze Imbu?

– To nie było morderstwo. Mamy wideo nagrane z dwóch punktów. Nikt nie może winić Endera.

– Ale mogą obwiniać Graffa. Kiedy już wszystko się skończy, cywile zaczną grzebać w naszych aktach i decydować, co było słuszne, a co nie. Dawać nam medale, gdy uznają, że mieliśmy rację, albo odbierać emerytury i wsadzać do więzienia, kiedy dojdą do wniosku, że się myliliśmy. Dobrze chociaż, że mieli odrobinę rozsądku i nie powiedzieli Enderowi o śmierci chłopaka.

– To też już drugi raz.

– Tak. O Stilsonie też mu nie mówili.

– Ten mały mnie przeraża.

– Ender Wiggin nie jest mordercą. On po prostu zwycięża – całkowicie. Jeśli ktoś powinien się bać, niech to będą robale.

– Wiedząc, że Ender się za nich zabierze, niemal zaczynam ich żałować.

– Ja żałuję tylko Endera. Ale nie tak bardzo, by proponować, żeby mu dali spokój. Właśnie uzyskałem dostęp do materiałów, które Graff otrzymywał przez cały czas: o ruchach flot i tego typu sprawach. Przedtem nie miewałem kłopotów z zaśnięciem.

– *Czas zaczyna nas popędzać?*

– *Nie powinienem o tym wspominać. Nie mam prawa zdradzać panu tajnych informacji.*

– *Wiem.*

– *Powiem tylko tyle: nie przenieśli go do Szkoły Dowodzenia nawet o jeden dzień za wcześnie. A może o parę lat za późno.*

Rozdział 13

Valentine

– Dzieci?

– Brat i siostra. Zagwarantowali sobie pięć warstw maskowania w sieci – pisali dla kompanii, które opłacały ich członkostwo. Piekielnie trudno było ich wyśledzić.

– Co właściwie ukrywali?

– Wszystko. A przede wszystkim swój wiek. Chłopak ma czternaście lat, dziewczynka dwanaście.

– Które jest Demostenesem?

– Dziewczynka. Dwunastolatka.

– Proszę wybaczyć. Wcale nie uważam tego za śmieszne, ale nie mogę się powstrzymać. Tak długo się martwimy, próbujemy przekonać Rosjan, żeby nie brali Demostenesa poważnie, dajemy Locke'a za przykład, że nie wszyscy Amerykanie są zwariowanymi podżegaczami... a tutaj para dzieciaków, rodzeństwo...

– Nazywają się Wiggin.

– Och. Przypadek?

– Ten Wiggin jest trzecim. Oni to pierwsze i drugie.

– Znakomicie! Rosjanie nigdy nie uwierzą...

– Że nie kontrolujemy Demostenesa i Locke'a tak samo, jak tego Wiggina.

– A czy rzeczywiście istnieje jakiś spisek? Czy ktoś za nimi stoi?

– Nie udało się nam wykryć żadnych kontaktów między tą dwójką dzieci i jakimkolwiek dorosłym, który mógłby nimi kierować.

– To nie znaczy, że ktoś nie wymyślił jakiegoś sposobu, którego nie potraficie rozszyfrować. Trudno uwierzyć, że dwójka dzieciaków...

– Rozmawiałem z pułkownikiem Graffem zaraz po tym, jak przyleciał ze Szkoły Bojowej. Jego zdaniem wszystko, czego dokonały te dzieci, mieści się w granicach ich możliwości. Teoretycznie mają identyczne zdolności jak... ten Wiggin. Różnią się tylko temperamentem. Był jednak zaskoczony orientacją tych dwóch osobowości. Wiadomo, że Demostenes to dziewczynka, ale Graff twierdzi, że nie przyjęto jej do Szkoły Bojowej, ponieważ była nastawiona zbyt pokojowo, zbyt skłonna do kompromisów, a przede wszystkim zbyt uczuciowa.

– Całkowite przeciwieństwo Demostenesa.

– Za to chłopak ma duszę szakala.

. – Czy to nie Locke'a wychwalano niedawno jako „jedyny prawdziwie otwarty umysł Ameryki"?

– Trudno zgadnąć, o co tu naprawdę chodzi. Ale Graff sugerował, a ja się z nim zgadzam, żeby zostawić ich w spokoju. Nie składać na razie żadnych raportów. Stwierdzimy tylko, że według naszych danych Locke i Demostenes nie mają żadnych zagranicznych powiązań ani nie kontaktują się z żadną z grup miejscowych poza tymi, które są oficjalnie zarejestrowane w sieci.

– Innymi słowy, dać im wolną rękę.

– *Wiem, że Demostenes wydaje się niebezpieczny, choćby dlatego, że ma tak wielu zwolenników. Ale to dość znaczące, że ambitniejsze z tej dwójki wybrało sobie rozsądne, umiarkowane wcielenie. Zresztą, na razie tylko gadają. Mają pewne wpływy, ale żadnej władzy.*

– *Moim zdaniem, wpływy to właśnie władza.*

– *Jeśli zaczną się zachowywać nieodpowiednio, zawsze możemy ich zdemaskować.*

– *Tylko przez najbliższe parę lat. Im dłużej będziemy czekać, tym będą starsi i odkrycie, kim są naprawdę, przestanie szokować.*

– *Sam pan wie, jak wyglądają ruchy rosyjskich wojsk. Zawsze istnieje szansa, że Demostenes ma rację. A w takim przypadku...*

– *Lepiej jest mieć go pod ręką. Dobrze. Zostawimy im wolną rękę. Na razie. Ale proszę ich pilnować. A ja, naturalnie, muszę coś wymyślić, żeby uspokoić Rosjan.*

Mimo swych obaw, Valentine nieźle się bawiła jako Demostenes. Miała swoją kolumnę w każdej prawie sieci informacyjnej w kraju i obserwowała z rozbawieniem, jak gromadzą się pieniądze na koncie jej adwokata. Od czasu do czasu razem z Peterem przekazywali, w imieniu Demostenesa, dokładnie skalkulowaną sumę dla konkretnego kandydata lub organizacji: dość dużą, by została zauważona, ale nie tak wielką, by kandydat sądził, że ktoś próbuje kupić jego głos. Dostawała tyle listów, że sieć zatrudniła sekretarkę, by prowadziła jej rutynową korespondencję. Najbardziej śmieszyły ją listy od rozmaitych przywódców państwowych i międzynarodowych – czasami wrogie, czasami przyjazne, zawsze jednak próbujące dyplomatycznie wysondować umysł Demostenesa. Czytali je razem z Peterem, śmiejąc się często, że tacy ludzie pisują do dwójki dzieci i wcale o tym nie wiedzą.

Czasem jednak było jej wstyd. Ojciec regularnie czytywał Demostenesa i nigdy Locke'a, a jeśli nawet, to o tym nie wspominał. Za to przy obiedzie często uszczęśliwiał ich jakimś trafnym spostrzeżeniem, jakiego w swej codziennej kolumnie dokonał Demostenes. Peter uwielbiał te ojcowskie wypowiedzi.

– Widzisz – mówił – z tego wynika, że prosty człowiek nas zauważa.

Valentine jednak było przykro z powodu ojca. Gdyby się kiedyś dowiedział, że to ona pisze i że nie wierzy w połowę rzeczy, o których mówi, byłby zły i zawstydzony.

Kiedyś w szkole narobiła sobie kłopotów, kiedy nauczyciel historii kazał klasie dokonać porównania poglądów Demostenesa i Locke'a, przedstawionych w dwóch wczesnych artykułach. Valentine zapomniała się i stworzyła świetną analizę porównawczą. W rezultacie ledwie odwiodła dyrektorkę od pomysłu, by opublikować jej esej w tej samej sieci, w której pisywała jako Demostenes. Peter był wściekły.

– Nie możesz pozwolić na druk. Piszesz zbyt podobnie do Demostenesa. Powinienem go teraz zlikwidować, wymykasz się spod kontroli.

Jeszcze bardziej niż w gniewie Peter przerażał ją, kiedy przestawał się odzywać. Jak wtedy, gdy Demostenes został zaproszony do wzięcia udziału w Prezydenckiej Radzie „Edukacja dla Przyszłości" – bardzo prestiżowym panelu, którego przeznaczeniem było nie dokonać niczego, ale zrobić to w wielkim stylu. Valentine sądziła, że Peter potraktuje to jako ich wspólny tryumf, ale myliła się.

– Odrzuć zaproszenie – powiedział.

– Dlaczego? – zdziwiła się. – To żadna robota, a mówią nawet, że ze względu na powszechnie znaną niechęć Demostenesa do ujawniania czegokolwiek na swój temat, puszczą do sieci wszystkie spotkania. Dzięki temu Demostenes stanie się osobą poważaną, a...

– A ty się cieszysz, że trafiłaś tam wcześniej ode mnie.

– Peter, przecież to nie ty i ja, ale Demostenes i Locke. To my ich wymyśliliśmy. Naprawdę nie istnieją. Zresztą, to zaproszenie wcale nie oznacza, że wolą Demostenesa niż Locke'a, ale że Demostenes ma dużo szersze poparcie. Wiedziałeś, że tak będzie. Jego udział zachwyci całe masy rusożerców i szowinistów.

– To wszystko miało być na odwrót. To Locke'a mieli szanować.

– I szanują! Więcej czasu trzeba, by zdobyć prawdziwe uznanie. Peter, przestań się na mnie gniewać tylko dlatego, że robię dobrze to, co mi kazałeś.

Ale był obrażony przez wiele dni i od tego czasu musiała sama wymyślać swoje artykuły. Nie mówił już, co ma pisać. Przypuszczał pewnie, że teksty Demostenesa będą gorsze. Jeśli nawet tak było, nikt tego nie zauważył. Może jeszcze bardziej rozzłościł go fakt, że nigdy nie przybiegła z płaczem, prosząc o pomoc. Zbyt długo grała swoją rolę, by ktoś musiał jej tłumaczyć, co Demostenes pomyślałby o danej sprawie.

W miarę, jak prowadziła coraz szerszą korespondencję z innymi aktywnymi politycznie obywatelami, zaczynała zdobywać dane i dowiadywać się o rzeczach niedostępnych opinii publicznej. Niektórzy wojskowi, z którymi wymieniała listy, nieświadomie i mimowolnie wtrącali pewne informacje, które potem, wspólnie z Peterem, łączyli w całość, uzyskując fascynujący i przerażający obraz działań Układu Warszawskiego. Tamci naprawdę szykowali się do totalnej i krwawej wojny na Ziemi. Demostenes słusznie zauważył, że Układ Warszawski nie stosuje się do postanowień Ligi.

Stopniowo postać Demostenesa zaczynała żyć własnym życiem. Zdarzało się, że pisząc Valentine zaczynała myśleć tak jak on, podzielając idee, które powinny być tylko elementami roli. A kiedy Peter czytał swoje eseje, irytowała ją jego ślepota na to, co rzeczywiście się dzieje.

Być może każdy, kto wciela się w jakąś postać, staje się w końcu tym, kogo udawał. Zastanawiała się nad tym, martwiła przez kilka dni, po czym, wykorzystując ten pomysł, napisała artykuł. Dowodziła w nim, że politycy, którzy dla utrzymania pokoju nadskakują Rosjanom, w rezultacie staną się im posłuszni we wszystkim. Był to przepiękny atak na rządzącą partię i otrzymała wtedy mnóstwo listów. Przestała się także martwić, że może się stać – do pewnego stopnia – Demostenesem. Jest sprytniejszy, niż z Peterem sądziliśmy, myślała.

Graff czekał na nią przed szkołą, oparty o samochód. Był w cywilnym ubraniu i przybrał mocno na wadze, więc w pierwszej chwili go nie poznała. Ale pomachał do niej i nim zdążył się przedstawić, przypomniała sobie, kim jest.

– Nie napiszę żadnego listu – oświadczyła. – Tamtego też nie powinnam pisać.

– Rozumiem, że nie lubisz medali.

– Nie bardzo.

– Pojedź ze mną na przejażdżkę, Valentine.

– Nie jeżdżę z obcymi.

Podał jej kartkę papieru – zezwolenie, podpisane przez rodziców.

– Więc nie jest pan obcy. Gdzie mamy jechać?

– Na spotkanie z pewnym młodym żołnierzem, który jest na przepustce w Greensboro.

Wsiadła do samochodu.

– Ender ma dziesięć lat – powiedziała. – Zdawało mi się, że dopiero kiedy skończy dwanaście, ma prawo do urlopu. Tak pan chyba mówił.

– Przeskoczył kilka etapów.

– Więc dobrze sobie radził?

– Spytaj go sama, kiedy go zobaczysz.

– Dlaczego ja? Czemu nie cała rodzina?

Graff westchnął.

– Ender patrzy na świat na swój własny sposób. Musieliśmy go namawiać, żeby się z tobą spotkał. Peter i rodzice go nie interesują. W Szkole Bojowej żyje się dość... intensywnie.

– Chce pan powiedzieć, że zwariował?

– Wręcz przeciwnie, jest najzdrowszą psychicznie osobą, jaką znam. Wystarczająco, by wiedzieć, że rodzice nie palą się, by na powrót otworzyć księgę uczuć, zamkniętą mocno cztery lata temu. Co do Petera... nawet nie proponowaliśmy spotkania, więc nie mógł nas wysłać do diabła.

Jechali trasą wzdłuż jeziora Brandt i minąwszy je skręcili na drogę, która wznosiła się i opadała, dobiegając w końcu do białego, drewnianego domku, wzniesionego na szczycie wzgórza. Z jednej strony rozciągało się Brandt, z drugiej małe, pięcioakrowe, prywatne jeziorko.

– Ten dom zbudował Mist-E-Rub Medly – wyjaśnił Graff. – MF kupiła go na aukcji podatkowej jakieś dwadzieścia lat temu. Ender nalegał, by jego rozmowa z tobą nie była podsłuchiwana. Obiecałem mu to. Aby nie było wątpliwości, wypłyniecie oboje na tratwie, którą sam zbudował. Muszę cię jednak uprzedzić. Zamierzam zadać ci kilka pytań na temat tej rozmowy. Nie musisz odpowiadać, ale mam nadzieję, że nie odmówisz.

– Nie mam kostiumu kąpielowego.

– Dostarczymy ci.

– Taki bez mikrofonów?

– Czasem trzeba sobie zaufać. Dla przykładu: wiem, kim naprawdę jest Demostenes.

Poczuła na karku dreszcz strachu, ale milczała.

– Wiem, odkąd przyleciałem ze Szkoły Bojowej. Na świecie jest może sześciu ludzi, którzy znają jego prawdziwe nazwisko. Nie licząc Rosjan – Bóg jeden wie, co wykryli Rosjanie. Ale z naszej strony Demostenes nie ma się czego obawiać. Może wierzyć w naszą dyskrecję. Tak, jak ja wierzę, że Demostenes nie poinformuje Locke'a o tym, co zdarzy się tu dzisiaj. Wzajemne zaufanie. Możemy sobie wiele opowiedzieć.

Valentine nie mogła się zdecydować, czy to Demostenes im się podoba, czy raczej Valentine Wiggin. Jeśli ten pierwszy, nie może im ufać;

w drugim wypadku zaufanie nie jest wykluczone. Fakt, że nie chcieli, by omawiała to spotkanie z Peterem, sugerował, że dostrzegali różnicę między nimi. Nie zastanowiła się, czy ona sama także ją widzi.

– Mówił pan, że zbudował tratwę. Jak długo już tu jest?

– Dwa miesiące. Planowaliśmy tylko kilka dni, ale on nie jest zainteresowany dalszym szkoleniem.

– Aha. Więc znowu mam służyć za lekarstwo.

– Tym razem nie mogę cię cenzurować. Musimy podjąć ryzyko. Twój brat jest nam niezbędny. Ludzkość znalazła się na krawędzi.

Valentine była już na tyle dorosła, by wiedzieć, co grozi światu. I tak długo wcielała się w Demostenesa, że nie zawahała się przed wypełnieniem obowiązku.

– Gdzie on jest?

– Na dole, koło pomostu.

– Gdzie kostium?

Ender nie pomachał jej ręką, kiedy schodziła ze wzgórza, nie uśmiechnął się, gdy weszła na pływającą keję. Wiedziała jednak, że się ucieszył – wiedziała, ponieważ ani na moment nie odrywał spojrzenia od jej twarzy.

– Jesteś większy, niż cię zapamiętałam – powiedziała niezbyt mądrze.

– Ty też – odparł. – Pamiętałem także, że byłaś piękna.

– Pamięć robi nam czasem takie sztuczki.

– Nie. Twarz ci się nie zmieniła. Ja po prostu nie wiem już, co oznacza piękno. Chodź, popływamy po jeziorze.

Spojrzała nieufnie na małą tratwę.

– Po prostu na niej nie stawaj – powiedział. Wczołgał się na deski jak pająk, na palcach stóp i rąk. – To pierwsza rzecz, jaką zbudowałem własnoręcznie od czasu, kiedy razem stawialiśmy domki z klocków. Peteroodporne domki.

Zaśmiała się. Kiedyś sprawiało im przyjemność wznoszenie konstrukcji, które stały prosto, mimo usunięcia wszystkich – na pozór – podpór. Peter z kolei wolał wyjmować po jednym klocku tu czy tam tak, że cała struktura stawała się niestabilna i wystarczyło lekkie dotknięcie, by się rozsypała. Peter był draniem, ale w pewien sposób ogniskował ich wspólne dzieciństwo.

– Peter bardzo się zmienił – powiedziała.

– Nie mówmy o nim – poprosił Ender.

– Jak chcesz.

Wczołgała się na tratwę, choć nie tak zręcznie, jak brat. Ender chwycił wiosło i wypłynęli na środek małego jeziora. Zauważyła na głos, że jest opalony i umięśniony.

– Mięśnie to efekt Szkoły Bojowej. Opalenizna pochodzi stąd. Dużo czasu spędzam na wodzie. Kiedy pływam, wydaje mi się, że jestem nieważki. Tęsknię za nieważkością. Poza tym, gdy jestem tutaj, ziemia podnosi się we wszystkich kierunkach.

– Jakbyś siedział w misie.

– Mieszkałem w misie przez cztery lata.

– Więc jesteśmy dla siebie obcy?

– A czy nie tak, Valentine?

– Nie – oświadczyła. Wyciągnęła rękę i dotknęła jego nogi. Nagle ścisnęła go pod kolanem, w miejscu, gdzie najmocniej reagował na łaskotki.

Jednak niemal w tym samym momencie złapał ją za rękę. Miał mocny chwyt, choć jego dłonie były mniejsze niż jej, a ramiona szczupłe i wąskie. Przez chwilę wyglądał groźnie, potem się rozluźnił.

– A, tak – powiedział. – Lubiłaś mnie łaskotać.

– Więcej nie będę – zapewniła, cofając rękę.

– Popływamy?

Zamiast odpowiedzi zsunęła się z tratwy. Woda była chłodna i czysta, bez chloru. Pluskała się przez chwilę, potem wróciła na tratwę, pławiąc się w blasku lekko przymglonego słońca. Komar zatoczył krąg, po czym usiadł na desce tuż koło jej głowy. Wiedziała, że Ender tam jest; normalnie bałaby się, ale nie dzisiaj. Niech sobie siedzi na tej tratwie i smaży na słońcu jak ona.

Wtedy tratwa zakołysała się, a kiedy Valentine odwróciła głowę, zobaczyła jak Ender rozgniata komara palcem.

– To paskudny gatunek – stwierdził. – Gryzą nie czekając, by ktoś je obraził.

Uśmiechnął się.

– Uczyłem się o strategiach prewencyjnych. W tym jestem dobry. Nikt mnie nigdy nie pokonał. Jestem najlepszym żołnierzem, jakiego mieli.

– Tego należało oczekiwać – odparła. – Jesteś Wigginem.

– Cokolwiek to oznacza.

– To oznacza, że kiedyś zmienisz świat.

I opowiedziała, co robiła razem z Peterem.

– Ile lat ma Peter? Czternaście? I już planuje, jak przejąć władzę nad światem?

– Wydaje mu się, że jest Aleksandrem Wielkim. Właściwie, dlaczego nie? Dlaczego ty także nie mógłbyś nim być?

– Nie możemy obaj być Aleksandrem.

– Jak dwie strony tej samej monety. A ja to warstwa metalu między nimi.

Zastanawiała się, czy to prawda. Tak wiele łączyło ją z Peterem przez ostatnie kilka lat, że chociaż wydawało się jej, że nim gardzi, to jednak potrafiła go zrozumieć. Tymczasem Ender do dzisiejszego dnia był tylko wspomnieniem. Małym, delikatnym chłopcem, który potrzebował opieki. Nie tym ciemnoskórym, młodym mężczyzną o zimnym spojrzeniu, który rozgniatał palcem komary. Może Ender, Peter i ona byli tacy sami od początku. Może tylko z zazdrości uważali, że się różnią.

– Problem z monetą polega na tym, że kiedy jedna strona jest odwrócona w górę, druga leży na dole.

A on myśli, że w tej chwili jest na dole.

– Chcą, żebym cię namówiła do powrotu do nauki.

– To nie jest nauka, to gry. Same gry, od początku do końca, tyle że oni zmieniają zasady, gdy tylko przyjdzie im ochota.

Podniósł bezwładną dłoń.

– Widzisz sznurki?

– Ty też możesz ich oszukać.

– Jedynie wtedy, gdy chcą być oszukiwani. Kiedy im się wydaje, że to oni cię oszukują. Nie, to za trudne. Nie chcę więcej grać. Kiedy tylko zaczynam się czuć szczęśliwy, kiedy mi się zdaje, że sobie radzę, wbijają mi kolejny nóż. Od kiedy tu jestem, miewam koszmary. Śni mi się, że jestem w sali bojowej, ale nie ma nieważkości, bo oni bawią się grawitacją. Zmieniają jej kierunek. Nigdy nie ląduję na ścianie, do której startowałem. Nigdy nie docieram, dokąd zamierzałem. Więc wtedy błagam ich, żeby tylko dopuścili mnie do bramy, ale oni tego nie chcą i za każdym razem wciągają mnie z powrotem.

Usłyszała gniew w jego głosie i uznała, że jest skierowany przeciw niej.

– Chyba po to tu jestem. Żeby cię wciągnąć z powrotem.

– Nie chciałem cię widzieć.

– Powiedzieli mi o tym.

– Bałem się, że ciągle cię kocham.

– Miałam nadzieję, że tak jest.

– Moje obawy i twoje pragnienia – jedno i drugie spełnione.

– Ender, to wszystko prawda. Może jesteśmy mali, ale wcale nie bezsilni. Tak długo postępujemy według ich reguł, że wreszcie gra staje się nasza – zachichotała. – Jestem w Radzie Prezydenckiej. Peter się wścieka.

– Nie pozwalają mi korzystać z sieci. Zresztą, nie ma tu komputera, tylko takie domowe maszyny, pilnujące systemu zabezpieczeń i oświetlenia. Stare graty. Instalowane w zeszłym wieku, kiedy komputery nie były jeszcze połączone. Odebrali mi moją armię, odebrali mój pulpit i wiesz co? Niewiele mnie to obchodzi.

– Musisz dobrze się czuć we własnym towarzystwie.

– Nie własnym. Moich wspomnień.

– Może jesteś właśnie tym, co pamiętasz.

– Nie. To moje wspomnienia o obcych. O robalach.

Valentine zadrżała, jakby nagle dmuchnął chłodny wiatr.

– Nie oglądam już filmów o robalach. Są zawsze takie same.

– Studiowałem je całymi godzinami. Ruchy statków w przestrzeni. I jest coś zabawnego, co przyszło mi do głowy dopiero tutaj, kiedy leżałem na środku jeziora: zauważyłem, że wszystkie bitwy, w których ludzie i robale walczyli wręcz, miały miejsce podczas Pierwszej Inwazji. Na zdjęciach z Drugiej, kiedy nasi żołnierze są już w mundurach MF, robale są martwe. Leżą przy konsolach. Ani śladu walki. A bitwa Mazera Rackhama... nigdy nie pokazali nam żadnych materiałów na jej temat.

– Może chodzi o jakąś tajną broń.

– Nie, nie. Nieważne, jak ich zabijaliśmy. Chodzi o samych robali. Nic o nich nie wiem, a przecież kiedyś mam z nimi walczyć. Stoczyłem w życiu mnóstwo bitew, czasem to były gry, a czasem... nie. Zawsze wygrywałem, ponieważ potrafiłem rozszyfrować sposób myślenia przeciwnika. Na podstawie tego, co robił. Wiedziałem, czego się po mnie spodziewa, w jaki sposób chce rozegrać bitwę. I działałem na podstawie tej wiedzy. W tym jestem dobry. W rozumieniu, jak myślą inni.

– Przekleństwo dzieci Wigginów – zażartowała, ale przestraszyła się, że Ender może zrozumieć ją tak jak swoich wrogów. Peter zawsze ją rozumiał, a przynajmniej tak mu się wydawało. Ale Peter był takim dnem moralnym, że nie czuła się skrępowana, nawet gdy odgadywał jej najgorsze myśli. Za to Ender... nie chciała, by ją rozumiał. Wstydziłaby się.

– Uważasz, że nie zdołasz pokonać robali, dopóki ich nie poznasz.

– To sięga głębiej. Będąc tutaj zupełnie sam, nie mając nic do roboty, starałem się pojąć, czemu tak bardzo siebie nienawidzę.

– Nie, Ender.

– Nie mów mi „Nie, Ender". Długo trwało, zanim to sobie uświadomiłem, ale możesz mi wierzyć, że to prawda. Wszystko sprowadza się do jednej rzeczy: w chwili, gdy naprawdę rozumiem swojego wroga, rozumiem go tak dobrze, że mogę pokonać, w tej właśnie chwili go kocham. Myślę, że nie da się zrozumieć kogoś do końca, jego pragnień, jego wierzeń, i nie pokochać go tak, jak on sam siebie kocha. I wtedy, w tym momencie, gdy ich kocham...

– Zwyciężasz ich.

– Nie, nie zrozumiałaś. Ja ich niszczę. Sprawiam, by nigdy już nie mogli mnie skrzywdzić. Miażdżę ich i rozgniatam, aż przestają istnieć.

– To przecież nieprawda.

Lęk powrócił, jeszcze silniejszy niż przedtem. Peter złagodniał, ale Ender... zrobili z niego zabójcę. Dwie strony tej samej monety, ale który z nich jest którą?

– Naprawdę skrzywdziłem kilku ludzi, Val. Nie zmyślam.

– Wiem, Ender.

Jak bardzo mnie skrzywdzi?

– Widzisz, kim się stałem, Val? – odezwał się cicho. – Nawet ty się mnie boisz.

Dotknął jej policzka tak delikatnie, że miała ochotę się rozpłakać. To było jak muśnięcie jego miękkiej, dziecięcej łapki, gdy był jeszcze całkiem mały. Pamiętała to – dotyk miękkiej, niewinnej dłoni na policzku.

– Nie boję się – powiedziała, i w tej chwili była to prawda.

– Powinnaś.

Nie, nie powinna.

– Pomarszczysz się cały, jeśli nie wyjdziesz z wody. W dodatku jakiś rekin może cię złapać.

– Już bardzo dawno temu rekiny nauczyły się zostawiać mnie w spokoju – odparł z uśmiechem, ale podciągnął się na rękach i wsunął na tratwę. Przechylił ją przy tym, wpuszczając na pokład falę wody. Wydawała się zimna, obmywając szyję Valentine.

– Ender, Peterowi się uda. Jest dostatecznie sprytny, żeby przeczekać do odpowiedniej chwili. W końcu zdobędzie władzę, jeśli nie teraz, to później. Nie jestem pewna, czy to dobrze, czy źle. Peter potrafi być okrutny, ale zna się na rządzeniu. Wiele wskazuje na to, że zaraz po wojnie z robalami, a może nawet przed jej końcem, świat znowu pogrąży się w chaosie. Przed Pierwszą Inwazją Układ Warszawski dążył do hegemonii. Jeśli po wszystkim spróbują jeszcze raz...

– Wtedy nawet Peter może się okazać lepszą alternatywą.

– Odkryłeś w sobie niszczycielskie instynkty, Ender. No więc ja też. Peter nie miał na to monopolu, cokolwiek mówiły testy. On za to znalazł w sobie coś z budowniczego. Nie jest łagodny, ale nie burzy już wszystkiego, co mu stanie na drodze. Kiedy sobie uświadomisz, że władza zawsze trafia do ludzi, którzy jej pożądają, to sądzę, że mogłaby trafić w gorsze ręce niż Petera.

– Przy tak silnej rekomendacji sam mógłbym na niego głosować.

– Wiesz, czasem to wszystko wydaje się idiotyczne. Czternastoletni chłopak i jego młodsza siostra spiskują, by objąć władzę nad światem – próbowała się roześmiać, ale nie było jej wesoło.

– Nie jesteśmy zwykłymi dziećmi. Żadne z nas.

– Czy nie chciałabyś czasem, żebyśmy byli?

Usiłowała sobie wyobrazić siebie taką, jak inne dziewczynki w szkole. Jakby to było, gdyby nie czuła się odpowiedzialna za przyszłość świata.

– Byłoby strasznie nudno.

– Nie wydaje mi się – wyciągnął się na tratwie, jakby pragnął tak leżeć bez końca.

I pewnie tak było. Cokolwiek zrobili Enderowi w Szkole Bojowej, zabili w nim ambicję. Naprawdę nie chciał opuszczać ogrzanych słońcem wód w tej misie.

Nagle pojęła, że on wierzy, że nie chce stąd odjeżdżać. Wciąż jednak ma zbyt wiele cech Petera. Żadne z nich nie potrafi długo być szczęśliwe nic nie robiąc. A może po prostu żadne z nich nie potrafi być szczęśliwe w samotności.

Znowu spróbowała przejść do natarcia.

– Jak nazywa się człowiek, którego znają wszyscy na świecie?

– Mazer Rackham.

– A gdybyś wygrał następną wojnę, tak jak on?

– Mazer Rackham to fuks. Był w rezerwie. Nikt w niego nie wierzył. Po prostu znalazł się we właściwym miejscu o właściwym czasie.

– Ale załóżmy, że ci się uda. Że pobijesz robali i staniesz się znany, tak jak Mazer Rackham.

– Niech ktoś inny zdobywa sławę. Peter chce być sławny. Pozwólmy mu zbawić świat.

– Nie mówię o sławie, Ender. Ani o władzy. Chodzi mi o przypadki. Takie, jak ten, że akurat Mazer Rackham się tam znalazł, kiedy ktoś musiał powstrzymać robali.

– Jeśli będę tutaj – oświadczył Ender – to nie będę tam. Ktoś inny to zrobi. Niech ma ten swój przypadek.

Jego znudzony, obojętny ton doprowadził ją do wściekłości.

– Mówię o swoim życiu, ty egoistyczny draniu.

Jeśli te słowa jakoś go poruszyły, to nie dał tego poznać. Po prostu leżał nieruchomo z zamkniętymi oczami.

– Kiedy byłeś mały, a Peter cię dręczył, nie leżałam czekając, aż mama i tata przyjdą ci na pomoc. Oni nigdy nie rozumieli, jak bardzo niebezpieczny był Peter. Wiedziałam, że masz czujnik, ale na tamtych też nie czekałam. Czy wiesz, co Peter mi robił za to, że nie pozwalałam mu znęcać się nad tobą?

– Zamknij się – wyszeptał Ender.

Ponieważ widziała, jak drży jego pierś, ponieważ wiedziała, że naprawdę go zraniła, ponieważ, tak jak Peter, odkryła jego najczulszy punkt i tam właśnie uderzyła, umilkła.

– Nie potrafię z nimi wygrać – oświadczył niepewnie Ender. – Pewnego dnia stanę naprzeciw nich, jak Mazer Rackham, i wszystko będzie zależeć ode mnie, a ja nie potrafię tego zrobić.

– Jeśli ty nie potrafisz, to nikomu innemu też się nie uda. Jeśli ich nie pokonasz, to zasługują na zwycięstwo, gdyż są silniejsi i lepsi od nas. To nie będzie twoja wina.

– Wytłumacz to zabitym.

– Jeśli nie ty, to kto?

– Ktokolwiek.

– Nikt, Ender. Coś ci powiem. Jeśli spróbujesz i przegrasz, to nie musisz sobie robić wyrzutów. Ale jeśli nie spróbujesz i my przegramy, ty będziesz winien. Ty zabijesz nas wszystkich.

– I tak jestem zabójcą.

– A niby kim powinieneś być? Ludzie nie wykształcili mózgów po to, żeby wylegiwać się na wodzie. Zabijanie było pierwszą czynnością, jaką opanowali. I bardzo dobrze, bo w przeciwnym razie już by nas nie było, a ziemią władałyby tygrysy.

– Nigdy nie wygrałem z Peterem. Cokolwiek mówiłem czy robiłem. Nigdy.

Tak więc wszystko wracało do Petera.

– Był dużo starszy od ciebie. I silniejszy.

– Tak jak robale.

Teraz go rozumiała. Mógł wygrać wszystko, co chciał, ale w głębi serca wiedział, że jest ktoś, kto może go zniszczyć. Wiedział, że nie zwycięża naprawdę, gdyż istnieje Peter, niepokonany mistrz.

– Chcesz pokonać Petera?

– Nie.

– Pokonaj robali. Potem, kiedy wrócisz do domu, zobaczysz, kto jeszcze będzie zwracał uwagę na Petera Wiggina. Popatrz mu w oczy w chwili, gdy cały świat będzie cię wielbił i szanował. To będzie dla niego porażką. Tak możesz wygrać.

– Nic nie rozumiesz – odparł.

– Owszem, rozumiem.

– Wcale nie. Ja nie chcę pokonać Petera.

– Więc czego chcesz?

– Żeby mnie kochał.

Na to nie znalazła odpowiedzi. O ile wiedziała, Peter nie kochał nikogo.

Ender nie powiedział już ani słowa. Po prostu leżał. I leżał.

Wreszcie Valentine, zlana potem, wśród chmur moskitów, które pojawiły się, gdy nadszedł zmrok, raz jeszcze zsunęła się do wody i zaczęła popychać tratwę do brzegu. Ender nie okazywał zainteresowania tym, co robiła, ale nieregularny oddech świadczył o tym, że nie śpi. Gdy dotarli na miejsce, Valentine wspięła się na pomost i powiedziała:

– Ja cię kocham, Ender. Bardziej, niż kiedykolwiek. Niezależnie od tego, co postanowisz.

Nie odpowiedział. Wątpiła, czy jej uwierzył. Wróciła na wzgórze wściekła, że skłonili ją, by w taki sposób rozmawiała z Enderem. Ponieważ, mimo wszystko, zrobiła dokładnie to, co chcieli: przekonała Endera, by podjął szkolenie. I nieprędko jej to wybaczy.

• • •

Ender podszedł do drzwi, mokry jeszcze po ostatniej kąpieli. Mrok zalegał na zewnątrz, mrok panował w pokoju, gdzie czekał na niego Graff.

– Czy możemy już lecieć? – spytał Ender.

– Jeśli chcesz – odparł Graff.

– Kiedy?

– Jak tylko będziesz gotowy.

Ender wziął prysznic i ubrał się. Przyzwyczaił się w końcu do kroju cywilnych ubrań, ale wciąż czuł się głupio bez munduru albo skafandra. Pomyślał, że już nigdy nie będzie nosił skafandra. To była gra

Szkoły Bojowej i ma ją już za sobą. Słyszał, jak szaleńczo cykają świerszcze. W pobliżu zachrzęściły na żwirze koła toczącego się wolno samochodu.

Co jeszcze powinien ze sobą zabrać? Przeczytał parę książek z biblioteki, ale były częścią wyposażenia domu i nie mógł ich wziąć. Jedyna rzecz, która należała do niego – zbudowana własnoręcznie tratwa – także musiała tu zostać.

Błysnęło światło w pokoju, gdzie czekał Graff. On także się przebrał: znowu włożył mundur.

Siedzieli obok siebie na tylnym siedzeniu. Samochód jechał bocznymi drogami, by dotrzeć na lotnisko od strony bocznej bramy.

– Kiedy jeszcze rosła populacja – odezwał się Graff – na tych terenach były lasy i farmy. Obszar działu wodnego. Opady powodują tutaj, że wiele rzek zaczyna płynąć i podnosi się poziom wód gruntowych. Ziemia jest głęboka, Ender, i żywa aż do serca. My, ludzie, żyjemy tylko na wierzchu, jak te robaki, mieszkające wśród śmieci w stojącej wodzie przy brzegu.

Ender nie odpowiedział.

– Szkolimy naszych dowódców tak, jak szkolimy, ponieważ to konieczne. Muszą myśleć w pewien szczególny sposób, nie mogą ich rozpraszać różne drobiazgi. Dlatego ich izolujemy. Was. Trzymamy was w odosobnieniu. I to skutkuje. Ale kiedy nie spotykasz ludzi, kiedy nie widzisz Ziemi i żyjesz w metalowych ścianach, oddzielających cię od mrozu przestrzeni, łatwo jest zapomnieć, czemu warto ratować Ziemię. Dlaczego świat ludzi wart jest ceny, którą płacisz.

Więc dlatego mnie tu przywiózł, pomyślał Ender. Przy całym pośpiechu, poświęcił trzy miesiące, żebym pokochał Ziemię. Udało mu się. Wszystkie jego sztuczki się udały. Nawet Valentine; ona też posłużyła do tego, żebym zrozumiał, że nie wracam do Szkoły tylko dla siebie. Cóż, będę o tym pamiętał.

– Może wykorzystałem Valentine – powiedział Graff. – A ty możesz mnie za to nienawidzić. Ale pamiętaj, Ender: udało mi się tylko dlatego, że to, co jest między wami, jest prawdziwe. Tylko to się liczy. Między istotami ludzkimi istnieją miliardy takich związków. O to właśnie walczysz – żeby je ocalić.

Ender odwrócił się do okna. Obserwował, jak helikoptery i sterowce wznoszą się i opadają.

Polecieli śmigłowcem na kosmodrom MF w Stumpy Point. Oficjalnie nazwano go imieniem zmarłego hegemona, ale wszyscy mówili „Stumpy Point", na pamiątkę małego miasteczka, które zalano betonem przy budowie dróg dojazdowych do tych gigantycznych wysp ze stali i betonu, jakich pełno było na Pamlico Sound. Wciąż jeszcze żyły tu wodne ptaki, brodzące dostojnie, małymi kroczkami, po słonych wodach tam, gdzie porośnięte mchem drzewa pochylały się, jakby chciały pić. Zaczęło trochę padać, beton był czarny i śliski. Trudno było powiedzieć, w którym miejscu kończy się droga, a zaczyna Sound.

Graff przeprowadził go przez labirynt kontroli. Władzę dawała mu mała, plastykowa kulka, którą wrzucał do czytników. Drzwi się otwierały, ludzie stawali na baczność i salutowali, czytnik wypluwał kulkę, i szli dalej. Ender zauważył, że z początku wszyscy patrzyli na Graffa, ale w miarę jak wchodzili coraz głębiej, bardziej przyglądali się Enderowi. Urzędników interesował człowiek obdarzony władzą, ale tam, gdzie wszyscy mieli władzę, ciekawił ich chłopiec.

Dopiero na promie, kiedy Graff zajął fotel obok niego i zapiął pasy, Ender zrozumiał, że startują razem.

– Jak daleko? – zapytał. – Jak daleko pan ze mną leci?

Graff uśmiechnął się lekko.

– Do samego końca, Ender.

– Mianowali pana administratorem Szkoły Dowodzenia?

– Nie.

A więc zdjęli Graffa ze stanowiska w Szkole Bojowej wyłącznie po to, by towarzyszył Enderowi. Ależ jestem ważny, pomyślał. I coś podobnego do głosu Petera odezwało się w jego mózgu: jak może to wykorzystać?

Drgnął i spróbował myśleć o czymś innym. Peter pragnął władzy nad światem, ale Endera władza nie interesowała. Mimo to, gdy myślał o swoim życiu w Szkole Bojowej, przyszło mu do głowy, że choć nigdy nie szukał władzy, zawsze ją miał. Uznał jednak, że to zdolności, nie manipulacje, dają mu siłę. Nie miał się czego wstydzić. Nigdy, może tylko w przypadku Groszka, nie wykorzystał jej, by kogoś zranić. A z Groszkiem wszystko w końcu ułożyło się jak najlepiej. Groszek stał się przyjacielem i zajął miejsce utraconego Alai, który z kolei zastąpił Valentine. Valentine, która pomagała Peterowi w jego intrygach. Która ciągle kochała Endera, bez względu na to, co się stanie.

Ten ciąg myśli zaprowadził go znowu na Ziemię, do tych spokojnych chwil, kiedy unosił się na środku jeziora, w misie porośniętych drzewami wzgórz. Oto Ziemia, pomyślał. Nie kula o tysiącach kilometrów obwodu, ale las i błyszcząca powierzchnia jeziora, domek ukryty między drzewami na wierzchołku wzgórza, trawiaste zbocze opadające do wody, wyskakujące w górę ryby i ptaki, co pikują w dół, by schwytać owady żyjące na granicy pomiędzy powietrzem i wodą. Ziemia to ciągły szum głosów świerszczy, wiatru i ptaków. I głos dziewczyny, przemawiający z odległego dzieciństwa. Ten sam głos, który kiedyś chronił go przed grozą. Ten sam, dla którego zrobiłby wszystko, byle nie umilkł. Nawet wrócił do Szkoły, zostawił Ziemię na kolejne cztery, czterysta czy cztery tysiące lat. Nawet, jeśli bardziej kochała Petera.

Oczy miał zamknięte i nie ruszał się. Oddychał tylko. Mimo to Graff wyciągnął rękę ponad przejściem i dotknął jego dłoni. Ender zesztywniał zaskoczony i Graff się wycofał, lecz chłopiec przez moment rozważał szokującą myśl, że może Graff żywi dla niego jakieś uczucia. Ale nie, to na pewno tylko kolejne wykalkulowane posunięcie. Graff tworzył z małego chłopca komendanta i bez wątpienia lekcja 17 kursu przewidywała ciepły gest nauczyciela.

Prom dotarł do satelity SMP już po kilku godzinach. Skok Międzyplanetarny był miastem z trzema tysiącami mieszkańców oddychających tlenem z roślin, które także ich żywiły, pijących wodę, która już dziesięć tysięcy razy przepłynęła przez ich organizmy. Żyli tylko po to, by obsługiwać holowniki, wykonujące całą czarną robotę w systemie słonecznym, i promy, zabierające pasażerów i ładunki z powrotem na Ziemię lub Księżyc. Był to świat, gdzie przez krótki czas Ender czuł się u siebie, ponieważ podłogi zakrzywiały się do góry, tak samo jak w Szkole Bojowej.

Holownik był całkiem nowy; MF stale pozbywała się starych statków i kupowała najnowsze modele. Przyleciał właśnie z ładunkiem stali, wytopionej na statku, eksploatującym małe planetki w pasie asteroidów. Stal miała trafić na Księżyc, a holownik był już połączony z czternastoma barkami. Graff jednak znowu wrzucił swoją kulkę do czytnika i barki odczepiono. Holownik miał tym razem wykonać lot bez obciążenia, do celu wskazanego przez Graffa, jednak dopiero po odcumowaniu od SMP.

– To żadna tajemnica – oświadczył kapitan holownika. – Zawsze, kiedy cel lotu jest nieznany, chodzi o SMG.

Przez analogię z SMP, Ender domyślił się, że skrót oznacza Skok Międzygwiezdny.

– Tym razem nie – odparł Graff.

– Więc co?

– Dowództwo MF.

– Nie mam prawa nawet wiedzieć, gdzie to jest, sir.

– Pański statek będzie wiedział – oświadczył Graff. – Niech tylko komputer to odczyta i podąża wyznaczonym kursem – podał mu plastykową kulkę.

– A ja mam przez całą drogę zamykać oczy, żeby się nie domyślić, gdzie lecimy?

– Ależ nie, naturalnie, że nie. Dowództwo MF znajduje się na Erosie, małej planetce oddalonej stąd o jakieś trzy miesiące lotu z maksymalną szybkością. A taką właśnie szybkością polecimy.

– Eros? Zdawało mi się, że robale zmieniły go w radioaktywny... aha. A kiedy przyznano mi prawo dostępu do tej informacji?

– Nie przyznano panu. Dlatego, kiedy już dotrzemy na Erosa, otrzyma pan zapewne stałą funkcję na miejscu.

Kapitan natychmiast zrozumiał, o co chodzi i wcale nie był zachwycony.

– Jestem pilotem, ty sukinsynu, i nie masz prawa trzymać mnie na tym kawałku skały!

– Pominę milczeniem obraźliwy język, jakiego użył pan wobec starszego stopniem. Przykro mi, ale otrzymałem polecenie, by wykorzystać możliwie najszybszy holownik wojskowy. Kiedy przybyliśmy, był to akurat pański statek. Nikt się specjalnie na pana nie uwziął. Nie ma się czym martwić. Wojna może się skończyć już za piętnaście lat, a wtedy położenie kwatery dowództwa nie będzie już objęte tajemnicą. Przy okazji muszę pana uprzedzić na wypadek, gdyby pan korzystał przy lądowaniu głównie z danych wizualnych, że Eros został wyciemniony. Ma albedo minimalnie tylko większe niż czarna dziura. Nic pan nie zobaczy.

– Dzięki – burknął kapitan.

Dopiero w drugim miesiącu podróży zaczął odzywać się do Graffa uprzejmie.

Biblioteka komputera pokładowego okazała się dość ograniczona, przeznaczona raczej dla rozrywki niż nauki. Dlatego po śniadaniu i porannej gimnastyce Ender i Graff na ogół rozmawiali.

O Szkole Dowodzenia. O Ziemi. O astronomii, fizyce i wszystkim, czego Ender chciał się dowiedzieć.

A chciał się dowiedzieć możliwie dużo o robalach.

– Nie wiemy zbyt wiele – mówił Graff. – Nigdy nie udało się nam schwytać robala. Nawet kiedy okrążaliśmy jakiegoś nieuzbrojonego i żywego, umierał gdy tylko stawało się jasne, że nie ma szans ucieczki. Nawet ten „on" nie jest rzeczą pewną. Najbardziej prawdopodobna teoria mówi, że wszyscy żołnierze robali to samice, choć ich organy płciowe są szczątkowe lub zupełnie niewykształcone. Trudno powiedzieć. Dla ciebie najbardziej użyteczna byłaby wiedza o ich psychologii, a nie udało nam się z żadnym porozmawiać.

– Niech pan opowie wszystko, co pan wie. Może dowiem się wtedy czegoś, co mi się przyda.

I Graff opowiadał. Robale były organizmami, które w zasadzie mogły powstać na Ziemi, gdyby miliardy lat temu sprawy ułożyły się inaczej. Na poziomie molekularnym nie było żadnych niespodzianek. Nawet materiał genetyczny niczym się nie różnił. Nie przypadkiem wydawały się ludziom podobne do owadów. Wprawdzie ich organy wewnętrzne uległy znacznej komplikacji, powstał szkielet wewnętrzny, a zewnętrzny w większej części był w zaniku, jednak struktura wewnętrzna robali wciąż bardzo przypominała budową ich przodków, którzy mogli być podobni do ziemskich mrówek.

– Ale niech cię to nie zmyli – ostrzegł Graff. – Tak samo prawdziwe byłoby twierdzenie, że nasi przodkowie przypominali wiewiórki.

– Jeśli to wszystko, na czym mogę się oprzeć, to niewątpliwie już coś – stwierdził niechętnie Ender.

– Wiewiórki nigdy nie zbudowały kosmolotu – rzekł Graff. – Na ogół jest kilka przemian po drodze od zbierania orzechów i nasion do przemysłowego wykorzystywania asteroidów i zakładania stałych stacji badawczych na księżycach Saturna.

Robale dostrzegały prawdopodobnie ten sam zakres widma światła, co ludzie, a na ich statkach i konstrukcjach planetarnych było sztuczne oświetlenie. Jednocześnie ich czułki niemal zupełnie zanikły. Budowa ciał nie sugerowała, by węch, smak czy słuch miały dla nich szczególne znaczenie.

Naturalnie, nie możemy być pewni. Ale nie odkryliśmy, w jaki sposób mogłyby wykorzystywać dźwięk w celu porozumiewania się. Najdziwniejsze, że na ich statkach nie znaleźliśmy urządzeń komunikacyjnych – żadnych radiostacji, nic, co mogłoby wysyłać czy przyjmować jakiekolwiek sygnały.

– Statki rozmawiają ze sobą. Widziałem filmy. Oni się komunikowali.

– Owszem. Ale ciało z ciałem, umysł z umysłem. To najważniejsza rzecz, jakiej się od nich nauczyliśmy. Ich komunikacja, jakkolwiek by działała, jest natychmiastowa. Prędkość światła nie wyznacza granicy. Kiedy Mazer Rackham pobił ich flotę, zamknęli interes. Od razu. Nie czekali na sygnał. Wszystko po prostu stanęło.

Ender przypomniał sobie wideo, gdzie robale bez żadnych obrażeń leżały martwe na stanowiskach.

– Wtedy dowiedzieliśmy się, że to możliwe: komunikacja szybsza niż światło. To było siedemdziesiąt lat temu, a kiedy zrozumieliśmy, że można to zrobić, dokonaliśmy tego. Nie ja, oczywiście. Nie było mnie wtedy na świecie.

– Jak to możliwe?

– Nie potrafię ci wytłumaczyć zasad fizyki filotycznej. Zresztą połowy i tak nikt nie rozumie. Najważniejsze jest to, że zbudowaliśmy ansibla. Oficjalnie nazywa się Filotyczny Równoległy Natychmiastowy Komunikator, ale ktoś wygrzebał ansibla w jakiejś starej książce i przyjęło się. Większość ludzi nawet nie wie, że taka maszyna istnieje.

– To znaczy, że statki mogą ze sobą rozmawiać nawet kiedy opuszczą Układ Słoneczny.

– To znaczy, że mogą ze sobą rozmawiać, nawet jeśli są po przeciwnych stronach Galaktyki.

– Dlatego wiedzieli o klęsce, gdy tylko nastąpiła – stwierdził Ender. – Zawsze się zastanawiałem. Wszyscy uważają, że robale dopiero dwadzieścia pięć lat temu dowiedzieli się o bitwie, którą przegrali.

– To uspokaja – wyjaśnił Graff. – Nawiasem mówiąc, opowiadam ci o rzeczach, o których nie masz prawa wiedzieć, jeśli kiedykolwiek chcesz opuścić Dowództwo MF. To znaczy, zanim skończy się wojna.

– Jeśli zna mnie pan choć trochę – zdenerwował się Ender – to wie pan, że potrafię dochować tajemnicy.

– Takie są przepisy. Osoby poniżej dwudziestu pięciu lat uważane są za zagrożenie tajności. To niesprawiedliwość wobec wielu odpowiedzialnych dzieci, ale umożliwia zmniejszenie liczby tych, którym coś mogłoby się wymknąć.

– Właściwie po co te wszystkie tajemnice?

– Ponieważ podjęliśmy straszliwe ryzyko i nie chcemy, żeby każda sieć na Ziemi domyślała się naszych decyzji. Widzisz, gdy tylko mieliśmy działające ansible, zamontowaliśmy je na naszych najlepszych statkach i wysłaliśmy, żeby zaatakowały system robali.

– Wiemy, skąd pochodzą?

– Tak.

– Więc nie czekamy na Trzecią Inwazję?

– To my jesteśmy Trzecią Inwazją.

– My ich atakujemy... Kto by pomyślał... Wszyscy sądzą, że mamy wielką flotę okrętów, czekających w rejonie tarczy kometarnej...

– Ani jednego. Jesteśmy całkiem bezbronni.

– Co będzie, jeśli wyślą na nas flotę?

– Będziemy martwi. Ale nasze statki nie wykryły żadnego śladu takiej floty.

– Może zrezygnowali i postanowili zostawić nas w spokoju?

– Może. Widziałeś filmy. Czy zaryzykowałbyś założenie, że zrezygnowali i zostawią nas w spokoju?

Ender spróbował wyliczyć, ile minęło czasu.

– I nasze okręty lecą już od siedemdziesięciu lat?

– Niektóre. A niektóre od trzydziestu albo od dwudziestu. Coraz lepiej operujemy przestrzenią. Ale każdy statek, który opuścił stocznię, znajduje się w drodze do świata robali albo do jakiejś ich placówki. Wszystkie kosmoloty, z krążownikami i myśliwcami podpiętymi do brzuchów, są tam, daleko, i zbliżają się. Hamują. Ponieważ są już prawie na miejscu. Pierwsze statki wysłano do najdalszych celów, następne do coraz bliższych. Całkiem nieźle wyliczyliśmy czasy. Dotrą na odległość bojową w odstępie kilku miesięcy jeden od drugiego. Niestety, ich rodzinny system będzie atakował nasz najbardziej prymitywny, przestarzały sprzęt. Mimo wszystko są wystarczająco uzbrojeni – mamy trochę sprzętu, którego robale nie widziały jeszcze na oczy.

– Kiedy osiągną cel?

– W ciągu najbliższych pięciu lat. W Dowództwie MF wszystko jest przygotowane. Czeka główny ansibl, kontaktujący się z całą flotą inwazyjną; okręty są gotowe do walki. Jedyne, czego nam brakuje, Ender, to kogoś, kto by pokierował bitwą. Kogoś, kto by wiedział, co do diabła zrobić z tymi jednostkami, kiedy już dotrą na miejsce.

– A jeśli nikt nie wie, co z nimi zrobić?

– Będziemy robili, co się da, z najlepszym dowódcą, jakiego znajdziemy.

Ze mną, pomyślał Ender. Chcą, żeby był gotów w ciągu pięciu lat.

– Panie pułkowniku, to niemożliwe, żebym był gotów na czas.

Graff wzruszył ramionami.

– Trudno. Będziesz działał, jak umiesz najlepiej. Jeśli nie będziesz gotowy, poradzimy sobie z tym, co mamy.

Te słowa uspokoiły trochę Endera.

Ale tylko na chwilę.

– Tylko że teraz, Ender, nie mamy nikogo.

Ender wiedział, że to jeszcze jedna zagrywka Graffa. Żeby uwierzył, że wszystko zależy od niego; żeby się nie załamał i pracował tak ciężko, jak to tylko możliwe.

Zagrywka czy nie, to może być prawdą. Dlatego będzie pracował tak ciężko, jak to tylko możliwe. Tego spodziewała się po nim Val. Pięć lat. Pięć lat do chwili, gdy flotylle osiągną cel, a on niczego jeszcze nie wie.

– Za pięć lat będę miał dopiero piętnaście – zauważył Ender.

– Prawie szesnaście – odparł Graff. – Wszystko zależy od tego, ile się nauczysz.

– Panie pułkowniku, chciałbym wrócić na Ziemię i zwyczajnie pływać w jeziorze.

– Jak tylko wygramy wojnę. Albo przegramy. Pozostanie nam kilka dziesięcioleci, zanim tu dolecą, żeby nas wykończyć. Domek tam pozostanie i obiecuję ci, że będziesz mógł pływać do upojenia.

– Ciągle będę za młody, żeby gwarantować dochowanie tajemnicy.

– Przez cały czas pozostaniesz pod strażą. Armia wie, jak załatwiać takie sprawy.

Obaj wybuchnęli śmiechem i Ender musiał sobie powtarzać, że Graff tylko udaje przyjaciela, że wszystko, co robi jest oszustwem albo kłamstwem, wykalkulowanym w celu przekształcenia Endera w doskonałą machinę bojową. Stanie się narzędziem, jakiego im potrzeba, ale przynajmniej świadomie. Zrobi to, ponieważ tego chce, nie dlatego, że mnie wykiwałeś, ty podstępny sukinsynu, szepnął bezgłośnie Ender.

Zanim zdążyli się zorientować, holownik dotarł do Erosa. Kapitan pokazał im skan wizualny, potem skan termiczny, wyświetlony na tym samym ekranie. Praktycznie rzecz biorąc wisieli nad planetoidą – dzieliło ich niecałe cztery tysiące kilometrów – ale Eros, długości zaledwie dwudziestu czterech kilometrów, pozostawał niewidoczny, chyba że błyszczał refleksami słonecznego światła.

Kapitan dokował przy jednej z trzech platform lądowniczych okrążających Erosa. Nie mógł lądować bezpośrednio, gdyż planetoida miała wzmocnione ciążenie, a holownik, projektowany do transportu ładunku, nie mógłby się wyrwać ze studni grawitacyjnej. Kapitan pożegnał się z nimi dość ponuro, ale Ender i Graff nie tracili humoru. On był rozgoryczony, gdyż musiał opuścić swój statek; oni czuli się jak więźniowie, którzy po długich staraniach uzyskali warunkowe zwolnienie. Wsiadając na prom, który miał ich przewieźć na powierzchnię Erosa, przerzucali się cytatami z filmów, które kapitan bez przerwy oglądał i rechotali jak wariaci. Kapitan patrzył na nich kwaśno i w końcu udał, że śpi. Pod koniec lotu, jakby coś sobie przypominając, Ender zadał Graffowi ostatnie pytanie:

– Dlaczego właściwie wybuchła wojna z robalami?

– Znam mnóstwo powodów – odparł Graff. – Dlatego, że ich system jest przeludniony i muszą zdobyć kolonie. Ponieważ nie mogą znieść myśli o innym inteligentnym życiu we wszechświecie. Ponieważ nie uważają nas za inteligentnych. Ponieważ wyznają jakąś niesamowitą religię. Albo obejrzeli nasze stare audycje i uznali, że jesteśmy beznadziejnie skażeni przemocą. Wybierz z tego, co zechcesz.

– A w co pan wierzy?

– Moja wiara nie ma znaczenia.

– Mimo wszystko chciałbym wiedzieć.

– Widzisz, oni muszą się porozumiewać bezpośrednio. Umysł z umysłem. Co pomyśli jeden, pomyśli i drugi; co jeden pamięta, drugi pamięta także. Po co mieliby rozwijać język? Po co mieliby się uczyć czytać i pisać? Skąd by wiedzieli, co oznaczają napisy, gdyby je zobaczyli? Albo sygnały? Albo liczby? Czy cokolwiek, co służy nam do komunikacji? Problem nie leży w tłumaczeniu z jednego języka na drugi, ponieważ oni nie mają żadnego języka. Wykorzystaliśmy wszelkie dostępne środki, żeby się z nimi porozumieć, ale oni nie mieli nawet aparatury, która mogłaby wykryć, że nadajemy. Może myśleli coś do nas i nie mogą pojąć, czemu nie odpowiadaliśmy.

– Czyli cała ta wojna trwa tylko dlatego, że nie potrafiliśmy się dogadać.

– Jeśli ten drugi nie umie ci o sobie opowiedzieć, nie możesz być pewien, że nie chce cię zabić.

– A gdybyśmy zwyczajnie zostawili ich w spokoju?

– Ender, to nie my do nich polecieliśmy. Oni przyszli pierwsi. Jeśli chcieli dać nam spokój, to mieli okazję sto lat temu, przed Pierwszą Inwazją.

– Może nie wiedzieli, że jesteśmy świadomi. Może...

– Wierz mi, Ender, takie dyskusje trwały przez całe stulecie. Nikt nie wie, jaka jest odpowiedź. Kiedy jednak dochodzi do działania, jest tylko jedno wyjście: jeśli jedni z nas muszą zostać zniszczeni, to upewnijmy się, że to my w końcu zostaniemy żywi. Nasze geny nie pozwalają na podjęcie innej decyzji. Ewolucja nigdy nie wykształci gatunku pozbawionego woli przeżycia. Można hodować osobniki skłonne poświęcić życie, ale cała rasa nigdy nie postanowi, by przestać istnieć. Dlatego, jeśli tylko nam się uda, wybijemy robali do ostatniego, a oni, jeśli tylko zdołają, wybiją nas.

– Jeśli chodzi o mnie – oświadczył Ender – to jestem zwolennikiem przetrwania.

– Wiem – stwierdził Graff. – Dlatego tutaj trafiłeś.

Rozdział 14

Nauczyciel Endera

– Nie spieszył się pan, pułkowniku Graff. Podróż nie jest krótka, ale trzy miesiące wakacji to lekka przesada.

– Nie lubię dostarczać wybrakowanego towaru.

– Są ludzie, którzy po prostu nie mają poczucia czasu. Co tam zresztą, chodzi przecież tylko o losy świata. Proszę nie zwracać uwagi na to, co mówię. Ale musi pan zrozumieć naszą niecierpliwość. Siedzimy tu przy ansiblu, odbierając ciągłe raporty o postępie naszych okrętów. Każdego dnia wiemy, że wojna jest coraz bliżej. Jeśli można tu mówić o dniach. A on jest jeszcze taki mały...

– Jest w nim wielkość. Wspaniałość ducha.

– Mam nadzieję, że także instynkt zabójcy.

– Tak.

– Zaplanowaliśmy dla niego trochę nietypowy tok szkolenia. Oczywiście, wszystkie tematy wymagają pańskiego zatwierdzenia.

– Przyjrzę się im. Nie będę udawał, że się na tym znam, admirale Chamrajnagar. Jestem tu tylko dlatego, że znam Endera. Nie musi się pan obawiać, że zechcę zmienić pańskie propozycje. Najwyżej tempo szkolenia.

– Jak wiele możemy mu powiedzieć?

– Nie warto marnować czasu na fizykę podróży międzygwiezdnych.

– Co z ansiblem?

– O tym już mu powiedziałem. I jeszcze to, że flotylle dotrą do celu w ciągu pięciu lat.

– Widzę, że niezbyt wiele zostało dla nas.

– Wyjaśnijcie mu działanie systemów uzbrojenia. Musi o nich wiedzieć, jeśli ma podejmować decyzje.

– Och, mimo wszystko na coś się przydamy. Jak to miło. Przeznaczyliśmy jeden z pięciu symulatorów wyłącznie do jego użytku.

– Co z innymi?

– Innymi symulatorami?

– Innymi dziećmi.

– Jest pan tutaj, żeby się zajmować Enderem Wigginem.

– Po prostu byłem ciekawy. Niech pan nie zapomina, że oni wszyscy byli kiedyś moimi uczniami.

– A teraz są moimi. Wprowadzamy ich w sekrety floty, pułkowniku, których pan, jako żołnierz, nie miał okazji poznać.

– W pana ustach brzmi to jak opis zakonu.

– I boga. I religii. Nawet ci z nas, którzy dowodzą za pośrednictwem ansibla, znają wspaniałość lotu wśród gwiazd. Widzę, że uważa pan to za mistycyzm. Zapewniam, że pański niesmak jest jedynie dowodem ignorancji. Już wkrótce Ender Wiggin będzie wiedział to, co ja; wkrótce zatańczy między gwiazdami i wszystko, co jest w nim wielkiego, zostanie odkryte, odsłonięte, postawione wobec wszechświata. Ma pan duszę kamienia, pułkowniku, ale potrafię zaśpiewać kamieniowi tak, że zrozumie równie dobrze, jak inny śpiewak. Może pan teraz pójść do swojej kwatery i się rozpakować.

– Nie mam żadnego bagażu, oprócz ubrania, które noszę.

– Niczego pan nie posiada?

– Trzymają moją pensję na koncie bankowym gdzieś na Ziemi. Nigdy nie potrzebowałem pieniędzy. Jedynie po to, by kupić cywilne ubranie na czas moich... wakacji.

– Nie jest pan materialistą. A mimo to jest pan nieprzyjemnie tęgi. Łakomy asceta? Cóż za sprzeczność.

– Kiedy odczuwam napięcie, jem. Kiedy pan odczuwa napięcie, wydala pan odpadki stałe.

– Podoba mi się pan, pułkowniku. Sądzę, że się dogadamy.

– Niespecjalnie mi na tym zależy, admirale. Przyleciałem tu dla Endera. A żaden z nas nie przybył tu dla pana.

Ender nienawidził Erosa od chwili, gdy wysiadł z promu. Czuł się fatalnie już na Ziemi, gdzie podłogi były płaskie. Eros okazał się zupełnie beznadziejny. Kształtem przypominał wrzeciono, mające zaledwie sześć i pół kilometra w najwęższym punkcie. Powierzchnię zewnętrzną przeznaczono w całości dla absorpcji światła i jego przemiany w energię, więc ludzie żyli w komorach o gładkich ścianach, połączonych tunelami, we wszystkie strony przecinającymi wnętrze asteroidu. Zamknięta przestrzeń nie stanowiła dla Endera problemu. Męczyło go to, że podłogi tuneli wyraźnie opadały w dół. Od samego początku cierpiał na zawroty głowy, gdy chodził po korytarzach, zwłaszcza tych, które biegły wokół obwodu planetoidy. Grawitacja wynosiła tu tylko połowę ziemskiej normy, ale to niewiele pomagało; wrażenie, że za chwilę spadnie, było nie do odparcia.

Było też coś niepokojącego w samych proporcjach pomieszczeń: stropach kabin, zbyt niskich w stosunku do ich wymiarów, zbyt wąskich korytarzach. Nie żyło się tu wygodnie.

Najgorsze było jednak, że roiło się od ludzi. Ender prawie nie pamiętał ziemskich miast. Dlatego Szkołę Bojową, gdzie każdego znał z widzenia, uważał za odpowiednio zagęszczoną. Tu jednak, we wnętrzu skały, populacja wynosiła dziesięć tysięcy. Nie było tłoku, choć aparatura systemu podtrzymywania życia i inny sprzęt zajmowały sporo miejsca. Endera denerwowało, że przez cały czas otaczają go obcy.

Z nikim nie pozwolili mu się bliżej poznać. Często widywał innych studentów Szkoły Dowodzenia, ale ponieważ nie uczęszczał regularnie na zajęcia, pozostali dla niego tylko twarzami. Od czasu do czasu zjawiał się na takim czy innym wykładzie, zwykle jednak kształcił się indywidualnie pod opieką nauczycieli. Z rzadka tylko przebieg jakiegoś procesu wyjaśniał mu któryś ze studentów. Jadał sam albo w towarzystwie Graffa. Ćwiczył w sali gimnastycznej, ale rzadko spotykał tam kogoś więcej niż jeden raz.

Stwierdził, że znowu chcą go odizolować, tym razem nie drogą budzenia nienawiści, a raczej przez pozbawienie go wszelkich szans na bliższe kontakty z innymi. Zresztą i tak nie mógłby się z nikim zaprzyjaźnić – prócz niego wszyscy uczniowie byli już w wieku dorastania.

W tej sytuacji Ender całkowicie poświęcił się studiom. Uczył się szybko i dobrze; astrogację i historię działań wojennych chłonął jak gąbka; abstrakcyjna matematyka była trudniejsza, lecz zawsze się przekonywał, gdy natrafiał na problem związany ze złożonymi wzorami czasu i przestrzeni, że bardziej może ufać swej intuicji niż obliczeniom. Często od razu widział rozwiązanie, którego zasadność potrafił udowodnić dopiero po długich minutach, czasem nawet godzinach, manipulacji liczbami.

Dla przyjemności miał symulator, najdoskonalszą grę wideo, jaką widział w życiu. Nauczyciele i studenci krok po kroku tłumaczyli mu, jak się nim posługiwać. Z początku, nie znając jeszcze straszliwej mocy gry, używał jej tylko na poziomie taktycznym, operując pojedynczym myśliwcem w powtarzanych bez końca manewrach pościgu i niszczenia wroga. Kontrolowany przez komputer wróg był potężny i chytry. Gdy tylko Ender wypróbował nową taktykę, już po kilku minutach komputer wykorzystywał ją przeciw niemu.

Gra toczyła się na holograficznym ekranie, gdzie jego myśliwiec reprezentowało maleńkie światełko. Przeciwnik był także światełkiem, innego koloru; tańczyli i wirowali wewnątrz sześcianu o boku długości mniej więcej dziesięciu metrów. Instrumenty pozwalały na wiele: mógł obracać ekran w każdym kierunku tak, by obserwować wszystko z różnych kątów; mógł też przesuwać środek, by walka rozgrywała się bliżej lub dalej.

W miarę, jak coraz sprawniej potrafił kontrolować szybkość myśliwca, kierunek ruchu, orientację i systemy uzbrojenia, gra stawała się bardziej złożona. Zdarzały się dwa wrogie statki równocześnie; albo przeszkody, jakieś okruchy w przestrzeni; musiał się martwić o paliwo i ograniczenia działania broni; komputer wyznaczał mu konkretne obiekty, które miał zniszczyć lub zadania do wykonania. Musiał się naprawdę skoncentrować, jeśli chciał osiągnąć cel i wygrać.

Kiedy opanował grę z jednym myśliwcem, pozwolili mu przejść do następnego etapu, jakim była eskadra czterech jednostek. Wydawał rozkazy symulowanym pilotom i zamiast wykonywać instrukcje komputera, mógł sam określać taktykę. Sam decydował, który z celów jest najważniejszy i zgodnie z tą decyzją dowodził grupą. W każdej chwili mógł, na pewien czas, osobiście przejąć sterowanie którymś z myśliwców i początkowo często z tego korzystał. Wtedy jednak pozostałe trzy jednostki szybko ulegały zniszczeniu. Gra stawała się coraz trudniejsza i coraz więcej czasu zajmowało mu kierowanie eskadrą. Coraz częściej wygrywał.

Nim minął rok jego pobytu w Szkole, sprawnie używał symulatora na wszystkich piętnastu poziomach – od pilotowania samotnego myśliwca do kierowania flotą. Dawno już zrozumiał, że symulator był dla Szkoły Dowodzenia tym, czym Sala Bojowa w jego dawnej szkole. Wykłady przydawały się, ale wiedzę czerpał z gry. Różni ludzie wpadali od czasu do czasu, żeby popatrzeć, jak sobie radzi. Nigdy się do niego nie odzywali – jak zresztą prawie nikt, z wyjątkiem tych, którzy mieli mu coś wytłumaczyć. Widzowie stali w milczeniu oglądając jego manewry w jakiejś trudnej symulacji, po czym odchodzili, gdy tylko skończył. Co tu właściwie robią? Oceniają go? Sprawdzają, czy można mu powierzyć flotę? Niech pamiętają, że wcale o to nie prosił.

Stwierdził, że to, czego nauczył się w Szkole Bojowej, daje się wykorzystać na symulatorze. Co kilka minut odruchowo zmieniał jego orientację, by nie przyzwyczajać się do sztywnego układu góra-dół. Bez przerwy oceniał swoją pozycję z punktu widzenia przeciwnika. Przyjemnie było sprawować pełną kontrolę nad przebiegiem bitwy, dostrzegać każdy jej element.

Jednocześnie irytowało go, że jego władza jest mocno ograniczona. Symulowane myśliwce były tak dobre, jak pozwalał komputer. Nie przejawiały inicjatywy. Nie dysponowały inteligencją. Zaczął tęsknić za swoimi dowódcami plutonów. Gdyby tu byli, przynajmniej niektóre eskadry działałyby samodzielnie, bez ciągłego nadzoru.

Pod koniec pierwszego roku wygrywał już wszystkie bitwy i grał tak, jakby maszyna stała się częścią jego ciała.

– Czy to już wszystko, co może zrobić symulator? – spytał pewnego dnia, gdy jadł obiad w towarzystwie Graffa.

– Czy co już wszystko?

– To, jak teraz gra. Proste układy, a od pewnego czasu przestały się robić trudniejsze.

– Ach.

Graff przyjął to obojętnie. Ale Graff każdą rzecz przyjmował obojętnie. Następnego dnia wszystko się zmieniło. Graff odszedł, a na jego miejsce przydzielili Enderowi towarzysza.

• • •

Był w pokoju, gdy Ender przebudził się rankiem – stary człowiek, siedzący po turecku na podłodze. Ender spojrzał na niego z zaciekawieniem czekając, kiedy się odezwie. Nie doczekał się. Ender wstał, umył się i ubrał. Postanowił mu nie przeszkadzać. Niech sobie milczy, jak długo zechce. Dawno już się przekonał, że kiedy dzieje się coś niezwykłego – coś, co zaplanował ktoś inny, a nie on sam – więcej informacji uzyska czekając, niż zadając pytania. Dorośli prawie zawsze pierwsi tracili cierpliwość.

Mężczyzna nie odezwał się nawet wtedy, gdy Ender był już gotowy i chciał wyjść. Drzwi się nie otworzyły. Ender odwrócił się i stanął twarzą w twarz z siedzącym na podłodze. Wyglądał na sześćdziesiąt lat i był z pewnością najstarszym człowiekiem, jakiego spotkał na Erosie. Miał jednodniowy zarost, kryjący jego twarz tylko odrobinę mniej niż krótko przycięte włosy czaszkę. Policzki były trochę zapadnięte, a sieć zmarszczek otaczała oczy. Spojrzał na Endera z wyrazem świadczącym wyłącznie o apatii.

Ender wrócił do drzwi i jeszcze raz spróbował je otworzyć.

– No, dobrze – powiedział rezygnując. – Czemu drzwi są zablokowane?

Mężczyzna nadal przyglądał mu się tępym wzrokiem.

Więc to gra, pomyślał chłopiec. Dobra. Jeśli chcą, żeby poszedł na lekcje, otworzą drzwi. Nie otworzą, to znaczy, że nie chcą. Jemu nie zależy.

Nie lubił gier, w których zasady były zupełnie nieznane i nie wiedział, co jest ich celem. Dlatego nie będzie grał. Zdecydował też, że nie pozwoli się wyprowadzić z równowagi. Oparty o framugę zmusił się do ćwiczeń odprężających i wkrótce znów był spokojny. Starzec patrzył na niego obojętnie.

Zdawało się, że trwa to całe godziny – Ender się nie odzywał, a obcy sprawiał wrażenie niemego debila. Przez chwilę Ender zastanawiał się, czy jego gość jest zdrowy psychicznie, czy nie uciekł ze szpitala na Erosie, by w jego pokoju przeżywać jakąś szaleńczą fantazję. Ale im dłużej to trwało i nikt nie zaglądał do pokoju w poszukiwaniu zbiega, tym bardziej Ender nabierał pewności, że wszystko zostało zaplanowane, by go zirytować. Nie miał zamiaru się poddawać. Żeby wypełnić czymś czas, zaczął ćwiczyć. Niektóre elementy ćwiczeń były niewykonalne bez sprzętu gimnastycznego, ale przy innych, zwłaszcza tych, które zapamiętał z kursu samoobrony, żadne przyrządy nie były potrzebne.

Ćwicząc poruszał się po pokoju. Trenował wypady i kopnięcia. W pewnej chwili znalazł się tuż obok mężczyzny, zresztą nie po raz pierwszy. Teraz jednak wysunęła się szponiasta dłoń i chwyciła Endera za uniesioną lewą nogę. Chłopiec stracił równowagę i runął ciężko na podłogę.

Wściekły, zerwał się natychmiast. Starzec siedział spokojnie ze skrzyżowanymi nogami, oddychając równo – jakby w ogóle się nie poruszył. Ender stał gotów do walki, ale bezruch tamtego uniemożliwiał atak. Co miał zrobić, skopać mu łeb z karku? A potem tłumaczyć się Graffowi: ten stary mnie zaczepił, więc przecież musiałem oddać.

Wrócił do ćwiczeń. Obcy przyglądał się obojętnie.

Wreszcie, zmęczony i zły z powodu straconego dnia, Ender podszedł do łóżka, by wyjąć pulpit. Kiedy się schylił, poczuł, jak dłoń tamtego wbija mu się mocno między uda, a druga chwyta za włosy. Zaraz potem został odwrócony głową w dół. Twarz i ramiona przyciskało do podłogi kolano obcego, zaś ręka wyginała boleśnie kark i blokowała nogi. Nie mógł użyć rąk, nie mógł się wyprostować, by zyskać trochę swobody i uderzyć nogą. W ciągu niecałych dwóch sekund starzec całkowicie pokonał Endera Wiggina.

– No, dobrze – wysapał chłopiec. – Wygrał pan. Kolano obcego przycisnęło go mocniej.

– Od kiedy to – spytał cichym, zgrzytliwym głosem – musisz informować przeciwnika, że wygrał? Ender nie odpowiedział.

– Już raz cię zaskoczyłem, Enderze Wiggin. Dlaczego mnie nie zniszczyłeś zaraz potem? Dlatego, że nie wyglądałem groźnie? Odwróciłeś się do mnie plecami. Głupie. Niczego nie potrafisz. Nigdy nie miałeś nauczyciela.

Ender był wściekły i nie starał się tego ukryć ani opanować.

– Miałem aż za wielu nauczycieli. Skąd mogłem wiedzieć, że okaże się pan...

– Wrogiem, Enderze Wiggin – szepnął starzec. – Jestem twoim wrogiem, pierwszym, jakiego spotkałeś, który jest sprytniejszy od ciebie. Nie ma nauczyciela, jest nieprzyjaciel. Tylko nieprzyjaciel może ci pokazać, jak zwyciężać i niszczyć. Odkryć twoje słabe punkty. Powiedzieć, gdzie jesteś silny. Ta gra ma tylko dwie reguły: to, co możesz mu zrobić i to, przed czym potrafisz go powstrzymać, by nie zrobił tobie. Od tej chwili jestem two-

383

im wrogiem. Od tej chwili jestem twoim nauczycielem.

Puścił nogi Endera. Wciąż jeszcze przyciskał mu twarz do podłogi, więc chłopiec nie mógł zamortyzować uderzenia i ze stukiem trafił stopami w ziemię. Poczuł mdlące ukłucie bólu. Wtedy obcy odstąpił i pozwolił mu wstać.

Ender jęknął cicho i z wysiłkiem podciągnął nogi. Klęczał przez chwilę nieruchomo, z wolna dochodząc do siebie. Potem jego prawa ręka wystrzeliła w bok, w stronę wroga. Mężczyzna odskoczył szybko. Dłoń Endera chwyciła powietrze, a jego nauczyciel wyprowadził kopnięcie w podbródek.

Ale podbródka Endera już w tym miejscu nie było. Chłopiec wyprostował się padając na plecy, momentalnie przekręcił, i zanim jego nauczyciel zdążył postawić nogę po kopnięciu, stopy Endera z całą siłą uderzyły go w drugą. Starzec zwalił się bezwładnie, ale wystarczająco blisko, by wyprowadzić cios, który trafił Endera w twarz. Jego ręce i nogi nie pozostawały w jednym miejscu na tak długo, by można było je chwycić, a tymczasem grad uderzeń spadał na ramiona i plecy chłopca. Był mniejszy, nie potrafił się przebić przez barierę rąk tamtego. Wreszcie udało mu się wydostać i odczołgać do drzwi.

Starzec siedział jak poprzednio, lecz teraz na jego twarzy nie było nawet śladu apatii. Uśmiechał się.

– Już lepiej, chłopcze. Ale za wolno. Musisz operować flotą lepiej niż własnym ciałem, inaczej nikt nie będzie bezpieczny pod twoją komendą. Zrozumiałeś lekcję?

Ender powoli kiwnął głową. Bolało go całe ciało.

– To dobrze – rzekł obcy. – W takim razie nie będziemy już musieli staczać takich bitew. Cała reszta odbędzie się na symulatorze. Teraz ja będę go programował, nie komputer; ja zaplanuję strategię twoich przeciwników. Nauczysz się reagować szybko i odkrywać, jakie sztuczki dla ciebie przygotowali. Zapamiętaj, chłopcze. Od tej chwili nieprzyjaciel jest mądrzejszy od ciebie. Jest silniejszy od ciebie. Od tej chwili zawsze będziesz bliski klęski.

Twarz mężczyzny przybrała wyraz powagi.

– Będziesz bliski klęski, Ender, ale wygrasz. Dowiesz się, jak zwyciężać nieprzyjaciela. On sam ci to pokaże.

Nauczyciel wstał.

– W tej szkole panuje tradycja, że starszy student wybiera sobie młodszego, stają się towarzyszami i starszy przekazuje młodszemu wszystko, co sam umie. Zawsze ze sobą walczą, zawsze współzawodniczą, zawsze są razem. Ja wybrałem ciebie.

– Jest pan za stary na studenta – stwierdził Ender, gdy tamten szedł już do drzwi.

– Nigdy się nie jest za starym, by studiować wrogów. Ja uczyłem się od robali. Ty nauczysz się ode mnie.

Mężczyzna przyłożył dłoń do zamka. Gdy drzwi otwierały się, Ender wyskoczył w powietrze i obiema stopami kopnął go w kark. Trafił tak mocno, że mógł się odbić i wylądować bez upadku, a obcy krzyknął i osunął się na ziemię.

Wstawał powoli, kurczowo trzymając się uchwytu drzwi. Twarz miał wykrzywioną bólem i wydawał się całkowicie niezdolny do działania, lecz Ender mu nie ufał. Jednak mimo czujności szybkość tamtego zaskoczyła go zupełnie. W jednej chwili znalazł się na podłodze pod przeciwległą ścianą. Krew płynęła mu z nosa i warg w miejscach, gdzie uderzył o ramę łóżka. Obejrzał się z trudem. Mężczyzna stał w drzwiach, krzywił się i rozcierał tył głowy. Uśmiechnął się.

Ender odpowiedział uśmiechem.

– Nauczycielu – powiedział. – Czy masz jakieś imię?

– Mazer Rackham – odparł starzec. I wyszedł.

* * *

Od tamtego dnia Ender albo przebywał z Mazerem Rackhamem, albo był sam. Mazer rzadko się odzywał, ale był przy nim zawsze: na posiłkach, na lekcjach, w symulatorze, nocą w jego pokoju. Czasami znikał, ale kiedy był nieobecny, drzwi nie dawały się otworzyć i nikt nie przychodził, dopóki Mazer nie powrócił. Przez tydzień Ender nazywał go nawet Dozorcą Rackhamem. Mazer reagował na to imię tak, jak na swoje własne i najwyraźniej się nim nie przejął. Ender szybko zrezygnował.

Zyskał za to pewne przywileje. Mazer pokazywał mu sfilmowane dawne bitwy z Pierwszej Inwazji i katastrofalne porażki MF z Drugiej. Wreszcie mógł oglądać pełne, ciągłe zapisy, a nie posklejane razem kawałki ocenzurowanych, publicznych wideo. Ponieważ w czasie najważniejszych walk pracowała cała masa kamer, mogli studiować taktykę i strategię robali z najrozmaitszych punktów widzenia. Po raz pierwszy w życiu

Ender miał nauczyciela, który wskazywał mu rzeczy, jakich sam nie zauważył. Po raz pierwszy napotkał umysł, który mógł podziwiać.

– Jak to się dzieje, że jeszcze żyjesz? – spytał kiedyś Ender. – Wygrałeś swoją bitwę siedemdziesiąt lat temu, a nie sądzę, żebyś miał teraz więcej niż sześćdziesiąt.

– To cuda względności – wyjaśnił Mazer. – Trzymali mnie tutaj przez dwadzieścia lat po walce, chociaż ich błagałem, żeby dali mi jeden z tych statków, które wysłali przeciwko planecie robali i ich koloniom. Potem... zaczęli rozumieć zachowanie żołnierzy w stresie podczas bitwy.

– Jakie zachowanie?

– Za mało znasz psychologię, żeby zrozumieć. W każdym razie dotarło do nich, że chociaż nigdy nie będę w stanie dowodzić flotą, to nadal jestem jedynym człowiekiem, który potrafi przekazać to, co zrozumiał o robalach. Byłem – pojęli w końcu – jedyną osobą, która pobiła robali raczej dzięki inteligencji niż szczęściu. Potrzebowali mnie tutaj, żebym... żebym uczył tego, kto poprowadzi flotę.

– Więc wsadzili cię w kosmolot, rozpędzili do prędkości relatywistycznej i...

– I potem zrobiłem zwrot i wróciłem do domu. To była nudna podróż, Ender. Pięćdziesiąt lat w przestrzeni. Formalnie minęło dla mnie zaledwie osiem, ale miałem wrażenie, że to raczej pięćset. Po to, żebym mógł nauczyć następnego dowódcę wszystkiego, co potrafię.

– Więc to ja mam być tym dowódcą?

– Powiedzmy, że w danej chwili masz największe szanse.

– Czy inni też się przygotowują?

– Nie.

– Więc raczej nie ma wyboru, prawda?

Mazer wzruszył ramionami.

– Chyba że ty. Przecież jeszcze żyjesz. Dlaczego nie?

Mazer pokręcił głową.

– Dlaczego? Przecież już raz wygrałeś.

– Nie mogę być komendantem z ważnych i aż nadto wystarczających powodów.

– Pokaż, jak pobiłeś robali, Mazer.

Twarz Mazera przybrała nieodgadniony wyraz.

– Wszystkie inne bitwy oglądaliśmy już co najmniej siedem razy. Wydaje mi się, że wymyśliłem, jak zwyciężyć robali takich, jakimi byli wtedy. Ale wciąż nie wiem, jak naprawdę ich pokonałeś.

– To wideo, Ender, jest otoczone ścisłą tajemnicą.

– Wiem. Udało mi się je odtworzyć, częściowo. Ty, z małą grupą rezerwową i ich armada, te ogromne, pękate statki wyrzucające roje myśliwców. Atakujesz jeden z tych statków, strzelasz, wybuch. W tym miejscu zawsze przerywają zapis. Potem są już tylko żołnierze, wchodzą na wrogie okręty i znajdują martwych robali.

– To tyle, jeśli chodzi o ścisłe tajemnice – uśmiechnął się Mazer. – Dobrze, obejrzymy sobie to wideo.

Byli sami w sali filmowej. Ender przyłożył dłoń do zamka i zablokował drzwi.

– Oglądajmy.

Wideo pokazało dokładnie to, co poskładał sobie Ender. Samobójczy atak Mazera na serce nieprzyjacielskiej formacji, pojedyncza eksplozja, a potem...

Nic. Statek Mazera leciał dalej, uniknął fali wybuchu i wykreślił złożoną krzywą między okrętami robali. Nie strzelali do niego. Nie zmieniali kursów. Dwie jednostki zderzyły się i eksplodowały – niepotrzebna kolizja, której każdy pilot mógł z łatwością uniknąć. Żaden z nich nawet nie próbował.

Mazer przyspieszył przesuw taśmy, przewinął do przodu.

– Czekaliśmy trzy godziny – powiedział. – Nikt nie mógł uwierzyć.

Na ekranie statki MF zbliżyły się do kosmolotów robali. Marines zaczęli wycinać przejścia i dokonywać abordażu. Robale leżeli martwi na stanowiskach.

– Przekonałeś się – stwierdził Mazer. – Widziałeś już wszystko, co było do zobaczenia.

– Jak to się stało?

– Tego nikt nie wie. Mam swoją prywatną teorię. Ale mnóstwo naukowców uważa, że nie posiadam dostatecznych kwalifikacji, żeby przedstawiać swoje teorie.

– Przecież to ty wygrałeś bitwę.

– Też mi się wydawało, że to mnie do czegoś upoważnia, ale wiesz, jak to jest. Ksenobiolodzy i ksenopsycholodzy nie potrafią sobie nawet wyobrazić, że zwykły pilot może wiedzieć lepiej od nich. Chyba wszyscy mnie nienawidzą, ponieważ, kiedy zobaczyli te filmy, musieli dożyć końca swoich dni tutaj, na Erosie. Wiesz, bezpieczeństwo. Nie byli zbyt szczęśliwi.

– Powiedz.

– Robale nie rozmawiają. One myślą do siebie. To proces natychmiastowy, tak jak efekt filotyczny. Jak ansibl. Większość ludzi sądzi jednak, że oznacza to kontakt kontrolowany, jak język: ja myślę coś do ciebie, a ty mi odpowiadasz. Nigdy w to nie wierzyłem. Zbyt szybko wspólnie reagują. Widziałeś filmy. Oni nie rozmawiają, nie decydują o wyborze sposobu działania. Statki zachowują się, jakby były częściami jednego organizmu. Reagują tak, jak reaguje twoje ciało podczas walki – poszczególne kończyny bezmyślnie i automatycznie robią to, co robić powinny. Robale nie prowadzą myślowych rozmów, jak ludzie, z których każdy ma inny proces myślowy. Wszystkie ich myśli istnieją razem, równocześnie.

– Jedna osobowość, a każdy robal jest jak stopa albo dłoń?

– Dokładnie. Nie ja pierwszy zasugerowałem coś takiego, ale ja pierwszy w to uwierzyłem. Jest jeszcze coś. Pomysł tak dziecinnie głupi, że ksenobiolodzy wyśmiali mnie, kiedy to powiedziałem po bitwie. Robale są owadami. Jak mrówki i pszczoły. Jest królowa i robotnice. Może były nimi sto milionów lat temu, ale właśnie z takiego wzorca zaczynały. Z całą pewnością żaden z robali, jakich oglądaliśmy, nie mógł wytwarzać nowych, małych robali. Więc kiedy już wykształciły sobie zdolność wspólnego myślenia, to czy nie zachowałyby królowej? Czy nadal nie pozostałaby ona ośrodkiem grupy? Po co mieliby to zmieniać?

– Więc to królowa steruje całą grupą.

– Miałem na to dowody. Chociaż nie takie, które ktoś z nich mógłby zauważyć. Pojawiły się zresztą dopiero po Pierwszej Inwazji, bo ona była czysto badawcza. Ale Druga była kolonizacyjna. Chcieli założyć nowy kopiec albo coś takiego.

– Dlatego przywieźli królową.

– Spójrz. To wideo z Drugiej Inwazji, kiedy rozwalali naszą flotę w tarczy kometarnej – zaczął wywoływać i wyświetlać formacje robali. – Pokaż mi statek królowej.

To był subtelny problem. Statki robali poruszały się bez przerwy, wszystkie równocześnie. Nie istniał żaden wyraźnie widoczny okręt flagowy, żaden oczywisty ośrodek. Ale stopniowo, gdy Mazer raz za razem wyświetlał filmy, Ender zaczął dostrzegać, że wszelkie ruchy ogniskują się i promieniują z centralnego punktu. Ten punkt przemieszczał się, było jednak widoczne, gdy przyglądał się dostatecznie długo, że oczy floty, jaźń floty, perspektywa, z której podejmowane są decyzje, znajduje się na pewnym konkretnym statku. Wskazał go.

– Ty to widzisz. Ja też to widzę. To już dwóch spośród tych wszystkich, którzy oglądali film. Ale to prawda.

– Ten statek porusza się tak samo, jak wszystkie inne.

– Wiedzieli, że to ich najsłabszy punkt.

– Jednak odgadłeś. Tam była królowa. Ale można by się spodziewać, że kiedy ją zaatakujesz, natychmiast skoncentrują na tobie całą siłę ognia. Momentalnie powinni cię zestrzelić.

– Wiem. Sam tego nie rozumiem. Wiesz, oni próbowali mnie zatrzymać. Strzelali do mnie. Ale wyglądało to tak, jakby nie mogli uwierzyć – do chwili, gdy było już za późno – że naprawdę zamierzam zabić królową. Może w ich świecie królowe nigdy nie giną, najwyżej trafiają do niewoli, jak w szachach, gdy dochodzi do mata. Zrobiłem coś, do czego – jak sądzili – przeciwnik nie był zdolny.

– A kiedy ona zginęła, oni zginęli także.

– Nie, po prostu zgłupieli. Na pierwszych statkach, na które weszliśmy, robale jeszcze żyły. Biologicznie. Ale nie ruszały się, nie reagowały na nic, nawet wtedy, gdy nasi naukowcy przeprowadzili wiwisekcję, żeby dowiedzieć się o nich czegoś więcej. A po pewnym czasie wszyscy umarli. Z braku chęci życia. Kiedy odchodzi królowa, w tych ich małych ciałach nie zostaje nic.

– Dlaczego nie chcą ci uwierzyć?

– Ponieważ nie znaleźliśmy królowej.

– Rozleciała się na kawałki.

– Jak to na wojnie. Przetrwanie jest ważniejsze niż biologia. Ale są tacy, którzy zaczynają już myśleć podobnie. Kiedy się żyje w tym miejscu, dowody rzucają ci się w oczy.

– Jakie dowody mogą istnieć na Erosie?

– Rozejrzyj się, Ender. To nie ludzie wyryli te korytarze. Na przykład, wolimy sufity trochę wyżej. Tutaj znajdowała się wysunięta placówka robali w czasie Pierwszej Inwazji. Wykopali to wszystko, zanim jeszcze się dowiedzieliśmy, że istnieją. Mieszkamy w kopcu robali. Ale zapłaciliśmy już czynsz. Ponad tysiąc marines zginęło przy oczyszczaniu tego labiryntu, pokój za pokojem. Robale broniły każdego metra korytarzy.

Ender zrozumiał, czemu zawsze coś go niepokoiło w rozkładzie pomieszczeń.

– Wiedziałem, że to nie jest miejsce dla ludzi.

– Znaleźliśmy tu prawdziwy skarbiec. Gdyby

się spodziewali, że wygramy pierwszą wojnę, pewnie nigdy by nie budowali czegoś takiego. Nauczyliśmy się kontrolować grawitację, ponieważ tutaj działa wzmocnione ciążenie. Nauczyliśmy się skutecznie wykorzystywać energię gwiezdną, ponieważ oni wyciemnili to miejsce. Właściwie dzięki temu ich odkryliśmy: w przeciągu trzech dni Eros stopniowo zniknął z teleskopów. Wysłaliśmy statek, żeby sprawdzić, co się dzieje. Sprawdzili. Nadawali na wizji, jak robale wchodzą na pokład i wyrzynają załogę. Transmisja trwała przez cały czas badania statku. Przerwali ją dopiero, kiedy rozłożyli go na kawałki. Nie przewidzieli tego – nigdy nie musieli przesyłać informacji poprzez maszyny. Nie pomyśleli, że kiedy załoga jest martwa, ktoś może ich obserwować.

– A dlaczego ich pozabijali?

– A dlaczego nie? Dla nich utrata paru członków załogi to jak dla ciebie strata obciętego paznokcia. Nie ma się czym przejmować. Uważali to pewnie za rutynowe odcięcie linii komunikacyjnych drogą wyłączenia robotnic kierujących statkiem. Nie sądzili, że mordują żyjące, świadome istoty, z których każda miała niezależną genetyczną przyszłość. Zabójstwo to dla nich drobiazg. Jedynie zabójstwo królowej jest morderstwem, ponieważ zamyka ścieżkę genetyczną.

– Więc tak naprawdę nie wiedzieli, co robią.

– Nie próbuj ich usprawiedliwiać, Ender. Nie wiedzieli, że zabijają ludzkie istoty, ale nie zmienia to faktu, że zabijali. Mamy prawo się bronić najlepiej, jak potrafimy, a najskuteczniejszym sposobem, jaki znamy, jest likwidacja robali, zanim oni nas zlikwidują. Spójrz na to w ten sposób:

w czasie obu wojen z robalami oni zabili tysiące, wiele tysięcy inteligentnych, świadomych istot. I w czasie obu wojen my zabiliśmy tylko jedną.

– Mazer, czy przegralibyśmy tę wojnę, gdybyś nie zabił królowej?

– Moim zdaniem szanse były jak trzy do dwóch przeciw nam. Dalej uważam, że potrafilibyśmy solidnie przetrzebić ich flotę, zanim by nas wytłukli. Mieli fenomenalny czas reakcji i potworną siłę ognia, ale my też trzymaliśmy w ręku parę atutów. Każdy z naszych statków niósł myślące na własny rachunek, inteligentne istoty ludzkie. Każdy z nas mógł wpaść na jakieś genialne rozwiązanie problemu. Oni są zdolni tylko do jednego genialnego pomysłu na raz. Myślą szybko, ale ogólnie nie są tacy sprytni. Nawet gdy wyjątkowo tępi i głupi dowódcy przegrywali kluczowe bitwy Drugiej Inwazji, ich podkomendni potrafili poważnie zaszkodzić flocie robali.

– Co się stanie, gdy dotrą do nich nasze okręty? Znowu wystarczy zniszczyć królową?

– Robale nie dzięki głupocie opanowały technikę lotów międzygwiezdnych. Tamta strategia była dobra tylko raz. Podejrzewam, że już nigdy nie zbliżymy się nawet do królowej, chyba że dokonamy lądowania na ich rodzinnej planecie. W końcu, ona wcale nie musi im towarzyszyć, żeby kierować walką. Jej obecność jest niezbędna jedynie przy produkcji małych robali. Druga Inwazja była wyprawą kolonizacyjną – królowa leciała, by zaludnić Ziemię. Ale tym razem... nie, to się nie uda. Będziemy musieli rozbijać ich kolejne flotylle. A ponieważ dysponują wsparciem surowcowym dziesięciu gwiezdnych systemów, oceniam, że w każdym starciu będą mieli sporą przewagą liczebną.

Ender pomyślał o swojej bitwie przeciwko dwóm armiom. A on myślał, że to nieuczciwe. Kiedy się zacznie prawdziwa wojna, będzie to miał za każdym razem. I nie będzie bramy, którą mógłby otworzyć.

– Tylko dwie rzeczy przemawiają na naszą korzyść, Ender. Nie musimy szczególnie dokładnie celować. Nasza broń ma spory rozrzut.

– To znaczy, że nie używamy pocisków nuklearnych z Pierwszej i Drugiej Inwazji?

– Doktor System jest o wiele potężniejszy. Broń jądrowa była tak słaba, że kiedyś używano jej na Ziemi. Mały Doktor nigdy nie mógłby być wykorzystany na planecie. Mimo wszystko szkoda, że nie miałem czegoś takiego podczas Drugiej Inwazji.

– Jak on działa?

– Nie wiem dokładnie. Nie potrafiłbym go zbudować. W punkcie zogniskowania dwóch promieni powstaje pole, w którym rozpadają się molekuły. Wypadają wspólne elektrony. Orientujesz się w fizyce na tym poziomie?

– Uczyli nas przede wszystkim astrofizyki, ale rozumiem, na czym to polega.

– Pole rozszerza się kuliście, ale słabnie przy wzroście odległości. Chyba że natrafi na dużą liczbę molekuł. Wtedy jest wzmacniane i wszystko zaczyna się od początku. Im większy statek, tym silniejsze nowe pole.

– Czyli za każdym razem, kiedy pole trafi na statek, wysyła nową sferę...

– A jeśli statki są zbyt blisko siebie, może

wzbudzić reakcję łańcuchową, która zniszczy je wszystkie. I tam, gdzie była flota, masz tylko bryłę pyłu z dużą zawartością żelaza. Żadnego promieniowania, żadnych odpadków. Sam pył. Może w pierwszej bitwie uda się przyłapać ich razem, ale oni szybko się uczą. Będą zachowywać dystans między sobą.

– Rozumiem, że dr System nie jest pociskiem. Nie da się strzelać zza węgła.

– Zgadza się. Zresztą pociski nie na wiele by się teraz przydały. Sporo się nauczyliśmy od robali podczas Pierwszej Inwazji, ale oni także – na przykład, jak generować Osłonę Ekstatyczną.

– A Mały Doktor przebija tę osłonę?

– Jakby nie istniała. Nie możesz zajrzeć do środka, żeby wymierzyć i zogniskować promienie, ale ponieważ generator osłony zawsze znajduje się w samym centrum, nie powinno to sprawiać trudności.

– Dlaczego nie byłem szkolony w używaniu tego systemu?

– Byłeś, przez cały czas. Po prostu komputer się tym zajmował. Twoje zadanie polega na uzyskaniu pozycji dającej przewagę strategiczną i na wyborze celu. Komputery pokładowe wymierzą Doktora o wiele precyzyjniej niż ty.

– Skąd taka nazwa: Doktor System?

– Kiedy powstawał, nazwano go Systemem Destrukcji Molekularnej. Dr M. System.

Ender nadal nie rozumiał.

– Dr M. Ten skrót oznacza także doktora medycyny. Dr M. System, czyli dr System. Taki żart.

Ender nie widział w tym nic zabawnego.

• • •

Zmienili symulator. Nadal mógł kontrolować perspektywę i dokładność wyświetlania szczegółów, ale zniknęły instrumenty sterujące statkiem. Ich miejsce zajęła tablica z nowymi dźwigniami i mały zestaw słuchawek z dołączonym mikrofonem.

Czekający na niego technik szybko pokazał, jak ich używać.

– Ale jak mam kierować statkami? – zdziwił się Ender.

Mazer wyjaśnił. Więcej nie miał się tym zajmować.

– Przechodzisz do następnego etapu szkolenia. Zdobyłeś doświadczenie na wszystkich poziomach strategii i czas już, byś się nauczył prowadzić flotę. Będziesz pracował z dowódcami eskadr, tak jak kiedyś, w Szkole Bojowej, z dowódcami plutonów. Przydzielono ci na przeszkolenie trzydziestu takich dowódców. Musisz ich nauczyć skutecznej taktyki, musisz poznać ich mocne i słabe punkty. Stworzyć zespół.

– Kiedy ich zobaczę?

– Są już na miejscach, w swoich własnych symulatorach. Będziesz się z nimi porozumiewał przez słuchawki. Te nowe dźwignie na tablicy kontrolnej pozwolą ci obserwować starcia z perspektywy każdego z dowódców eskadr. W ten sposób sytuacja będzie bardziej zbliżona do prawdziwej walki, bo wtedy na ekranach masz tylko to, co widzą twoje okręty.

– Jak mam pracować z ludźmi, których tu wcale nie ma?

– A po co masz ich oglądać?

– Żeby wiedzieć, kim są, jak myślą...

– Dowiesz się tego ze sposobu, w jaki działają na symulatorach. Zresztą uważam, że nie powinieneś sobie tym zawracać głowy. Oni już czekają. Włóż słuchawki, to ich usłyszysz.

Ender nasunął słuchawki.

– Salaam – szepnął mu ktoś do ucha.

– Alai – powiedział Ender.

– I ja, karzełek.

– Groszek.

I Petra, i Dink; Zwariowany Tom, Shen, Kant Zupa, Fly Molo, wszyscy najlepsi, obok których lub przeciw którym walczył, wszyscy, którym ufał w Szkole Bojowej.

– Nie wiedziałem, że tu jesteście. Nie wiedziałem, że was tu przenoszą.

– Już od trzech miesięcy mordują nas na symulatorze – oznajmił Dink.

– Przekonasz się, że jestem tu najlepszym taktykiem – wtrąciła Petra. – Dink się stara, ale myśli jeszcze jak dziecko.

I tak zaczęli pracować wspólnie. Dowódcy eskadr wydawali rozkazy poszczególnym pilotom, zaś Ender dowódcom eskadr. Poznali wiele sposobów wspólnego działania, ponieważ symulator stawiał ich w najrozmaitszych sytuacjach. Czasami dostawali do dyspozycji większą flotyllę i Ender dzielił ich na trzy lub cztery plutony, złożone z trzech lub czterech eskadr. Innym razem mieli tylko pojedynczy okręt z dwunastoma myśliwcami; wtedy Ender wybierał trzech dowódców eskadr, przyznając każdemu prowadzenie czterech z nich.

Wszystko to było zabawą, czystą frajdą. Komputerowy nieprzyjaciel nie olśniewał inteligencją i zawsze wygrywali, mimo błędów i nieporozumień. Za to, po trzech tygodniach wspólnych gier, Ender poznał wszystkich doskonale: Dink sprawnie wykonywał polecenia, lecz nie sprawdzał się, kiedy trzeba było improwizować; Groszek nie umiał kierować dużymi formacjami okrętów, ale potrafił z precyzją skalpela użyć niewielkiej grupki, cudownie reagując na wszystko, co komputer dla niego przygotował; Alai był strategiem niewiele gorszym od samego Endera i można mu było powierzyć połowę floty, udzielając jedynie ogólnych instrukcji.

Im lepiej ich znał, tym szybciej mógł wprowadzić ich do akcji, sprawniej wykorzystać. Symulator wyświetlał na ekranie sytuację i wtedy Ender po raz pierwszy dowiadywał się, jakimi siłami dysponuje i jakie pozycje zajmuje flota przeciwnika. Potrzebował kilku minut, by przywołać potrzebnych dowódców eskadr, przydzielić im określone okręty lub ich grupy i wyznaczyć zadania. Potem, w miarę rozwoju bitwy, przeskakiwał z jednego punktu widzenia do drugiego, robił pewne sugestie i z rzadka, gdy zachodziła potrzeba, wydawał rozkazy. Ponieważ oni widzieli wszystko jedynie z własnej perspektywy, jego polecenia wydawały się im czasem bezsensowne; nauczyli się jednak mu ufać. Jeśli kazał się cofnąć, cofali się wiedząc, że albo zajmują odsłoniętą pozycję, albo ich manewr osłabi pozycję nieprzyjaciela. Wiedzieli także, że nie wydając rozkazów, Ender zdaje się w pełni na ich osąd. Gdyby ich styl prowadzenia walki nie pasował do sytuacji, na pewno nie zostaliby wybrani do tej bitwy.

Zaufanie było całkowite, a flota działała szybko i elastycznie. Po trzech tygodniach Mazer wyświetlił Enderowi zapis ich ostatniej bitwy, obserwowanej z punktu widzenia przeciwnika.

– Tak właśnie widzieli wasz atak. Co ci to przypomina? Choćby szybkością reakcji?

– Wyglądamy jak flota robali.

– Dorównujecie im, Ender. Jesteście równie sprawni jak oni.

A teraz popatrz na to.

Ender przyglądał się, jak wszystkie jego eskadry działają równocześnie, reagując na poszczególne sytuacje, w jakich przyszło im walczyć, wszystkie posłuszne poleceniom Endera, ale śmiałe, improwizujące, pozorujące ataki i nacierające z niezależnością, jakiej nie wykazało żadne zgrupowanie okrętów robali.

– Umysł kopca robali jest dobry, ale potrafi się skupić tylko na kilku rzeczach równocześnie. Twoje eskadry mogą skoncentrować całą błyskotliwą inteligencję na konkretnym zadaniu, a te zadania także wyznacza całkiem niezły rozum. Teraz wiesz, że w pewnych dziedzinach macie przewagę. Dysponujecie lepszym, choć mającym swe ograniczenia uzbrojeniem, porównywalną szybkością i wyższą inteligencją. To są silne punkty. Wasza słabość to fakt, że zawsze, ale to zawsze wróg będzie miał przewagę liczebną, a po każdym starciu dowie się więcej o tobie i o tym, jak z tobą walczyć. I natychmiast wykorzysta tę wiedzę.

Ender czekał na wnioski.

– Zatem, Ender, zaczynamy kolejny etap twojej edukacji. Zaprogramowaliśmy komputer, by symulował sytuacje, których można się spodziewać w spotkaniach z wrogiem. Użyliśmy wzorców manewrów obserwowanych podczas Drugiej Inwazji. Ale nie będziemy ich bezmyślnie powtarzać. To ja mam kontrolować symulacje przeciwnika. Z początku układy będą proste i spodziewam się, że zwyciężysz bez trudu. Wyciągaj wnioski, ponieważ ja zawsze będę o jeden krok przed tobą, programując trudniejsze i bardziej złożone sytuacje tak, by kolejna bitwa była cięższa, żebyś musiał wykorzystać wszystkie swoje zdolności.

– A potem?

– Czas ucieka, Ender. Musisz się uczyć tak szybko, jak tylko zdołasz. Wyruszyłem w kosmos, żeby żyć jeszcze, gdy się zjawisz. Kiedy wróciłem, moja żona i dzieci już nie żyły, a wnuki były moimi rówieśnikami. Nie miałem im nic do powiedzenia. Zostałem odcięty od wszystkich, których kochałem. Żyłem w tej obcej katakumbie i nie mogłem robić nic, co miałoby znaczenie. Uczyłem jednego studenta po drugim; każdy z nich budził tak wiele nadziei i każdy w końcu okazywał się słabeuszem, porażką. Uczę i uczę, i nikt nic nie pojmuje. Ty także wiele obiecujesz, jak tylu moich studentów, ale i w tobie mogą tkwić zalążki klęski. Moim obowiązkiem jest odszukać je i jeśli mi się uda zniszczyć cię. Wierz mi Ender, jeśli ktoś może cię pokonać, to ja.

– Więc nie jestem pierwszy?

– Nie, oczywiście, że nie. Jesteś za to ostatni. Jeśli ty się nie nauczysz, nie wystarczy czasu, by znaleźć jeszcze kogoś. Dlatego liczę na ciebie, ponieważ jesteś jedynym, na którego można jeszcze liczyć.

– A inni? Moi dowódcy eskadr?

– Który z nich mógłby cię zastąpić?

– Alai.

– Bądź uczciwy.

Na to Ender nie znalazł odpowiedzi.

– Nie jestem szczęśliwym człowiekiem, Ender. Ludzkość nie wymaga, byśmy byli szczęśliwi. Wymaga tylko geniuszu. Najpierw przetrwanie, potem, jeśli się uda, szczęście. Dlatego, Ender, mam nadzieję, że w czasie szkolenia nie będziesz mnie zanudzał skargami, że ci ciężko. Szukaj rozrywek podczas przerw w pracy, ale praca jest najważniejsza, nauka jest najważniejsza, a zwycięstwo jest wszystkim, gdyż bez niego nie pozostanie nam nic. Kiedy potrafisz mi oddać zmarłą żonę, Ender, to masz prawo się skarżyć.

– Nie uchylam się od obowiązków.

– Ale będziesz próbował, Ender, na pewno spróbujesz. Albowiem zamierzam rozetrzeć cię na proszek, jeśli tylko zdołam. Zamierzam użyć przeciw tobie wszystkiego, co tylko potrafię wymyślić i nie będę miał litości, ponieważ kiedy spotkasz robali, oni zaskoczą cię tym, czego, nie potrafiłem sobie wyobrazić, a na współczucie dla ludzkich istot nie można u nich liczyć.

– Nie zdołasz mnie zetrzeć, Mazer.

– Doprawdy?

– Jestem silniejszy od ciebie.

Mazer uśmiechnął się.

– Przekonamy się, Ender.

• • •

Mazer obudził go przed świtem. Zegar wskazywał 3.40 i Ender poczłapał chwiejnie za swoim nauczycielem.

– Kto się wcześnie położy i wcześnie z łóżka wyskoczy, ten od tego głupieje i nie widzi na oczy – oświadczył Mazer.

Ender śnił, że robale robią mu wiwisekcję. Tyle że zamiast rozcinać jego ciało, wycinały mu wspomnienia i wyświetlały jak hologramy, usiłując cokolwiek z nich zrozumieć. To był bardzo dziwny sen i Ender nie mógł się z niego otrząsnąć, nawet idąc już korytarzem w stronę pomieszczenia symulatora. Robale torturowały go przez sen, a Mazer zajmie się nim na jawie. Nie mógł liczyć nawet na chwilę spokoju. Zmusił się, by spojrzeć przytomniej. Mazer najwyraźniej nie żartował mówiąc, że zamierza go złamać, a zmuszanie go do gry akurat wtedy, gdy był zmęczony i niewyspany, stanowiło sztuczkę dokładnie tak prymitywną i prostą, jakiej powinien oczekiwać.

Usiadł w symulatorze i stwierdził, że dowódcy eskadr są już podłączeni i czekają na niego. Na razie nie widział jeszcze przeciwnika, więc podzielił ich na dwie armie i zarządził treningowe starcie, prowadząc obie strony tak, by ocenić wyniki testów, jakie przechodził każdy z dowódców. Zaczęli dość ospale, ale szybko odzyskali zwykłą sprawność i wigor.

Nagle sześcienny ekran symulatora zgasł, światełka zniknęły i w jednej chwili wszystko się zmieniło. Przy samej krawędzi pola zobaczyli wyrysowane holograficznym światłem sylwetki trzech okrętów ziemskiej floty. Każdy z nich niósł dwanaście myśliwców. Nieprzyjaciel, najwyraźniej świadom obecności ludzi, utworzył sferę z pojedynczym statkiem w środku. Ender nie dał się oszukać; wiedział, że nie na tym statku znajduje się królowa. Robale miały dwa razy więcej myśliwców, ale ustawiły je zdecydowanie za blisko. Doktor System zada wrogom większe straty, niż mogliby oczekiwać.

Ender wybrał jeden kosmolot, kazał mu zamigotać na ekranie, po czym odezwał się do mikrofonu:

– Alai, robota dla ciebie. Przydzielisz Petrze i Vladowi myśliwce według własnego uznania.

Potem wyznaczył dowódców dwóch pozostałych okrętów i ich grup myśliwskich. Po jednym myśliwcu z każdej jednostki zarezerwował dla Groszka.

– Przesuń się po ścianie, Groszek, i zajdź ich od dołu. Chyba że ruszą za tobą – wtedy uciekaj w stronę odwodów. Jeśli nie ruszą, czekaj na miejscu, żebym mógł cię wykorzystać do szybkich akcji. Alai, uformuj zespół do ataku grupą zwartą na jeden punkt tej ich sfery. Nie strzelaj, dopóki ci nie powiem.

– To prosty układ, Ender.

– Prosty. Więc czemu się nie zabezpieczyć? Chcę to załatwić bez żadnych strat.

Ender ustawił odwody w dwóch grupach, osłaniających z bezpiecznej odległości myśliwce Alai. Groszek był już poza ekranem, lecz Ender od czasu do czasu przeskakiwał na jego punkt widzenia, by wiedzieć, gdzie się znajduje.

Zasadniczy ciężar subtelnej rozgrywki z przeciwnikiem spoczywał jednak na Alai. Chłopiec ustawił swoje jednostki w formację pocisku i sondował nieprzyjacielską sferę. Kiedy tylko się zbliżał, okręty robali odskakiwały, jakby chciały go ściągnąć do tego, który czekał w środku. Alai skręcał w bok; okręty robali nie dawały się zaskoczyć. Cofały się, gdy był blisko; powracały do szyku, gdy odlatywał.

Pozorowany atak, odskok, natarcie w innym punkcie, znów odskok i znów atak, aż w końcu Ender powiedział:

– Ruszaj, Alai.

Pocisk przesunął się do sfery.

– Przepuszczą mnie – zauważył Alai. – A potem okrążą i zjedzą żywcem.

– Po prostu ignoruj ten statek w środku.

– Co tylko sobie życzysz, szefie.

Oczywiście, sfera zaczęła się kurczyć. Ender podciągnął rezerwy; nieprzyjacielskie jednostki skoncentrowały się na brzegu sfery – tam, gdzie zbliżały się jego odwody.

– Atakuj tam, gdzie są najbardziej skupieni – polecił.

– To przeczy czterem tysiącom lat historii działań wojennych – odparł Alai, wyprowadzając swoje myśliwce. – Powinniśmy nacierać tam, gdzie mamy przewagę.

– W tej symulacji widocznie jeszcze nie wiedzą, co potrafi nasza broń. To może się udać tylko raz, więc niech przynajmniej będzie widowiskowe. Strzelaj, kiedy uznasz za stosowne.

Alai wykonał rozkaz. Symulator odpowiedział wspaniale: najpierw jeden czy dwa, potem dziesięć, wreszcie większa część okrętów przeciwnika eksplodowała oślepiającym blaskiem, gdy pole obejmowało kolejne jednostki ustawione w ciasnym szyku.

Statki po przeciwnej stronie sfery uniknęły reakcji łańcuchowej, ale ich przechwycenie i zniszczenie nie sprawiło kłopotów. Groszek zajął się maruderami, próbującymi uciekać w jego sektor przestrzeni. Bitwa była zakończona. Okazała się łatwiejsza, niż ostatnie walki ćwiczebne.

Mazer wzruszył tylko ramionami, gdy Ender mu o tym powiedział.

– To jest symulacja prawdziwej inwazji. Musi być jedna bitwa, w której oni jeszcze nie wiedzą, do czego jesteśmy zdolni. Teraz zacznie się prawdziwa praca. Uważaj, żebyś po tym zwycięstwie nie poczuł się zbyt pewnie. Już niedługo będziesz się musiał porządnie nagłowić.

Ender trenował po dziesięć godzin dziennie z dowódcami eskadr, choć nie ze wszystkimi na raz; po południu zostawiał im po kilka godzin na odpoczynek. Symulacje bitew pod nadzorem Mazera wypadały co dwa, trzy dni i zgodnie z jego obietnicą nie były już takie proste. Nieprzyjaciel szybko zrezygnował z początkowych prób okrążenia Endera i nigdy nie grupował swych sił dostatecznie blisko, by nastąpiła reakcja łańcuchowa. Za każdym razem występował jakiś nowy element, zawsze trudniejszy. Czasami Ender dysponował tylko jednym statkiem i ośmioma myśliwcami; raz przeciwnik manewrował w pasie asteroidów; zdarzały się stacjonarne pułapki – wielkie instalacje, wybuchające, gdy tylko Ender zbyt blisko podprowadził swoje eskadry, często uszkadzając i niszcząc jego statki.

– Nie wolno ci ponosić strat – krzyczał na niego Mazer po jednej z bitew. – W prawdziwej wojnie nie będziesz miał luksusu nieskończonej rezerwy komputerowych myśliwców. Będziesz miał to, co ze sobą zabrałeś i nic więcej. Musisz walczyć bez zbędnych strat.

– To nie były zbędne straty – odparł Ender. – Nie mogę wygrywać, jeśli będę unikał ryzyka ze strachu przed utratą statku.

– Znakomicie, Ender – uśmiechnął się Mazer. – Zaczynasz się uczyć. Ale w prawdziwej wojnie znajdą się oficerowie, a co gorsza cywile, którzy będą na ciebie krzyczeli w tym stylu. Do rzeczy. Gdyby nieprzyjaciel trochę pomyślał, złapałby cię tutaj i wykończył eskadrę Toma.

Razem przeanalizowali starcie. Na najbliższym treningu Ender pokaże swoim dowódcom to, co jemu pokazał Mazer. Nauczą się, jak sobie radzić z tymi pułapkami.

Przedtem uważali, że są już gotowi, że gładko pracują w zespole. Teraz jednak, po serii naprawdę trudnych walk, zaczęli sobie ufać bardziej niż kiedykolwiek, a bitwy sprawiały im radość. Mówili Enderowi, że ci, którzy akurat nie grają, przychodzą do symulatora, żeby popatrzeć. Ender wyobrażał sobie, jakby to było mieć ich tu koło siebie, bijących brawo, śmiejących się czy otwierających usta z zachwytu. Czasem zdawało mu się, że by go to rozpraszało, innym razem znów pragnął tego z całego serca. Nigdy jeszcze nie czuł się taki samotny, nawet wtedy, gdy całe dnie spędzał opalając się na tratwie pośrodku jeziora. Mazer Rackham był jego towarzyszem i wykładowcą, ale nie przyjacielem.

Ender nie skarżył się. Mazer uprzedzał go, że nie będzie pobłażania i że nikt nie będzie się przejmował jego osobistymi problemami. Na ogół zresztą nie przejmował się nimi nawet sam Ender. Myślał głównie o grze i starał się wyciągać wnioski ze stoczonych bitew. Analizował nie tylko przebieg konkretnego starcia, ale zastanawiał się, co zrobiłyby robale, gdyby były sprytniejsze i jak on, Ender, zareaguje, jeśli kiedyś to zrobią. Przeżywał minione i przyszłe starcia na jawie i we śnie, a swoich dowódców eskadr zmuszał do takiego wysiłku, że zaczynali się buntować.

– Jesteś dla nas za dobry – powiedział kiedyś Alai. – Czemu się nie złościsz, gdy nie jesteśmy genialni w każdej chwili każdych ćwiczeń? Jeśli dalej będziesz nas tak rozpieszczał, możemy pomyśleć, że nas lubisz.

Kilku innych zaśmiało się do mikrofonów. Ender dostrzegł, oczywiście, ironiczny ton pytania i odpowiedział długim milczeniem. Kiedy się wreszcie odezwał, całkowicie zignorował narzekania Alai.

– Jeszcze raz – polecił. – Tylko bez rozczulania się nad sobą. Zrobili to jeszcze raz i zrobili dobrze.

W miarę jednak jak rosło ich zaufanie do Endera jako dowódcy, kończyła się pamiętana za Szkoły Bojowej przyjaźń. Sobie byli bliscy, sobie się zwierzali. Ender był dla nich nauczycielem i komendantem, równie obcym, jak dla niego Mazer. I równie wymagającym.

W bitwach sprawowali się lepiej, a Endera nic nie odrywało od pracy.

Przynajmniej na jawie. Odpływając wieczorem w sen myślał o symulatorze, nocą jednak inne wspomnienia wypełniały jego umysł. Często przypominał sobie rozkładające się wolno ciało Olbrzyma, lecz nie jako piksele obrazu na ekranie. Było realne, a wokół wciąż unosił się delikatny zapach śmierci. Wiele rzeczy w jego snach wyglądało inaczej. Niewielką wioskę, która wyrosła między żebrami Olbrzyma, zamieszkiwały teraz robale; salutowały mu ponuro, jak gladiatorzy, pozdrawiający Cezara, nim zginą dla jego rozrywki. W swoich snach przestał nienawidzić robali i choć wiedział, że ukrywają przed nim swoją królową, nie próbował jej szukać. Zawsze pospiesznie odchodził od ciała Olbrzyma, a kiedy docierał do placu zabaw, dzieci już czekały, wilcze i drwiące. Znał ich twarze. Czasem był to Peter, a czasem Bonzo lub Stilson i Bernard; jednak równie często te drapieżne stworzenia przybierały wygląd Alai i Shena, Dinka i Petry.

A czasem jedno z nich było Valentine i we śnie ją także wpychał pod wodę i czekał, aż utonie. Szarpała się w jego uścisku i wyrywała, lecz w końcu nieruchomiała. Wtedy wyciągał ją z jeziora i układał na tratwie, gdzie leżała z nieruchomą twarzą. Krzyczał i płakał nad nią, powtarzał, że to tylko gra, gra, że tylko się bawił!

Wtedy Mazer Rackham budził go, potrząsając za ramię.

– Krzyczałeś przez sen – mówił.

– Przepraszam.

– Nieważne. Pora na kolejną bitwę.

Tempo stopniowo wzrastało. Rozgrywali teraz zwykle dwie bitwy dziennie i Ender ograniczył treningi do minimum. Kiedy inni odpoczywali, on studiował przebieg walk, próbując dostrzec własne słabości, odgadnąć, co się zdarzy następnym razem. Czasem był w pełni przygotowany na innowacje przeciwnika. A czasem nie.

– Uważam, że oszukujesz – powiedział kiedyś Mazerowi.

– Tak?

– Obserwujesz moje ćwiczenia. Widzisz nad czym pracuję. Mam wrażenie, że znasz wszystko, co robię.

– Większa część tego, co oglądasz, to symulacje. Komputer został zaprogramowany tak, by reagować na twoje manewry dopiero wtedy, gdy chociaż raz użyjesz ich w walce.

– W takim razie komputer oszukuje.

– Potrzebujesz więcej snu, Ender.

Ale nie mógł spać. Coraz dłużej czekał każdej nocy na sen, a ten, kiedy już nadszedł, dawał coraz mniej odpoczynku. Zbyt często się budził. Nie był pewien, czy to dlatego, by więcej myśleć o grze, czy po to, by uciec od swych snów. Miał wrażenie, że ktoś kieruje jego marzeniami i zmusza, by wracał do swych najgorszych wspomnień, by przeżywał je na nowo w pozornej rzeczywistości. Noce stały się tak realne, że dni zdawały się snem. Zaczynał się martwić, że nie potrafi jasno rozumować, że podczas gry będzie zbyt zmęczony. Jak dotąd, gra przywracała mu pełną świadomość. Zastanawiał się jednak, czy zauważy zmniejszenie potencjału swego umysłu.

A ten obniżał się. Tak przynajmniej zdawało się Enderowi. Zwyciężał, lecz za każdym razem tracił przynajmniej kilka myśliwców. Parę razy nieprzyjaciel zdołał go zmusić do odsłonięcia słabych punktów, których nie powinien odsłaniać; czasem był tak zmęczony ciągłymi atakami, że zwycięstwo było efektem w równej mierze szczęścia, co strategii. Mazer analizował rozgrywkę z wyrazem pogardy na twarzy.

– Spójrz tylko – mówił. – Nie musiałeś tego robić.

410

A Ender wracał do ćwiczeń z dowódcami eskadr i próbował podtrzymać ich morale. Zdarzało się jednak, że wyczuwali jego rozczarowanie ich nieudolnością; tym, że nie byli doskonali.

– Czasem popełniamy błędy – szepnęła mu kiedyś Petra. To było błaganie o pomoc.

– A czasem nie – odpowiedział. Jeśli ktoś jej pomoże, to na pewno nie on. On może uczyć; niech gdzie indziej szuka przyjaciół.

Wtedy nadeszła bitwa, która skończyła się niemal katastrofą. Petra poprowadziła swoją grupę zbyt daleko. Znaleźli się na odsłoniętej pozycji, co odkryła, gdy nie było przy niej Endera. W ciągu kilku chwil straciła wszystkie swoje jednostki prócz dwóch. Wtedy wrócił Ender i polecił jej przesunąć się. Nie odpowiedziała. Nie poruszyła się. Jeszcze sekunda, i straciłaby oba pozostałe myśliwce.

Ender natychmiast zrozumiał, że zbyt wiele od niej wymagał. Była znakomita i wzywał ją do gry częściej i w trudniejszych sytuacjach, niż wszystkich pozostałych. Nie miał jednak czasu, by się o nią martwić ani by odczuwać wyrzuty sumienia. Wezwał Zwariowanego Toma, by przejął kierowanie dwoma myśliwcami, po czym spróbował mimo wszystko zwyciężyć – Petra zajmowała kluczową pozycję i teraz cała strategia Endera traciła sens. Gdyby przeciwnik nie był zanadto gorliwy i zręczniej wykorzystał przewagę, Ender poniósłby klęskę. Shenowi jednak udało się pochwycić grupę wrogich statków w zbyt ciasnym szyku i zniszczyć je jedną reakcją łańcuchową. Zwariowany Tom wprowadził swoje dwie jednostki przez powstałą wyrwę i zadał spore straty, a choć myśliwce jego i Shena zostały w końcu zniszczone, Fly Molo zdołał dokończyć wymiatania i przypieczętował zwycięstwo.

Pod koniec starcia Ender słyszał, jak Petra płacze i próbuje dostać się do mikrofonu.

– Powiedzcie mu, że przepraszam, byłam taka zmęczona, nie mogłam myśleć, powiedzcie Enderowi, że przepraszam...

Nie było jej na kilku sesjach treningowych, a kiedy wróciła, nie była już tak szybka jak kiedyś ani tak śmiała. Straciła większość cech, czyniących z niej dobrego dowódcę. Ender nie mógł jej już wykorzystywać, chyba że w rutynowych, przeprowadzanych pod ścisłym nadzorem akcjach. Nie była głupia i widziała, co się dzieje. Rozumiała jednak, że nie ma wyboru, i powiedziała mu o tym.

Nie zmieniało to faktu, że się załamała, a z pewnością wcale nie była najsłabszym z dowódców eskadr. Zrozumiał to jako ostrzeżenie: nie może wymagać od nich więcej, niż będą w stanie wytrzymać. Teraz, zamiast wzywać ich, gdy tylko potrzebował konkretnych umiejętności, musiał jeszcze pamiętać, jak często walczyli. Musiał z nich rezygnować, a to oznaczało, że przystępował czasem do bitwy z ludźmi, którym odrobinę mniej ufał. Zmniejszając nacisk na tamtych, zwiększył go wobec siebie.

Pewnej nocy zbudził go ból. Na jego poduszce była krew, czuł smak krwi w ustach i mrowienie w palcach. Zrozumiał, że przez sen gryzł własną dłoń.

– Mazer! – zawołał.

Rackham przebudził się i natychmiast wezwał doktora.

– Nie obchodzi mnie, czym się żywisz, Ender – oznajmił, gdy lekarz opatrywał ranę. – Autokanibalizm nie pomoże ci uciec ze Szkoły.

– Spałem – wyjaśnił Ender. – Nie chcę odchodzić ze Szkoły Dowodzenia.

– To dobrze.

– Ci inni... Ci, którym się nie udało...

– Nie wiem, o czym mówisz.

– Przede mną. Twoi uczniowie, którzy nie ukończyli szkolenia. Co się z nimi stało?

– Nie ukończyli szkolenia. To wszystko. Nie karzemy tych, którym się nie udało. Po prostu... nie przechodzą dalej.

– Jak Bonzo.

– Bonzo?

– Odleciał do domu.

– Nie, nie jak Bonzo.

– Więc co? Co się z nimi dzieje? Jak już przegrają?

– Czemu cię to interesuje?

Ender nie odpowiedział.

– Żaden z nich nie zawiódł na tym etapie szkolenia. Popełniłeś błąd z Petrą, Ender. Ona dojdzie do siebie. Ale Petra to Petra, a ty to ty.

– Ona jest częścią tego, czym jestem. Tego, czym mnie uczyniła.

– Ty się nie załamiesz, Ender. Jeszcze nie teraz, na tak wczesnym etapie. Owszem, miałeś kilka trudnych sytuacji, ale zawsze wygrywałeś. Nie wiesz jeszcze, jakie są granice twoich możliwości, ale jeśli już je osiągnąłeś, to jesteś o wiele słabszy, niż sądziłem.

– Czy oni giną?

– Kto?

– Ci, którzy zawiedli.

– Nie, nie giną. Rany boskie, chłopcze, przecież to tylko gra.

– Myślę, że Bonzo zginął. Śniłem o tym zeszłej nocy. Zobaczyłem znowu, jak wyglądał, kiedy trafiłem go głową w twarz. Chyba wepchnąłem mu nos do mózgu. Krew płynęła mu z oczu. Myślę, że już wtedy nie żył.

– To tylko sen.

– Mazer, ja nie chcę o tym śnić. Boję się zasypiać. Ciągle myślę o tym, czego nie chcę pamiętać. Całe moje życie wyświetla się na nowo, jakbym był magnetowidem i ktoś chciał oglądać najstraszniejsze fragmenty moich wspomnień.

– Nie możemy podać ci żadnych leków, jeśli na to właśnie liczyłeś. Przykro mi, że miewasz złe sny. Może zostawiać na noc zapalone światło?

– Nie kpij ze mnie! – zawołał Ender. – Boję się, że tracę rozum.

Lekarz skończył bandażować rękę. Mazer powiedział, że może iść. Wyszedł.

– Naprawdę się tego boisz? – spytał Mazer.

Ender zastanowił się i nie był już pewien.

– W moich snach – powiedział – nigdy nie mam pewności, czy naprawdę jestem sobą.

– Te sny są zaworem bezpieczeństwa, Ender. Wywieram na ciebie pewien niewielki nacisk, po raz pierwszy w twoim życiu. Ciało szuka sposobów kompensacji. To wszystko. Pora, żebyś przestał się bać nocy.

– Dobrze – zgodził się Ender. Postanowił wtedy, że nigdy już nie powie Mazerowi o swoich snach.

Dni płynęły, wypełnione bitwami, aż wreszcie Ender wpadł w rutynę autodestrukcji. Zaczął odczuwać bóle żołądka. Przepisali mu dietę, ale wkrótce stracił apetyt na cokolwiek. „Jedz", mówił mu Mazer i Ender mechanicznie wkładał jedzenie do ust. Gdy jednak nikt mu nie kazał, nie jadł.

Jeszcze dwóch dowódców eskadr załamało się tak, jak wcześniej Petra. Tym większy stał się nacisk na pozostałych. W każdej bitwie nieprzyjaciel miał teraz trzy, nawet czterokrotną przewagę; wycofywał się także natychmiast, gdy walka szła nie najlepiej i przegrupowywał, by trwała dłużej i dłużej. Czasami trzeba było kilku godzin, by zniszczyć ostatni wrogi statek. Ender zaczął zmieniać dowódców w czasie bitwy, ściągając świeżych i wypoczętych na miejsce tych, którzy tracili już refleks.

– Wiesz co? – powiedział mu kiedyś Groszek, obejmując komendę nad czterema pozostałymi myśliwcami Kant Zupy. – Ta gra nie jest już tak zabawna, jak kiedyś.

Wreszcie pewnego dnia, podczas ćwiczeń, gdy Ender trenował swoich dowódców eskadr, sala poczerniała nagle i ocknął się na podłodze, z twarzą zakrwawioną od uderzenia o przyrządy.

Zanieśli go do łóżka i przez trzy dni był ciężko chory. Pamiętał, że oglądał w majakach jakieś twarze, ale nie były prawdziwe – wiedział to już wtedy, kiedy mu się zdawało, że je widzi. Czasem myślał, że to Valentine, a czasem, że Peter; czasem jego przyjaciele ze Szkoły Bojowej, czasem wiwisekcjonujące go robale. Raz majaczenie zdawało się niezwykle realne – widział wtedy, jak pułkownik Graff pochyla się nad nim i mówi coś cicho i delikatnie, jak ojciec. Ale kiedy się przebudził, zobaczył tylko swego wroga, Mazera Rackhama.

– Nie śpię – oznajmił Ender.

– Właśnie widzę – odparł Mazer. – Długo to trwało. Masz dzisiaj bitwę.

Ender wstał, stoczył bitwę i wygrał ją. Nie było już drugiej i pozwolili mu wcześniej iść do łóżka. Ręce mu drżały, gdy się rozbierał. Śniło mu się, że słyszy głosy.

– Nie byłeś dla niego zbyt delikatny.

– Nie takie miałem zadanie.

– Ile jeszcze wytrzyma? Załamuje się...

– Dostatecznie długo. Już prawie koniec.

– Tak szybko?

– Jeszcze tylko parę dni.

– Jak sobie poradzi, jeśli już teraz jest w takim stanie?

– Doskonale. Nawet dzisiaj walczył lepiej niż kiedykolwiek.

W tym śnie zdawało mu się, że to głosy pułkownika Graffa i Mazera Rackhama. Ale tak to już jest, że w snach zdarzają się najbardziej nieprawdopodobne rzeczy, ponieważ potem śnił, że jeden z głosów powiedział:

– Nie mogę patrzeć na to, co się z nim dzieje.

A drugi odparł:

– Wiem. Ja też go kocham.

A potem zmieniły się w głosy Valentine i Alai, którzy grzebali go w tym śnie, aż kopiec wyrósł w miejscu, gdzie złożyli jego ciało, a potem Ender wysechł i stał się domem dla robali, jak Olbrzym.

Tylko sny. Jedynie w snach mógł znaleźć miłość i żal nad sobą.

416

Obudził się, stoczył kolejną bitwę i wygrał. Wrócił do łóżka, znów zasnął i znowu śnił, potem się zbudził, znów wygrał i zasnął i niemal nie zauważył, kiedy jawa staje się snem. Zresztą nie dbał o to.

Następny dzień był jego ostatnim dniem w Szkole Dowodzenia, choć jeszcze o tym nie wiedział. Kiedy się zbudził, Mazera Rackhama nie było w pokoju. Wziął prysznic i czekał, aż Mazer wróci i odblokuje zamek. Nie wrócił. Ender sprawdził drzwi. Były otwarte.

Czy to przypadek, że Mazer Rackham pozwolił mu tego ranka na wolność? Nikt nie mówił, że musi jeść, musi ćwiczyć, musi spać. Wolność. Problem w tym, że nie wiedział, co robić. Przez chwilę myślał, czy nie odwiedzić swoich dowódców eskadr i nie porozmawiać z nimi twarzą w twarz, ale nie wiedział, gdzie ich szukać. Mogli być o dwadzieścia kilometrów stąd. Dlatego po krótkiej włóczędze tunelami poszedł do mesy i zjadł śniadanie razem z kilkoma marines. Opowiadali świńskie dowcipy, których Ender nie rozumiał. Potem ruszył na trening do sali symulatora. Był wolny, ale nie potrafił sobie wymyślić innego zajęcia.

Mazer czekał na niego. Ender wszedł wolno; powłóczył trochę nogami, czuł się zmęczony i otępiały.

W sali byli inni ludzie. Ender zastanawiał się, co tu robią, ale nie zadał sobie trudu, by zapytać. To nie miało sensu. I tak nikt by mu nie odpowiedział. Podszedł do symulatora i usiadł, gotów do działania.

– Enderze Wiggin – odezwał się Mazer. – Odwróć się, proszę. Dzisiejsza gra wymaga pewnych wyjaśnień.

Ender obejrzał się. Spojrzał na mężczyzn, stojących pod ścianą. Większości z nich nigdy dotąd nie widział. Niektórzy mieli nawet cywilne ubrania. Dostrzegł Andersona i zastanowił się, co on tu robi i kto w jego zastępstwie zajmuje się Szkołą Bojową. Zauważył Graffa i przypomniał sobie otoczone drzewami jeziorko w pobliżu Greensboro. Zapragnął wrócić do domu. Zaczął bezgłośnie prosić Graffa, by wziął go do domu. We śnie mówił przecież, że kocha Endera. Niech teraz zabierze go do domu.

Lecz Graff skinął mu tylko głową. To było powitanie, nie obietnica. A Anderson zachowywał się tak, jakby go wcale nie znał.

– Słuchaj uważnie, Ender. Dzisiaj odbędzie się twój końcowy egzamin w Szkole Dowodzenia. Ci ludzie przyszli tutaj, by ocenić, czego się nauczyłeś. Jeśli ci przeszkadzają, wyjdą i będą obserwować wszystko na innym symulatorze.

– Mogą zostać.

Końcowy egzamin. Może po dzisiejszym dniu będzie mógł odpocząć.

– Aby był to prawdziwy test twoich możliwości, a nie tylko powtórka tego, co ćwiczyłeś już wielokrotnie, abyś musiał pokonać trudności, jakich jeszcze nie spotkałeś, wprowadzono do dzisiejszej bitwy dodatkowy element. Będzie się rozgrywać wokół planety. Wpłynie to na strategię przeciwnika i zmusi cię do improwizacji. Zależy mi, byś się skoncentrował na dzisiejszej grze.

Ender przywołał Mazera gestem ręki.

– Czy jestem pierwszym studentem, który doszedł tak daleko? – zapytał cicho, gdy ten podszedł bliżej.

– Jeśli zwyciężysz dzisiaj, Ender, będziesz pierwszym, któremu się to udało. Nic więcej nie mogę ci powiedzieć.

– Ale ja mam ochotę posłuchać.

– Możesz być rozdrażniony. Jutro. Dziś jednak byłbym ci wdzięczny, gdybyś skupił swoją uwagę na egzaminie. Nie marnujmy wszystkiego, czego do tej pory dokonałeś. A więc: jak sobie poradzisz z planetą?

– Muszę za nią kogoś wprowadzić, bo powstanie martwe pole.

– Zgadza się.

– Grawitacja wpłynie na zużycie paliwa, łatwiej lecieć w dół, niż w górę.

– Tak.

– Czy Mały Doktor będzie działał przeciwko planecie?

Twarz Mazera stwardniała nagle.

– Ender, robale nigdy nie atakowały ludności cywilnej. Podczas obu inwazji. Sam zdecydujesz, czy rozsądnie będzie użyć strategii skłaniającej do działań odwetowych.

– Czy ta planeta to jedyny nowy element?

– A czy przypominasz sobie, kiedy ostatnio zaprogramowałem ci bitwę z jednym tylko nowym elementem? Zapewniam cię, Ender, że dzisiaj nie będę dla ciebie łagodny. Odpowiadam przed flotą za to, by drugorzędny student nie otrzymał dyplomu. Zrobię, co będę mógł, by cię pokonać, Ender, i nie mam ochoty się z tobą pieścić. Pamiętaj tylko o tym, co wiesz o sobie i co wiesz o robalach, a będziesz miał szansę, by coś osiągnąć.

Mazer wyszedł z sali.

– Jesteście? – rzucił Ender do mikrofonu.

– Wszyscy – odpowiedział Groszek. – Chyba się trochę spóźniłeś na poranny trening?

Więc dowódcy eskadr nic nie wiedzieli. Przez moment Ender rozważał pomysł, by im wyjawić, jak ważna jest dla niego ta bitwa, uznał jednak, że dodatkowe zmartwienie w niczym im nie pomoże.

– Przepraszam – powiedział. – Zaspałem.

Roześmiali się. Nie uwierzyli mu.

Przeprowadził kilka manewrów, by ich rozgrzać przed bitwą. Potrzebował więcej czasu niż zwykle, by doprowadzić swój umysł do normalnego stanu i skoncentrować się na dowodzeniu. Wkrótce jednak osiągnął odpowiednie tempo, reagował szybko, myślał sprawnie. A przynajmniej, powiedział sobie, myślał, że myśli sprawnie.

Pole symulatora oczyściło się. Ender czekał, aż pojawi się gra. Co się stanie, jeśli zda ten egzamin? Jeszcze jedna szkoła? Kolejny rok albo dwa wyczerpujących treningów, kolejny rok izolacji, kolejny rok ludzi, popychających go tu i tam, kolejny rok bez żadnego wpływu na własne życie? Spróbował sobie przypomnieć, ile właściwie ma lat. Jedenaście. Ile lat temu skończył jedenaście? Ile dni? To musiało stać się tutaj, w Szkole Dowodzenia, ale nie pamiętał, kiedy. Może nawet tego nie zauważył. Nikt nie zauważył, może z wyjątkiem Valentine.

Czekając, aż pojawi się gra, zapragnął nagle, by mógł ją po prostu przegrać, przegrać tę bitwę tak fatalnie i kompletnie, że odsunęliby go od szkolenia i odesłali do domu, jak Bonza. Wysłali go do Cartageny. Ender chciałby zobaczyć rozkaz wyjazdu mówiący:

Greensboro. Sukces oznaczał, że wszystko będzie trwało nadal. Porażka – że będzie mógł wrócić do domu.

Nie, to nieprawda, powiedział sobie. Potrzebują go, a jeśli zawiedzie, może nie będzie już domu, do którego mógłby wrócić.

Nie wierzył w to jednak. Wiedział, świadomą częścią umysłu, że to prawda, lecz gdzie indziej, głębiej, wątpił, czy naprawdę jest im potrzebny. Nalegania Mazera były tylko kolejną sztuczką. Jeszcze jednym sposobem, żeby nie pozwolić mu odpocząć. Nie pozwolić na to, by przez długi, długi czas nie musiał nic robić.

Wtedy zapłonęły światełka szyku przeciwnika i znużenie Endera zmieniło się w rozpacz.

Wrogowie mieli przewagę tysiąc do jednego i ekran symulatora lśnił zielenią od ich okrętów, ustawionych w dziesiątki różnych formacji, zmieniających pozycje i kształty, poruszających się pozornie przypadkowo w polu wizji. Ender nie dostrzegał żadnej drogi przez ich szyki – otwarta jeszcze przed chwilą przestrzeń zamykała się nagle i pojawiała gdzie indziej, luźne formacje stawały się nieprzeniknione. Planeta tkwiła na samej krawędzi pola i Ender mógł się spodziewać, że za nią, poza zasięgiem obrazu symulatora, kryje się co najmniej tyle samo okrętów.

Jego flota składała się z dwudziestu okrętów, mających tylko po cztery myśliwce. Znał te czwórkowe kosmoloty; były staromodne i nieruchawe, a ich Mały Doktor miał zasięg o połowę mniejszy niż w nowych jednostkach. Osiemdziesiąt myśliwców przeciw pięciu, może dziesięciu tysiącom statków wroga.

Słyszał, jak dowódcy eskadr oddychają z trudem; ktoś zaklął cicho za jego plecami. Przyjemnie było wiedzieć, że któryś z dorosłych także zauważył, że to nie jest uczciwa gra. Chociaż to zupełnie bez znaczenia – było jasne, że uczciwość nie liczy się w tej walce. Nie pozostawiono mu nawet minimalnej szansy na zwycięstwo. Tyle przeszedł, a oni nigdy nie mieli zamiaru pozwolić, żeby wygrał.

Znowu zobaczył Bonza i niewielką, lecz groźną grupkę jego przyjaciół. Grozili mu, wyzywali; wtedy potrafił zawstydzić Bonza i skłonić do walki sam na sam. Tutaj raczej się to nie uda. Nie zdoła też zaskoczyć wrogów swymi umiejętnościami, jak kiedyś starszych chłopców w sali treningowej. Mazer znał jego możliwości na wylot.

Obserwatorzy z tyłu pokasływali i przesuwali się nerwowo. Zaczynali pojmować, że Ender zwyczajnie nie wie, co ma robić.

Pomyślał, że już go to nie interesuje. Mogą sobie zaliczyć tę grę. Jeśli nie dają mu żadnej szansy, to po co ma grać?

Zupełnie jak ostatnia bitwa w Szkole Bojowej, kiedy wystawili przeciw niemu dwie armie.

I dokładnie w chwili, gdy pomyślał o tej bitwie, Groszek najwyraźniej także ją sobie przypomniał, gdyż w słuchawkach zabrzmiał jego głos:

– Pamiętaj, brama nieprzyjaciela jest w dole.

Molo, Zupa, Vlad, Śmieciarz i Zwariowany Tom parsknęli śmiechem. Oni także pamiętali.

Ender też się roześmiał. W końcu, to naprawdę było zabawne. Dorośli traktowali wszystko ze śmiertelną powagą, a dzieci grały z nimi i grały, wierząc we wszystko, aż wreszcie dorośli posuwali się za daleko, naciskali zbyt mocno, i dzieci nagle rozumiały ich grę. Niech Mazer zapomni o egzaminie. Endera nie obchodziło już, czy zda. Nie obchodziły go już żadne reguły. Jeśli Mazer może oszukiwać, to on też może. Nie pozwoli, żeby go pobił nieuczciwie – to on pobije Mazera pierwszy.

Swoją ostatnią bitwę w Szkole Bojowej wygrał ignorując nieprzyjaciół i własne straty; zaatakował bramę przeciwnika.

A brama przeciwnika jest w dole.

Jeśli naruszy zasady, nigdy nie pozwolą mu zostać dowódcą. Byłby zbyt niebezpieczny. Nie będzie już musiał grać w tę grę. A to oznacza zwycięstwo.

Szeptem wydał polecenia. Dowódcy przejęli swoje części floty i uformowali szeroki pocisk, cylinder wymierzony w najbliższą formację wroga. Nieprzyjaciel nie próbował go odepchnąć, wręcz przeciwnie – zapraszał niemal do środka, by okrążyć ze wszystkich stron i dopiero wtedy zniszczyć. Mazer uwzględnił przynajmniej to, że do tej pory nauczyli się już ostrożności, pomyślał Ender. A to dawało mu trochę czasu.

Zaatakował w dół, na północ, na wschód i znowu na dół, na pozór bez żadnego planu, lecz cały czas zbliżając się do planety wroga. Wreszcie przeciwnik zbyt ciasno zacisnął pętlę i wtedy nagle formacja Endera rozpadła się. Flota rozpłynęła się chaotycznie, osiemdziesiąt myśliwców latało bez żadnego planu i strzelało we wszystkie strony, kreśląc swe indywidualne, beznadziejnie złożone krzywe między jednostkami robali.

Po kilku minutach walki Ender znów szepnął do mikrofonu i tuzin ocalałych myśliwców raz jeszcze uformował szyk. Teraz jednak znajdowały się za plecami jednego z najpotężniejszych ugrupowań przeciwnika. Ponosząc potworne straty przebiły się i pokonały ponad połowę odległości do planety.

Ender pomyślał, że nieprzyjaciel już zrozumiał. Mazer na pewno dostrzegł, co zamierza zrobić. A może Mazer nie wierzy, że się do tego posunie? No cóż, tym lepiej dla Endera.

Maleńka flotylla Endera zmieniała kursy, wysyłała na boki po dwa–trzy myśliwce, jakby do ataku, by zaraz ściągnąć je z powrotem. Nieprzyjaciel zbliżał się, przesuwając pojedyncze statki i formacje, dotąd rozrzucone wokół planety. Koncentrował siły przed ostatecznym uderzeniem. Najwięcej jednostek znalazło się za plecami Endera, by uniemożliwić mu ucieczkę w otwartą przestrzeń, zamknąć wewnątrz pierścienia. Znakomicie, myślał Ender. Bliżej. Niech podejdą bliżej.

Wydał rozkaz i jego statki runęły jak kamienie ku powierzchni planety. Były to myśliwce, absolutnie niezdolne do wytrzymania termicznej fali przejścia przez atmosferę. Ender jednak nie planował dotarcia do atmosfery. Niemal w tej samej chwili, gdy rzuciły się w dół, zaczęły ogniskować swych Małych Doktorów na jednym tylko celu – samej planecie.

Jeden, dwa, cztery, siedem jego myśliwców eksplodowało. Teraz wszystko zależało od szczęścia – czy choć jeden dotrze tak daleko, by cel znalazł się w promieniu rażenia. To nie potrwa długo, gdy już zdołają się zogniskować na powierzchni planety. Tylko chwila z doktorem Systemem – więcej mi nie trzeba. Ender pomyślał, że może komputer zwyczajnie nie potrafi pokazać, co się stanie z planetą po trafieniu przez Małego Doktora. Co wtedy zrobi? Krzyknie: pif paf, jesteś zabity?

Odsunął dłonie od przyrządów i pochylił się, by obserwować rozwój wydarzeń. Jego punkt widzenia znajdował się tuż nad planetą przeciwnika, na statku mknącym w głąb studni grawitacyjnej. Cel musiał już być w zasięgu. Musiał być w zasięgu, tylko komputer nie potrafi sobie poradzić.

Wtedy właśnie powierzchnia planety, zajmująca połowę pola symulatora, zaczęła się wydymać; eksplozja cisnęła odłamki w kierunku jego myśliwców. Ender usiłował sobie wyobrazić, co dzieje się we wnętrzu, gdy pole rośnie i rozszerza się, pękają wiązania molekularne, a pojedyncze atomy nie znajdują miejsca na ucieczkę.

W ciągu trzech sekund cała planeta rozpadła się, zmieniając w kulę jasnego pyłu, mknącego na zewnątrz. Myśliwce Endera zginęły jako pierwsze; ich monitory zgasły nagle i symulator pokazywał tylko pole walki z punktu widzenia okrętów oczekujących z dala od bitwy. Ender nie żałował, że nie może obserwować tego wszystkiego z bliska. Sfera eksplozji rosła szybciej, niż potrafiły uciekać statki wroga. I niosła z sobą Małego Doktora, teraz już wcale nie małego – pole niszczące wszystko na swej drodze, zmieniające statki w jasne punkty światła i pędzące dalej.

Dopiero na samej krawędzi ekranu symulatora pole DM zaczęło słabnąć. Dwa czy trzy nieprzyjacielskie statki dryfowały bezwładnie, ocalały też okręty Endera. Ale tam, gdzie była potężna flota wrogów i chroniona przez nią planeta, nie pozostało nic. Kula pyłu rosła w miarę, jak grawitacja ściągała do środka większość odłamków. Była gorąca i wyraźnie wirowała. Była też o wiele mniejsza, niż świat, z którego powstała. Spora część jego masy tworzyła teraz obłok, wciąż dryfujący odśrodkowo.

Ender zdjął słuchawki, w których rozbrzmiewały okrzyki radości jego dowódców eskadr i dopiero wtedy zdał sobie sprawę, że w pokoju panuje równie głośna wrzawa. Mężczyźni w mundurach ściskali się, śmiali i krzyczeli; inni łkali; kilku uklękło lub położyło się na podłodze i Ender wiedział, że się modlą. Nie rozumiał tego. Nic się nie zgadzało. Powinni się gniewać.

Pułkownik Graff odłączył od pozostałych i podszedł do niego. Łzy spływały mu po policzkach, ale uśmiechał się. Pochylił się, wyciągnął ramiona i – ku zdumieniu Endera – objął go i przycisnął mocno.

– Dzięki ci, Ender, dzięki – szepnął. – Dzięki Bogu za to, że nam ciebie zesłał.

Inni także podeszli, ściskali mu rękę i gratulowali. Usiłował coś z tego zrozumieć. Może jednak zdał ten egzamin? Przecież to była jego wygrana, nie ich. W dodatku nieuczciwa, oszukana; dlaczego zachowywali się tak, jakby zwyciężył honorowo?

Tłum rozstąpił się, by przepuścić Mazera Rackhama. Ten podszedł wprost do Endera i wyciągnął rękę.

– Dokonałeś trudnego wyboru, chłopcze. Wszystko albo nic. Koniec z nimi albo koniec z nami. Ale Bóg świadkiem, że nie było innej drogi. Gratuluję. Pobiłeś ich i wszystko się skończyło.

„Skończyło. Pobiłeś ich". Ender nie pojmował.

– Przecież to ciebie pobiłem.

Śmiech Mazera wypełnił całą salę.

– Ender, nie ze mną walczyłeś. Nie rozegrałeś ani jednej gry, odkąd zostałem twoim nieprzyjacielem.

Ender nie zrozumiał żartu. Przecież rozegrał mnóstwo gier i wiele go one kosztowały. Zaczynał się irytować.

Mazer sięgnął ręką do jego ramienia, ale Ender strząsnął jego dłoń. Wtedy Mazer spoważniał.

– Ender – powiedział. – Przez ostatnie kilka miesięcy dowodziłeś naszą flotą. Prowadziłeś Trzecią Inwazję. To nie były gry; bitwy toczyły się naprawdę, a jedynym twoim wrogiem były robale. Wygrywałeś wszystkie starcia, a dzisiaj pokonałeś ich ostatecznie nad ich światem ojczystym, gdzie była królowa, wszystkie królowe ze wszystkich ich kolonii. Wszystkie tam były, a ty je wszystkie zniszczyłeś. Nigdy już nas nie zaatakują. Ty tego dokonałeś. Ty. Naprawdę. To nie gra.

Umysł Endera był zbyt zmęczony, by zaakceptować te fakty. Więc to nie świetlne punkty w przestrzeni, ale prawdziwe statki, z którymi walczył i prawdziwe statki, które niszczył. I prawdziwy świat, który rozpylił w nicość. Przeszedł między ludźmi, ignorując ich wyciągnięte ręce, ich słowa, ich radość. Kiedy dotarł do pokoju, rozebrał się, wsunął do łóżka i zasnął.

• • •

Ender przebudził się, kiedy potrząsnęli go za ramię. Dopiero po chwili zdołał ich rozpoznać: Graff i Rackham. Odwrócił się do nich plecami.

– Dajcie mi spać.

– Ender, musimy z tobą porozmawiać.

Ender odwrócił się do nich.

– Wyświetlali to wideo na Ziemi przez cały dzień i całą noc, od wczorajszej bitwy.

– Wczorajszej?

Musiał przespać całą dobę.

– Jesteś bohaterem, Ender. Wszyscy widzieli, czego dokonaliście, ty i pozostali. Nie sądzę, by znalazł się jakiś rząd, który nie przyznałby ci swego najwyższego odznaczenia.

– Zabiłem ich wszystkich, prawda? – spytał Ender.

– Kogo wszystkich? – nie zrozumiał Graff. – Robali? O to właśnie chodziło.

Mazer pochylił się nad nim.

– To było celem tej wojny.

– Wszystkie ich królowe. A więc zabiłem też wszystkie ich dzieci, wszystkich.

– Sami o tym zdecydowali, kiedy nas napadli. To nie twoja wina. Tak musiało się stać.

Ender chwycił mundur Mazera i zawisł na nim, ściągając mężczyznę w dół tak, że znaleźli się twarzą w twarz.

– Nie chciałem ich wszystkich zabijać. Nikogo nie chciałem zabijać! Nie jestem mordercą! Wy dranie, to nie ja wam byłem potrzebny, tylko Peter. Ale zmusiliście mnie do tego, oszukaliście mnie!

– Oczywiście, że cię oszukaliśmy. Na tym właśnie polegał ten pomysł – oświadczył Graff. – Musieliśmy oszukiwać, inaczej nie byłbyś w stanie dokonać tego, czego dokonałeś. W tym tkwił cały problem. Musieliśmy znaleźć dowódcę, który potrafiłby wczuć się w robali, myśleć jak robale, rozumieć ich i przewidywać ich ruchy. Który potrafiłby zdobyć miłość swoich podwładnych i wspólnie z nimi pracować jak doskonała maszyna, równie doskonała, jak robale. Ale ktoś taki nigdy nie byłby zabójcą, którego potrzebowaliśmy. Nie mógłby ruszać do bitwy zdecydowany zwyciężyć za wszelką cenę. Gdybyś wiedział, nie byłbyś do tego zdolny. A gdybyś był osobą, która mogłaby to zrobić nawet wiedząc, nie potrafiłbyś dostatecznie dobrze zrozumieć robali.

– I to musiało być dziecko, Ender – dodał Mazer. – Byłeś szybszy ode mnie. Lepszy ode mnie. Ja byłem już zbyt stary i zbyt ostrożny. Żaden porządny człowiek, który zna wojnę, nie włożyłby w walkę całego serca. Ale ty jej nie znałeś. Dopilnowaliśmy tego. Byłeś zuchwały, błyskotliwy i młody. Po to przyszedłeś na świat.

– Mieliśmy pilotów w naszych statkach.

– Tak.

– Kazałem im atakować i ginąć, i nawet o tym nie wiedziałem.

– Oni wiedzieli, Ender. I atakowali mimo to. Rozumieli, o co walczą.

– Nikt mnie nie pytał! Ani razu nie powiedzieliście mi prawdy!

– Miałeś posłużyć jako broń, Ender. Jak miotacz, jak Mały Doktor, działający bezbłędnie bez wiedzy o tym, w co został wymierzony. To my cię wymierzyliśmy, Ender. Na nas spoczywa odpowiedzialność. Jeśli popełniliśmy błąd, to my jesteśmy winni.

– Powiecie mi to później – Ender zamknął oczy.

Mazer Rackham potrząsnął nim mocno.

– Nie zasypiaj, Ender – zawołał. – To bardzo ważne.

– Skończyliście ze mną – odparł Ender. – Teraz dajcie mi spokój.

– Dlatego właśnie przyszliśmy – wyjaśnił Mazer. – Próbujemy ci to wytłumaczyć. Oni wcale jeszcze z tobą nie skończyli. Powariowali tam, na dole. Chcą zacząć wojnę. Amerykanie twierdzą, że Układ Warszawski zamierza ich napaść, a Rosjanie zarzucają to samo Hegemonowi. Wojna z robalami skończyła się niecałe dwadzieścia cztery godziny temu, a oni znów walczą, jeszcze gorzej niż dawniej.

I wszyscy myślą o tobie. Wszyscy chcą ciebie. Jesteś największym przywódcą wojskowym w historii. Pragną, byś poprowadził ich armie. Amerykanie. Hegemon. Wszyscy oprócz Układu Warszawskiego, ale ci woleliby, żebyś zginął.

– Nie mam nic przeciwko temu – stwierdził Ender.

430

– Musimy cię stąd zabrać. Na Erosie jest pełno rosyjskich marines, a Polemarcha jest Rosjaninem. Lada chwila może się polać krew.

Ender znów odwrócił się do nich plecami. Tym razem mu nie przeszkadzali. Nie spał jednak. Słuchał.

– Tego się obawiałem, Rackham. Za mocno go przycisnąłeś. Mniej ważne placówki mogły poczekać. Mogłeś mu dać parę dni odpoczynku.

– Ty też zaczynasz, Graff? Próbujesz osądzić, jak mogłem to lepiej rozegrać? Nie wiesz, co by się stało, gdybym nie naciskał. Nikt nie wie. Zrobiłem to tak, jak uznałem za stosowne i udało mi się. To najważniejsze: udało się. Zapamiętaj sobie tę obronę, Graff. Tobie także może się kiedyś przydać.

– Przepraszam.

– Sam widzę, jak to się na nim odbiło. Pułkownik Liki uważa, że trwałe urazy są wysoce prawdopodobne, ale ja w to nie wierzę. Jest zbyt silny. Zwycięstwo wiele dla niego znaczyło. I zwyciężył.

– Nie mów mi o sile. Ten dzieciak ma jedenaście lat. Daj mu odpocząć, Rackham. Sytuacja nie jest jeszcze krytyczna. Możemy postawić wartownika przed jego drzwiami.

– Albo postawić wartownika przed innymi drzwiami i udawać, że to jego.

– Wszystko jedno.

Potem odeszli. Ender zasnął znowu.

• • •

Czas mijał, niemal nie dotykając Endera. Muskał go tylko przelotnie. Raz chłopiec przebudził się na kilka minut czując, jak coś uciska mu rękę,

431

napiera na nią tępym, upartym bólem. Dotknął tego palcami; to była igła wbita w żyłę. Próbował ją wyciągnąć, ale była przylepiona plastrem, a on nie miał sił. Innym razem zbudził się w ciemności, słysząc ciche pomruki i przekleństwa. W uszach dzwoniło mu jeszcze od nagłego hałasu, który przerwał sen. „Zapalcie światło", powiedział ktoś. Kiedy indziej zdawało mu się, że słyszy obok siebie czyjś cichy szloch.

Może trwało to tylko jeden dzień; może tydzień; sądząc po snach, mogły minąć miesiące. W snach kilkakrotnie przeżył całe swe życie. Znów przechodził przez Napój Olbrzyma i obok dzieci-wilków, przeżywał straszne śmierci i ciągłe morderstwa; słyszał głos, szepczący do niego wśród drzew: Musiałeś je zabić, by dotrzeć na Koniec Świata. Próbował odpowiadać: Nie chciałem nikogo zabijać. Nikt mnie nie pytał, czy chcę zabijać. Ale las śmiał się z niego. A kiedy skakał z urwiska na Końcu Świata, lądował czasem nie na chmurze, ale w myśliwcu, niosącym go do punktu obserwacyjnego nad powierzchnią świata robali. Mógł wtedy oglądać, raz za razem, erupcję śmierci w chwili, gdy dr System uruchamiał reakcję we wnętrzu planety. Potem zbliżał się jeszcze, coraz bardziej, aż wreszcie widział, jak wybuchają pojedyncze robale, rozbłyskują światłem i na jego oczach zmieniają w kupki pyłu. Widział też królową otoczoną młodymi; tyle że królowa była jego matką, a młode stawały się Valentine i wszystkimi dziećmi, które znał ze Szkoły Bojowej. Jedno z nich miało twarz Bonza i leżało tam krwawiąc z oczu i nosa. Nie masz honoru, mówiło. A sen kończył się zawsze zwierciadłem, powierzchnią stawu lub metalową burtą statku – czymś, co odbijało jego twarz. Z początku widział wtedy twarz Petera, zalaną krwią, ze zwisającym z ust ogonem węża. Dopiero po jakimś czasie zobaczył własną, starą i smutną, o oczach pełnych żalu po miliardach, miliardach zamordowanych. Były to jednak jego własne oczy i cieszył się, że je odzyskał.

Taki był świat, w którym przebywał Ender przez długie, długie lata w ciągu pięciu dni po zakończeniu Wojny Ligi.

Gdy znów się przebudził, leżał w ciemności. Z daleka dobiegały stłumione, głuche odgłosy wybuchów. Nasłuchiwał przez chwilę. Potem usłyszał ciche kroki.

Odwrócił się i błyskawicznie wyciągnął rękę, by złapać tego, kto się do niego skradał. Rzeczywiście, pochwycił czyjeś ubranie i szarpnął je w dół, w stronę kolan, gotów zabić, gdyby zaszła potrzeba.

– To ja, Ender! To ja!

Znał ten głos. Wypłynął z jego pamięci, jakby pochodził sprzed miliona lat.

– Alai.

– Salaam, dupku. Co ty wyprawiasz? Chciałeś mnie zabić?

– Tak. Myślałem, że to ty mnie chcesz zabić.

– Miałem zamiar cię obudzić. Dobrze przynajmniej, że zostało ci trochę instynktu samozachowawczego. Mazer mówi o tobie tak, jakbyś się stawał rośliną.

– Próbowałem. Co to za wybuchy?

– Tutaj trwa wojna. Dla bezpieczeństwa wyciemnili naszą sekcję.

Ender zsunął nogi, by usiąść, ale nie potrafił. Za mocno huczało mu w głowie. Skrzywił się z bólu.

– Nie siadaj, Ender. Wszystko jest w porządku. Wygląda na to, że jeszcze możemy wygrać. Nie wszyscy ludzie Układu Warszawskiego poparli Polemarchę. Wielu przeszło na naszą stronę, kiedy Strategos powiedział, że zachowujesz lojalność wobec MF.

– Spałem.

– Więc kłamał. Ale chyba nie knułeś zdrady przez sen? Paru Rosjan, którzy przyszli do nas, mówiło, że kiedy Polemarcha kazał im znaleźć cię i zabić, to niewiele brakowało, by jego zabili. Cokolwiek myślą o innych, Ender, ciebie kochają. Cały świat oglądał nasze bitwy. Nagrania szły dniem i nocą. Pełny zapis, razem z twoim głosem wydającym rozkazy. Pokazali wszystko, bez żadnych cięć. Dobra robota. Karierę w filmie masz jak w banku.

– Nie wydaje mi się – mruknął Ender.

– Żartowałem. Chłopie, możesz to sobie wyobrazić? Wygraliśmy wojnę. Tak strasznie nam zależało, żeby dorosnąć i wziąć w niej udział, a to byliśmy my, przez cały czas. Wiesz, o co mi chodzi, Ender. Jesteśmy dziećmi. A to właśnie my wygraliśmy – Alai roześmiał się. – No, przynajmniej ty. Nie wiedziałem, jak nas wyciągniesz z tego ostatniego układu. Ale udało ci się. Dobry byłeś.

Ender zauważył, że Alai używa czasu przeszłego. Był dobry.

– A jaki jestem teraz, Alai?

– Nadal dobry.

– W czym?

– W... we wszystkim. Milion żołnierzy pójdzie za tobą na koniec Wszechświata.

– Nie chcę iść na koniec Wszechświata.

– Więc gdzie chcesz pójść? Oni podążą za tobą.

Chcę wrócić do domu, pomyślał Ender, ale nie wiem, gdzie to jest.

Huk wybuchów ucichł.

– Słuchaj – powiedział Alai.

Nasłuchiwali. Otworzyły się drzwi. Ktoś stanął w progu. Ktoś nieduży.

– Już po wszystkim – oznajmił. To był Groszek. Jakby dla potwierdzenia jego słów, zapłonęły światła.

– Cześć, Groszek – powiedział Ender.

– Cześć, Ender.

Za nim weszła Petra i Dink, trzymający ją za rękę. Zbliżyli się do łóżka Endera.

– Patrzcie, nasz bohater się obudził – zawołał Dink.

– Kto wygrał? – spytał Ender.

– My wygraliśmy, Ender – odparł Groszek. – Byłeś przy tym.

– On jeszcze nie zwariował, Groszek, nie do tego stopnia. Chce wiedzieć, kto wygrał teraz – Petra ujęła dłoń Endera. – Na Ziemi uzgodniono zawieszenie broni. Od paru dni trwały negocjacje. Zgodzili się w końcu na przyjęcie Propozycji Locke'a.

– On nic nie wie o Propozycji Locke'a.

– Jest dość skomplikowana, ale oznacza przede wszystkim, że MF będzie istniała nadal, tylko z wyłączeniem Układu Warszawskiego. W związku z tym ich marines wracają do domu. Moim zdaniem Rosja zgodziła się, bo trwa tam rewolta ich słowiańskich helotów. Każdy ma jakieś problemy. Tutaj zginęło jakichś pięciuset ludzi, ale na Ziemi było gorzej.

– Hegemon ustąpił – dodał Dink. – Na dole panuje istne szaleństwo. Nikt się tym nie przejął.

– Dobrze się czujesz? – spytała Petra, muskając palcami jego czoło. – Przestraszyłeś nas. Powiedzieli, że oszalałeś, a my im na to, że chyba sami poszaleli.

– Jestem szalony – odparł Ender. – Ale poza tym chyba wszystko w porządku.

– A kiedy doszedłeś do tego wniosku? – zainteresował się Alai.

– Kiedy mi się zdawało, że chcesz mnie zabić i postanowiłem zabić cię pierwszy. Jestem chyba mordercą aż do szpiku kości, ale wolę być raczej żywy, niż martwy.

Śmiejąc się przyznali mu rację. Potem Ender rozpłakał się i objął mocno Petrę i Groszka, którzy stali najbliżej.

– Tęskniłem za wami – szepnął. – Tak strasznie chciałem was zobaczyć.

– I zobaczyłeś nas w strasznej formie – odparła Petra. Pocałowała go w policzek.

– Zobaczyłem was wspaniałych. Tych, których najbardziej potrzebowałem, zużyłem najszybciej. Marnie to zaplanowałem.

– U nas już w porządku – oświadczył Dink. – Nie stało się nic takiego, czego nie wyleczyłoby pięć dni siedzenia pod miotłą w wyciemnionych pokojach, w samym środku wojny.

– Nie muszę już być waszym dowódcą, prawda? – spytał Ender. – Nie chciałbym więcej nikim dowodzić.

– Nie musisz nikim dowodzić – odparł Dink. – Ale zawsze będziesz naszym dowódcą.

Przez chwilę milczeli wszyscy.

– Co teraz będziemy robić?– odezwał się Alai. – Wojna z robalami skończona, tak samo jak wojna na Ziemi, a nawet tutaj. Co zrobimy?

– Jesteśmy dziećmi – stwierdziła Petra. – Pewnie każą nam iść do szkoły. Takie jest prawo. Musisz chodzić do szkoły, dopóki nie skończysz siedemnastu lat.

Wtedy wybuchnęli śmiechem. Śmiali się tak długo, że łzy płynęły im po policzkach.

Rozdział 15

Mówca Umarłych

Jezioro trwało nieruchomo w bezwietrznej pogodzie. Dwaj mężczyźni siedzieli na krzesłach ustawionych na pływającym pomoście. Niewielka, drewniana tratwa unosiła się na wodzie. Graff wsunął stopę w pętlę liny i przyciągał ją do siebie, potem pozwalał jej odpłynąć, by przyciągnąć znowu.

– Stracił pan na wadze.

– Jeden stres jej dodaje, inny odejmuje. Jestem we władzy chemii.

– To musiało być trudne.

– Niespecjalnie – Graff wzruszył ramionami. – Wiedziałem, że mnie uniewinnią.

– Niektórzy z nas nie byli o tym przekonani. Zdawało się, że ludzie powariowali. Brutalne traktowanie dzieci, zaniedbanie obowiązków, prowadzące do zabójstwa... te filmy z Bonzem i Stilsonem były dość ponure. Trudno patrzeć, jak jedno dziecko robi coś takiego drugiemu.

– Moim zdaniem właśnie te filmy mnie uratowały. Oskarżenie mocno je pocięło, ale my pokazaliśmy całość. Było jasne, że to nie Ender sprowokował zajście. Potem sprawa szła o domysły. Powiedziałem, że

438

zrobiłem to, co uznałem za konieczne dla ocalenia ludzkiej rasy i udało mi się. Przekonaliśmy sędziów, że oskarżenie musi udowodnić ponad wszelką wątpliwość, że Ender wygrałby wojnę bez naszego szkolenia. Potem wszystko było już proste. Potrzeby wojny.

– W każdym razie, Graff, przyjęliśmy to z wielką ulgą. Owszem, kłóciliśmy się i wiem, że oskarżenie wykorzystało przeciwko panu nagrania naszych rozmów. Wtedy jednak wiedziałem już, że miał pan rację i chciałem zeznawać na pańską korzyść.

– Wiem, Anderson. Adwokat mi powiedział.

– I co pan teraz zrobi?

– Nie wiem. Na razie ciągle odpoczywam. Mam parę lat zaległego urlopu. Wystarczy, żeby dociągnąć do emerytury. Mam też odłożone w bankach mnóstwo pieniędzy z pensji, której nigdy nie wykorzystywałem. Mógłbym żyć z procentów. Może nic nie będę robił.

– Nieźle to brzmi. Ale ja bym nie wytrzymał. Proponowali mi katedry na trzech różnych uniwersytetach, ponieważ teoretycznie jestem wykładowcą. Nie wierzą, kiedy im tłumaczę, że w Szkole Bojowej interesowała mnie wyłącznie gra. Sądzę, że skorzystam z drugiej oferty.

– Komisarz rozgrywek?

– Teraz, kiedy wojna się skończyła, znowu można wrócić do gier. Zresztą, to i tak będą wakacje. Tylko dwadzieścia osiem drużyn w lidze. Chociaż, po tylu latach przyglądania się naszym dzieciakom, futbol przywodzi na myśl zderzające się ze sobą ślimaki.

Roześmieli się obaj. Graff odepchnął stopą tratwę.

– Co to za tratwa? Przecież nie mógłby pan na niej pływać.

Graff pokręcił głową.

– To Ender ją zbudował.

– No tak. Przecież pan go tutaj przywiózł.

– Nawet przyznali mu tę posiadłość na własność. *Dopilnowałem, by został należycie wynagrodzony. Do końca życia nie zabraknie mu pieniędzy.*

– Jeśli tylko pozwolą mu wrócić, żeby je wydać.

– Nigdy nie pozwolą.

– Mimo że Demostenes agituje za jego powrotem?

– Demostenes nie występuje już w sieciach.

Anderson uniósł brwi.

– A to dlaczego?

– Demostenes się wycofał. Na stałe.

– Pan coś wie, stary oszuście. Pan wie, kim jest Demostenes.

– Był.

– Więc niech pan powie.

– Nie.

– Przestał pan być zabawny, Graff.

– Nigdy nie byłem.

– Niech pan przynajmniej powie, dlaczego. Wielu z nas uważało, że pewnego dnia Demostenes zostanie Hegemonem.

– Nigdy nie było takiej możliwości. Nie, nawet ten jego tłum politycznych kretynów nie przekona Hegemona, by sprowadził Endera na Ziemię. Jest zbyt niebezpieczny.

– Ma dopiero jedenaście lat. Teraz dwanaście.

– Jest więc tym bardziej niebezpieczny, ponieważ tak łatwo nim kierować. Cały świat liczy się z imieniem Endera. To boskie dziecko, cudotwórca, trzymający w dłoniach życie i śmierć. Każdy drobny tyran pragnąłby postawić chłopaka na czele ar-

440

mii i patrzeć, jak wszyscy inni przyłączają się do niego albo trzęsą ze strachu. Gdyby Ender wrócił na Ziemię, chciałby zamieszkać tutaj, odpoczywać, ocalić, ile się da ze swego dzieciństwa. Ale nie pozwolą mu odpocząć.

– Rozumiem. I ktoś wytłumaczył to Demostenesowi?

– Demostenes wytłumaczył to komuś innemu. Komuś, kto potrafiłby wykorzystać Endera jak nikt inny, by rządzić światem i sprawić, że świat byłby z tego zadowolony.

– Kto?

– Locke.

– Locke przekonywał, że Ender powinien zostać na Erosie.

– Nie wszystko jest takie, jakim się wydaje.

– To dla mnie za skomplikowane, Graff. Daj mi grę. Proste, jasne reguły. Sędziów. Początek i koniec. Zwycięzców i przegranych, a potem wszyscy wracają do domu, do żon.

– Załatwi mi pan czasem bilety na mecz?

– Nie zostanie pan tutaj i nie wycofa się, prawda?

– Nie.

– Przechodzi pan do Hegemonii?

– Jestem nowym Ministrem Kolonizacji.

– Więc zdecydowali się na to?

– Czekamy tylko na raporty z kolonii robali. Wie pan, te planety czekają, już zagospodarowane, z miastami i przemysłem. Bardzo to wygodne. Cofniemy prawa ograniczające przyrost naturalny...

– Których i tak wszyscy nienawidzą...

– I każdy trzeci, czwarty i piąty wsiądzie na statek, by ruszyć ku światom znanym i nieznanym.

   – I ludzie wyruszą?
   – Ludzie zawsze wyruszają. Zawsze. Wierzą, że
potrafią urządzić życie lepiej, niż w domu.
   – Do diabła, może naprawdę potrafią.

   Z początku Ender wierzył, że zabiorą go na
Ziemię, gdy tylko wszystko się uspokoi. Ale
wszystko się uspokoiło, pokój panował już od roku, i stało się jasne, że nie mają zamiaru pozwolić mu na powrót, że jest o wiele bardziej użyteczny jako imię i legenda, niż niewygodna osoba
z krwi i kości.
   W dodatku przed sądem wojskowym trwało
postępowanie w sprawie przestępstw pułkownika
Graffa. Admirał Chamrajnagar starał się nie do-
puszczać Endera do sprawozdań, ale nie udało mu
się. Enderowi także nadano stopień admirała
i choć zwykle tego unikał, tym razem wykorzystał
przysługujące mu przywileje. Dlatego mógł oglądać wideo z walk ze Stilsonem i Bonzem, widział
fotografie zwłok, słuchał sporów prawników i psy-
chologów, czy popełnił morderstwo, czy raczej zabił w obronie własnej. Miał na ten temat własną
opinię, nikt go jednak nie pytał. Przez cały czas
trwania procesu atakowano właściwie Endera.
Prokurator był zbyt inteligentny, by oskarżać
wprost, ale próbował przedstawić go jako chore-
go, perwersyjnego, przestępczego maniaka.
   – Nie przejmuj się – poradził mu Mazer Rackham. – Politycy się ciebie boją, ale jeszcze nie potrafią ci zepsuć reputacji. To się nie uda, dopóki za
trzydzieści lat nie wezmą się za ciebie historycy.
   Ender nie dbał o reputację. Oglądał zapisy
obojętnie, choć z lekkim rozbawieniem. Zabił

w walce dziesięć miliardów robali, którzy byli równie inteligentni i wcale nie gorsi niż ludzie, którzy nawet nie próbowali atakować ludzi po raz trzeci, a nikt nawet nie pomyślał, by nazwać to przestępstwem.

Wszystkie te zbrodnie obciążały jego sumienie; śmierć Stilsona i Bonza nie bardziej, ale i nie mniej niż pozostałe.

Z tym ciężarem czekał długie, puste miesiące, by świat, który ocalił, uznał, że może wrócić do domu.

Przyjaciele opuszczali go z żalem. Jeden po drugim wracali do swych rodzin, do domów, gdzie witano ich jak bohaterów. Ender oglądał nagrania ich powrotów i był wzruszony słysząc, jak chwalą Endera Wiggina, który nauczył ich wszystkiego i poprowadził do zwycięstwa. Gdy jednak apelowali, by sprowadzić go na Ziemię, cenzura wycinała te zdania i nikt nie słyszał ich próśb.

Przez długi czas na Erosie nie było nic do roboty, poza uprzątaniem pozostałości po krwawej Wojnie Ligi i odbieraniem raportów od statków, kiedyś okrętów bojowych, badających kolonie robali.

Teraz jednak wrzała tu praca i zebrało się więcej ludzi, niż kiedykolwiek w czasie wojny. Koloniści przybywali, by szykować się do podróży na opustoszałe planety. Ender pomagał, gdy tylko mu pozwalali; trudno im było pojąć, że dwunastoletni chłopiec może być równie utalentowany w sprawach pokoju, co wojny. Ale cierpliwie znosił ich skłonność do ignorowania go; nauczył się przekazywać swoje sugestie poprzez kilku dorosłych, którzy go słuchali i powtarzali jego pomysły jako własne. Nie zależało mu na uznaniu, ale na wykonaniu pracy.

Jednego tylko nie potrafił znieść: uwielbienia, jakie okazywali mu koloniści. Zaczął unikać zamieszkiwanych przez nich tuneli, ponieważ zawsze rozpoznawali go – świat zapamiętał dobrze jego twarz – a potem krzyczeli, klaskali, ściskali go i gratulowali, pokazywali dzieci nazwane jego imieniem i mówili, że jego młodość łamie im serca, że nie winią go za te morderstwa, bo przecież to nie jego wina, jest tylko dzieckiem...

Krył się przed nimi najlepiej jak potrafił.

Jednak był wśród kolonistów ktoś, przed kim nie mógł się schować.

Tego dnia przebywał poza Erosem. Poleciał promem na nowy SMG, gdzie uczył się wykonywania prac pokładowych na statkach. Chamrajnagar mówił, że praca fizyczna nie przystoi oficerowi, lecz Ender odpowiadał, że ponieważ nie ma już popytu na jego dotychczasowe umiejętności, pora, by poznał coś nowego.

Wezwali go przez komunikator skafandra; ktoś chciał się z nim zobaczyć, gdy tylko wróci. Enderowi nie przychodził na myśl nikt, kogo chciałby widzieć, więc nie spieszył się zbytnio. Dokończył montażu osłony ansibla statku, potem przeciągnął się hakiem ponad burtą i wpłynął do śluzy.

Czekała na niego przed drzwiami szatni. Zirytował się, że pozwolili koloniście niepokoić go nawet tutaj, gdzie chciał być sam. Kiedy jednak przyjrzał się uważniej, dostrzegł, że znałby tę młodą kobietę, gdyby była małą dziewczynką.

– Valentine – powiedział.

– Cześć, Ender.

– Co ty tu robisz?

– Demostenes się wycofał. Teraz wyruszam z pierwszą kolonią.

– To podróż na pięćdziesiąt lat.

– Na pokładzie statku tylko dwa.

– Ale gdybyś kiedyś wróciła, każdy, kogo znałaś na Ziemi, zdąży umrzeć...

– O to właśnie mi chodzi. Miałam jednak nadzieję, że poleci ze mną ktoś z Erosa.

– Nie chcę lecieć na planetę, którą ukradliśmy robalom. Chcę tylko wrócić do domu.

– Nigdy nie wrócisz na Ziemię, Ender. Zadbałam o to przed startem.

Patrzył na nią w milczeniu.

– Zaraz ci o tym opowiem. Gdybyś miał ochotę mnie znienawidzić, możesz zacząć natychmiast.

Poszli razem do maleńkiej kabiny Endera w SMG i tam wyjaśniła mu wszystko. Peter chciał jego powrotu, pod ochroną Rady Hegemona.

– W obecnej sytuacji znalazłbyś się praktycznie pod kontrolą Petera, ponieważ połowa Rady robi to, czego on chce. Tych, którzy nie jedzą Locke'owi z ręki, trzyma w garści innymi sposobami.

– Czy wiedzą, kim jest naprawdę?

– Tak. Nie jest powszechnie znany, ale ludzie na wysokich stanowiskach wiedzą. Ma zbyt duże wpływy, by przejmowali się jego wiekiem. Dokonał niewiarygodnych rzeczy.

– Zauważyłem, że układ pokojowy sprzed roku nazwano jego imieniem.

– To był punkt zwrotny jego kariery. Wysunął tę propozycję za pośrednictwem przyjaciół z sieci publicznych, a potem Demostenes także ją poparł. Na taki moment czekał – żeby dla jakiegoś dużego przedsięwzięcia wykorzystać wpływ Demostenesa na motłoch i Locke'a wśród inteligencji. Jego akcja powstrzymała naprawdę paskudną wojnę, która mogła potrwać całe dziesięciolecia.

– Postanowił zostać politykiem?

– Chyba tak. Ale w chwili szczerości powiedział mi cynicznie, że gdyby pozwolił Lidze rozpaść się zupełnie, musiałby zdobywać świat po kawałku. Dopóki trwa Hegemonia, może to zrobić za jednym zamachem.

Ender pokiwał głową.

– Tak, to podobne do Petera.

– Zabawne, prawda? Peter ocalił miliony istnień.

– A ja zabiłem miliardy.

– Nie to chciałam powiedzieć.

– Więc miał zamiar mnie wykorzystać?

– Zaplanował wszystko dokładnie. Zaraz po twoim powrocie chciał odkryć swoją tożsamość i powitać cię przed kamerami. Starszy brat Endera Wiggina, a przy tym wielki Locke, architekt pokoju. Obok ciebie wydałby się prawie dorosły. A jesteście teraz podobni do siebie bardziej niż kiedykolwiek. Potem bez większych problemów przejąłby władzę.

– Dlaczego go powstrzymałaś?

– Ender, nie byłbyś szczęśliwy, spędzając resztę życia w roli marionetki Petera.

– Dlaczego? Cały czas byłem czyjąś marionetką.

– Ja też. Pokazałam Peterowi wszystkie materiały, jakie udało mi się zebrać – dość, by przekonać ludzi, że jest psychopatycznym mordercą. Miałam kolorowe zdjęcia torturowanych wiewiórek i filmy z czujnika o tym, jak cię traktował. Sporo pracy kosztowało mnie skompletowanie tego wszystkiego, ale kiedy to zobaczył, bez sprzeciwu dał mi to, czego chciałam. A chciałam wolności dla ciebie i dla mnie.

– Moim zdaniem wolność nie polega na mieszkaniu w domu ludzi, których zabiłem.

– Ender, co się stało, to się nie odstanie. Ich planety są teraz puste, a nasza przepełniona. I możemy ze sobą zabrać to, czego ich światy nigdy nie znały: miasta pełne ludzi, którzy przeżywają swoje osobiste, indywidualne życie, którzy kochają się i nienawidzą. Na wszystkich światach robali można było opowiedzieć tylko jedną historię; kiedy my tam dotrzemy, będzie mnóstwo historii i każdego dnia będziemy wymyślać ich zakończenia. Ziemia należy do Petera, Ender. I jeśli nie polecisz ze mną, ściągnie cię tam i wykorzysta tak, że pożałujesz, że się urodziłeś. Masz teraz jedyną szansę, by się mu wymknąć.

Ender nie odpowiedział.

– Wiem, o czym myślisz, Ender. Że próbuję cię kontrolować tak samo, jak Peter, Graff i wszyscy inni.

– Owszem, przyszło mi to do głowy.

– Witaj wśród ludzi. Nikt nie steruje własnym życiem, Ender. Najlepsze, co można zrobić, to pozwolić sobą kierować tym, którzy są dobrzy, którzy cię kochają. Nie przyleciałam tu dlatego, że chcę zostać kolonistą. Przyleciałam, bo spędziłam całe życie w towarzystwie brata, którego nienawidzę. Teraz chcę poznać brata, którego kocham, zanim będzie za późno, zanim przestaniemy być dziećmi.

– Już jest na to za późno.

– Nie masz racji, Ender. Wydaje ci się, że jesteś dorosły, zmęczony i rozgoryczony tym wszystkim, ale w głębi serca jesteś dzieckiem. Tak samo, jak ja. Możemy zachować to w tajemnicy przed wszystkimi. Kiedy ty będziesz zarządzał kolonią, a ja będę pisać filozoficzne traktaty o polityce, nikt się nie domyśli, że pod osłoną nocy przemykamy się do swoich pokoi, żeby grać w warcaby albo tłuc się poduszkami.

Ender roześmiał się, ale nie uszły jego uwagi pewne słowa, wypowiedziane tonem zbyt obojętnym, by mogły być przypadkowe.

– Zarządzał?

– Jestem Demostenesem, Ender. Odeszłam z hukiem. Było publiczne oświadczenie, że tak bardzo wierzę w ideę kolonizacji, że postanowiłam sama odlecieć pierwszym statkiem. Równocześnie Minister Kolonizacji, były pułkownik nazwiskiem Graff, poinformował, że pilotem tego statku będzie sam wielki Mazer Rackham, a zarządcą kolonii Ender Wiggin.

– Mogli mnie zapytać.

– Chciałam to zrobić sama.

– Ale informacja została już ogłoszona.

– Nie. Ogłoszą ją jutro, jeśli się zgodzisz. Mazer wyraził zgodę kilka godzin temu, na Erosie.

– I mówisz wszystkim, że jesteś Demostenesem? Czternastoletnia dziewczynka?

– Poinformowano tylko, że Demostenes wyrusza z kolonistami. Przez następne pięćdziesiąt lat mogą studiować listę pasażerów i zastanawiać się, który z nich jest tym wielkim demagogiem Ery Locke'a.

448

Ender ze śmiechem pokręcił głową.

– To cię naprawdę bawi, Val.

– A dlaczego nie?

– No dobrze. Polecę. Może nawet jako zarządca, jeśli ty i Mazer mi pomożecie. Moje zdolności są tutaj trochę za mało wykorzystywane.

Pisnęła z radości i rzuciła mu na szyję, dokładnie tak, jak zwykła nastolatka, która dostała od młodszego brata wymarzony prezent.

– Val – powiedział z powagą Ender. – Chcę, żebyś zrozumiała jedno: nie lecę dla ciebie. Ani po to, żeby rządzić kolonią albo dlatego, że się tu nudzę. Lecę, ponieważ znam robale lepiej niż ktokolwiek z żywych i jeśli tam dotrę, może zrozumiem ich jeszcze lepiej. Odebrałem im przyszłość; mogę im to wynagrodzić jedynie próbując nauczyć się jak najwięcej z ich przeszłości.

• • •

Podróż trwała długo. Nim dobiegła końca, Val skończyła pierwszy tom swojej historii wojen z robalami i jako Demostenes przekazała go ansiblem na Ziemię. Ender zaś zdobył coś więcej, niż tylko pochlebstwa współpasażerów. Zdążyli go poznać i darzyli go szacunkiem i miłością.

Dobrze sobie radził w nowym świecie, rządząc raczej z pomocą perswazji niż dekretów. Jak pozostali, ciężko pracował. Najważniejszym jednak jego zadaniem bez wątpienia było badanie pozostałości po robalach. Szukał wśród budowli, maszyn i dawno nie uprawianych pól tego, co ludzie mogliby wykorzystać. Nie było żadnych książek – robale nigdy ich nie potrzebowały. Wszystko przechowywały w pamięci, wszystko mówiły tylko myśląc. Ich wiedza umarła wraz z nimi.

A jednak... solidne dachy nad ich pomieszczeniami dla zwierząt i magazynami żywności powiedziały Enderowi, że zima na tej planecie będzie ciężka i śnieżna. Płoty z zaostrzonych pali pochylonych na zewnątrz świadczyły o obecności zwierząt zagrażających stadom i plonom. Z istnienia młyna wywnioskował, że podłużne owoce o paskudnym smaku, rosnące w zapuszczonych sadach, suszono i mielono na mąkę. A szelki, w których kiedyś dorośli nosili młode na pola, przekonały go, że choć robale nie dbały o indywidualność, to jednak kochały swoje dzieci.

Lata mijały i życie ustabilizowało się. Koloniści mieszkali w drewnianych domach, a tunele robali wykorzystywali na magazyny i warsztaty. Teraz rządziła tu rada, administratorów wybierano, więc Ender – choć nadal nazywano go zarządcą – był właściwie tylko sędzią. Zdarzały się przestępstwa i spory, obok uprzejmości i współpracy; byli ludzie, którzy się kochali, i tacy, którzy nienawidzili; to był świat człowieka. Nikt już nie czekał niecierpliwie na kolejną transmisję ansibla; sławne na Ziemi imiona tutaj znaczyły niewiele. Znali jedynie Petera Wiggina, Hegemona Ziemi; otrzymywali tylko wiadomości o pokoju, o dobrobycie, o wielkich statkach opuszczających obrzeża Układu Słonecznego Ziemi, mijających tarczę kometarną i ruszających w podróż, by zaludnić światy robali. Wkrótce miały powstać nowe kolonie na ich świecie, świecie Endera; wkrótce mieli pojawić się sąsiedzi. Byli już w połowie drogi, ale nikt się tym nie przejmował. Pomogą nowo przybyłym, kiedy się tu zjawią, ale teraz najważniejsze było, kto się z kim ożeni, kto zachorował, kiedy nadchodzi pora siewu i dlaczego właściwie mam mu płacić, jeśli cielak zdechł trzy tygodnie po tym, jak go kupiłem.

– Stali się ludźmi Ziemi – stwierdziła Valentine. – Nikogo nie obchodzi, że właśnie dzisiaj Demostenes wysyła siódmy tom swojej historii. Tutaj nikt go nie przeczyta.

Ender wcisnął klawisz i na ekranie pojawiła się kolejna strona.

– Niezwykle wnikliwe spostrzeżenie, Valentine. Ile jeszcze tomów zostało ci do końca?

– Tylko jeden. Historia Endera Wiggina.

– Jak to zrobisz? Zaczekasz z pisaniem, aż umrę?

– Nie. Będę pisać i przerwę, kiedy dojdę do dni dzisiejszych.

– Mam lepszy pomysł. Doprowadź całość do zwycięstwa w ostatniej bitwie. Skończ w tym miejscu. Nic, czego dokonałem później, nie jest warte zapisywania.

– Może – mruknęła Valentine. – A może nie.

• • •

Ansibl przyniósł wiadomość, że statek nowej kolonii przybędzie już za rok. Prosili, by Ender znalazł im miejsce do osiedlenia, wystarczająco bliskie jego kolonii, by mogli ze sobą handlować, a dostatecznie dalekie, by obie kolonie miały oddzielne rządy. Ender wziął śmigłowiec i ruszył na poszukiwania. Zabrał ze sobą jedno z dzieci, jedenastoletniego chłopca imieniem Abra; miał ledwie trzy lata, kiedy powstawała kolonia i nie pamiętał już innego świata. Odlatywali z Enderem daleko, rozbijali biwak na noc, a rankiem wyruszali pieszo, by rozejrzeć się w terenie.

Trzeciego dnia Ender doznał nagłego uczucia, że poznaje miejsce, w którym się znaleźli. Rozejrzał się uważnie; w tej okolicy był po raz pierwszy, nigdy jej przedtem nie widział. Zawołał Abrę.

– Tutaj, Ender – krzyknął Abra. Stał na szczycie niskiego pagórka o stromych zboczach. – Przyjdź tu!

Ender wspiął się na górę. Spod jego stóp odrywały się bryły miękkiej ziemi. Abra wskazywał palcem w dół.

– Patrz tylko. Trudno uwierzyć – oznajmił.

Pagórek był wydrążony. Głęboką depresję w samym środku wypełniał częściowo niewielki staw, otoczony wybrzuszonymi zboczami, opadającymi niebezpiecznie ku wodzie. Z jednej strony wzgórze przechodziło w dwa niskie grzbiety, tworzące dolinę w kształcie litery V, z drugiej wznosiło się ku białej skale, wyszczerzonej jak czaszka z drzewem wyrastającym z ust.

– Wygląda, jakby zginął tu olbrzym – stwierdził Abra. – A grunt się podniósł i przykrył trupa.

Teraz Ender wiedział, dlaczego wszystko wydało mu się znajome. Zwłoki Olbrzyma. Zbyt wiele razy grał tu jako dziecko, by nie zapamiętać okolicy. Ale to przecież niemożliwe. Komputer Szkoły Bojowej nie mógł znać tego miejsca.

Spojrzał przez lornetkę w kierunku, który pamiętał najlepiej, z nadzieją, ale i lękiem, że zobaczy to, co należało do zestawu.

Huśtawki i zjeżdżalnie. Drabinki. Porośnięte zielenią, ale nie można było nie poznać ich kształtów.

– Ktoś musiał to wszystko zbudować – oświadczył Abra. – Popatrz, ta niby czaszka to wcale nie skała. To beton.

– Wiem – odparł Ender. – Zbudowali to dla mnie.

– Co?

– Znam to miejsce, Abra. Robale zbudowały je dla mnie.

– Wtedy, kiedy tu dotarliśmy, robale nie żyły już od pięćdziesięciu lat.

– Masz rację, to niemożliwe. Ale wiem, co mówię. Nie powinienem cię ze sobą zabierać, Abra. To może być niebezpieczne. Jeśli znali mnie tak dobrze, żeby to wszystko zbudować, to mogli też zaplanować...

– Wyrównanie z tobą rachunków.

– Za to, że ich zabiłem.

– Więc nie chodź, Ender. Nie rób tego, czego się po tobie spodziewali.

– Jeśli chcą się zemścić, Abra, mnie to nie przeszkadza. Ale to nie jest pewne. Może starali się w ten sposób porozumieć. Zostawić mi wiadomość.

– Nie potrafili czytać ani pisać.

– Może właśnie się uczyli, kiedy zginęli.

– No to na pewno nie będę się tu pętał, kiedy ty gdzieś wyruszasz. Idę z tobą.

– Nie. Jesteś za młody, żeby się narażać...

– Daj spokój. Jesteś Ender Wiggin. Nie będziesz mnie uczył, czego nie mogą robić jedenastoletni chłopcy.

Razem przelecieli śmigłowcem nad placem zabaw, nad lasem, nad studnią na polanie. I dalej – tam, gdzie istotnie było urwisko i jaskinia i wąska półka w miejscu, gdzie powinien się znajdować Koniec Świata. W dali, dokładnie tam, gdzie w grze fantasy, wznosiła się wieża zamku.

Zostawił Abrę w maszynie.

– Nie idź za mną. I leć do domu, jeśli nie wrócę za godzinę.

– Wypchaj się, Ender. Pójdę z tobą.

– Sam się wypchaj, Abra, bo cię wyłożę do błota.

Abra zrozumiał, że mimo żartobliwego tonu Ender mówi poważnie, więc został.

Mury wieży były nierówne, pełne występów i zagłębień, ułatwiających wspinaczkę. Chcieli, żeby się dostał do środka.

Komnata była taka, jak zawsze. Ender pamiętał wszystko dokładnie i rozejrzał się szukając węża, ale znalazł tylko dywan z głową węża w rogu. Imitacja, nie duplikat. Jak na rasę, która nie znała sztuki, poradzili sobie doskonale. Musieli ściągać te obrazy z umysłu Endera, znajdując go i poznając najczarniejsze sny poprzez lata świetlne pustki. Ale po co? Żeby sprowadzić go tutaj, to oczywiste. Żeby zostawić mu wiadomość. Ale gdzie ona jest i jak zdoła ją zrozumieć?

Zwierciadło czekało na ścianie. Było płytą zmętniałego metalu, na której wyryto przybliżony kształt ludzkiej sylwetki. Próbowali narysować odbicie, które powinien zobaczyć.

Patrząc w zwierciadło przypominał sobie, jak tłucze je i wyrywa z muru, a węże wyskakują z kryjówki i kąsają wszędzie, gdzie mogą sięgnąć jadowitymi zębami.

Jak dobrze mnie poznali, pomyślał Ender. Tak dobrze, że wiedzieli, jak często myślał o śmierci, wiedzieli, że się jej nie boi. Wiedzieli, że nawet gdyby się przestraszył, to lęk przed śmiercią nie powstrzyma go przed zdjęciem tego zwierciadła.

Podszedł do płyty metalu, podniósł ją i pociągnął. Nic nie wyskoczyło z odsłoniętej wnęki. Leżała tam biała kula jedwabiu ze sterczącymi tu i ówdzie luźnymi nitkami. Jajo? Nie, raczej poczwarka królowej robali, zapłodniona już przez larwalne samce, gotowa wydać ze swego ciała sto tysięcy robali, w tym kilka królowych. Ender wyobraził sobie podobne do ślimaków samce, przywierające do ścian mrocznego tunelu, i dorosłe osobniki niosące niedojrzałą królową do sali zapłodnień; każdy z samców po kolei wchodził w larwalną królową, dogotał z ekstazy i konał, kurcząc się na podłodze tunelu. Potem nową królową niesiono do starej, wspaniałej istoty okrytej miękkimi, tęczowymi skrzydłami, które dawno już utraciły zdolność lotu, ale wciąż niosły powagę majestatu. Stara królowa pocałunkiem pogrążała młodą w sen delikatną trucizną swych warg, potem owijała ją nićmi ze swego brzucha i nakazywała, by stała się sobą, nowym miastem, światem, początkiem wielu królowych i wielu światów...

Ender zdziwił się, skąd to wszystko wie. Jak może to wiedzieć, niby wspomnienia własnego umysłu?

I jakby w odpowiedzi zobaczył pierwszą ze swoich bitew z flotą robali. Przedtem widział ją na symulatorze, teraz jednak patrzył z perspektywy królowej kopca, poprzez wiele oczu. Robale uformowały sferę okrętów, a potem z ciemności

455

nadleciały straszliwe myśliwce i w błysku światła Małego Doktora rozpadła się ich flota. Czuł to, co czuła królowa, oglądając oczami robotnic śmierć, która nadchodziła zbyt szybko, by jej uniknąć, lecz nie dość szybko, by jej nie oczekiwać. We wspomnieniach nie było jednak lęku ani bólu. Królowa odczuwała smutek i rezygnację. Nie myślała słowami, gdy patrzyła na ludzi, którzy przybyli zabijać, ale w słowach usłyszał ją Ender. Nie wybaczyli nam, myślała. A więc musimy zginąć.

– Jak możesz ożyć? – spytał Ender.

Królowa w jedwabnym kokonie nie znała słów, by mu odpowiedzieć; kiedy jednak zamknął oczy i zaczął sobie przypominać, zamiast wspomnień napłynęły obrazy. Układanie kokonu w chłodnym, ciemnym miejscu, ale z wodą, by nie wysechł. Nie, to nie była zwykła woda, ale woda zmieszana z sokiem pewnego drzewa i utrzymywana w odpowiedniej temperaturze, by wewnątrz kokonu mogły zachodzić odpowiednie reakcje. Potem czas. Dni i tygodnie, potrzebne do przemiany poczwarki. A potem, kiedy kokon stał się szarobrązowy, Ender zobaczył siebie, jak rozcina go i pomaga małej, delikatnej królowej wyjść na świat. Widział, jak bierze ją za przednie odnóże i odprowadza od wody porodowej do gniazda, miękkiego, wysłanego piaskiem i suchymi liśćmi. Wtedy będę żyła, nadbiegła myśl. Wtedy się przebudzę. Wtedy wydam dziesięć tysięcy swych dzieci.

– Nie – rzekł Ender. – Nie mogę.

Ból.

– Twoje dzieci to potwory z naszych snów. Jeśli cię rozbudzę, zabijemy was znowu.

456

Dziesiątki obrazów błysnęły w jego myślach – obrazów ludzkich istot zabijanych przez robale. Wraz z nimi jednak napłynął żal tak silny, że nie mógł go znieść i zapłakał.

– Gdybyś zdołała sprawić, że czuliby to, co ja teraz czuję, może potrafiliby ci wybaczyć.

Tylko on, pojął nagle. Odnaleźli go przez ansibla, podążyli wzdłuż promienia i zamieszkali w jego mózgu. Wśród agonii jego snów pełnych cierpienia poznali go, choć poświęcał dni, by ich niszczyć. Znaleźli jego lęk przed nimi, a także to, że nie wie, że ich zabija. W ciągu kilku tygodni, jakie im pozostały, stworzyli dla niego to miejsce, ciało Olbrzyma, plac zabaw i półkę na Końcu Świata, by dotarł tutaj kierując się świadectwem własnych oczu. Jest jedynym, którego znają. Dlatego mogą z nim mówić. I przez niego.

Jesteśmy jak ty, pojawiła się w jego mózgu obca myśl. Nie chcieliśmy mordować, a kiedy to zrozumieliśmy, nie przylatywaliśmy więcej. Póki was nie spotkaliśmy, uważaliśmy się za jedyne myślące istoty we Wszechświecie. Jak mogliśmy uwierzyć, że świadomość pojawi się u samotnych zwierząt, które nie potrafią śnić wzajemnie swoich snów? Skąd mieliśmy wiedzieć? Moglibyśmy żyć w pokoju. Uwierz nam, uwierz nam, uwierz nam.

Sięgnął do wnęki i wyjął kokon, zdumiewająco lekki jak na całą nadzieję i przyszłość wspaniałej rasy, którą skrywał we wnętrzu.

– Zabiorę cię – oświadczył. – Będę podróżował od świata do świata, póki nie znajdę czasu i miejsca, gdzie będziesz mogła przebudzić się bezpiecznie. I opowiem twoją historię memu ludowi, a może kiedyś oni także ci przebaczą. Tak, jak ty mnie przebaczyłaś.

Zawinął kokon królowej w kurtkę i wyniósł ją z wieży.

– Co tam znalazłeś? – zapytał Abra.

– Odpowiedź – odparł Ender.

– Na co?

– Na moje pytanie.

Więcej nie powiedział o tej sprawie ani słowa. Szukali jeszcze pięć dni, aż wybrali dla nowej kolonii odpowiedni teren, daleko na południe i wschód od wieży.

Po wielu tygodniach przyszedł do Valentine i poprosił, by przeczytała coś, co napisał. Wywołała z komputera statku plik, który jej wskazał i zaczęła czytać.

Tekst był napisany tak, jakby był opowieścią królowej kopca, relacjonującej wszystko, czego chcieli dokonać i to, czego dokonali. Oto nasze błędy i nasza wielkość; nie mieliśmy zamiaru was krzywdzić i wybaczamy wam naszą śmierć. Czas od początków świadomości do wielkich wojen, jakie przetoczyły się przez ojczysty świat robali, Ender streścił krótko, jak gdyby była to pamięć o czasach starożytnych. Kiedy doszedł do historii wielkiej matki, królowej, która pierwsza postanowiła zatrzymać i uczyć nową królową, zamiast zabijać ją lub wypędzać, zwolnił tempo narracji mówiąc, ile razy musiała w końcu zniszczyć dziecię swego ciała, nową jaźń, która nie była nią samą, nim wreszcie urodziła tę, która zrozumiała jej pragnienie harmonii. Były czymś nowym w swoim świecie: dwie królowe, które kochały się i pomagały sobie, zamiast walczyć. Razem stały się silniejsze niż jakikolwiek inny kopiec. Rozwijały się; miały córki, które przyłączyły się do nich w pokoju. Tak zaczęła się mądrość.

Gdybyśmy tylko potrafili się porozumieć, mówiła królowa kopca słowami Endera. Ale skoro nie było to możliwe, prosimy tylko o jedno: byście nas pamiętały nie jako wrogów, ale jako siostry, zmienione w potwory przez tragiczny Los, Boga czy Ewolucję. Gdybyśmy mogły się pocałować, ten cud sprawiłby, że stałybyśmy się ludźmi w waszych oczach. Ale zabijałyśmy się. Mimo to witamy was teraz jak gości i przyjaciół. Wejdźcie w nasz dom, córki Ziemi; żyjcie w naszych tunelach, zbierajcie plony z naszych pól. Bądźcie naszymi dłońmi, robiącymi to, czego same już zrobić nie możemy. Rozkwitajcie drzewa, dojrzewajcie pola, grzejcie je słońca i bądźcie żyzne, planety. To nasze przybrane córki przybyły do domu.

Książka Endera nie była długa, ale zawarł w niej całe dobro i zło, jakie znała królowa kopca. A podpisał ją nie swoim nazwiskiem, ale tytułem:

MÓWCA UMARŁYCH

Na Ziemi wydano tę książkę bez rozgłosu i bez rozgłosu przechodziła z rąk do rąk, aż w końcu trudno było uwierzyć, że jest ktoś, kto jej nie przeczytał. Większość czytelników uznała ją za interesującą; część nie potrafiła o niej zapomnieć. Zaczęli żyć według jej przesłania, a kiedy umierał ktoś z ich bliskich, wierzący stawał obok grobu, by być Mówcą Umarłych. Mówił to, co powiedziałby zmarły, ale z absolutną szczerością, nie kryjąc wad i nie udając zalet. Ci, którzy przychodzili na takie ceremonie, uznawali je czasem za bolesne i burzące spokój ducha. Wielu jednak uważało swe życie za godne wspomnienia, mimo popełnianych błędów. Chcieli, by – kiedy odejdą – Mówca opowiedział prawdę o nich.

Na Ziemi stało się to jedną spośród wielu religii. Lecz dla tych, co przemierzali bezkresną otchłań przestrzeni, spędzali życie w tunelach królowej kopca i zbierali plony z jej pól, była to religia jedyna. Nie istniała kolonia, która nie miałaby swego Mówcy Umarłych.

Nikt nie wiedział i nie chciał wiedzieć, kto był pierwszym Mówcą. Ender nie zdradził się przed nikim.

Valentine miała dwadzieścia pięć lat, gdy skończyła ostatni tom swej historii wojen z robalami. Dołączyła do niego pełny tekst niewielkiej książeczki Endera, nie informując jednak, kto jest jej autorem.

Poprzez ansibl nadeszła odpowiedź od starego Hegemona, Petera Wiggina. Miał siedemdziesiąt siedem lat i słabe serce.

– Wiem, kto to napisał – oznajmił. – Jeśli mógł mówić o robalach, to z pewnością może też mówić o mnie.

Peter i Ender rozmawiali ze sobą bardzo długo. Peter opowiadał historię swych dni i lat, swych zbrodni i dobrych uczynków. A kiedy umarł, Ender napisał drugi tom, także podpisany przez Mówcę Umarłych. Obie książki razem nazwano Królową Kopca i Hegemonem. Stały się pismem świętym.

· – Chodź – powiedział któregoś dnia do Valentine. – Odlećmy stąd i żyjmy wiecznie.

– To niemożliwe, Ender – odparła. – Są cuda, których nie potrafi sprawić nawet relatywistyka.

– Musimy odejść. Jestem tu niemal szczęśliwy.

– Więc zostań.

– Zbyt długo żyłem w cierpieniu. Bez niego nie wiedziałbym, kim jestem.

I weszli na statek, by ruszyć od świata do świata. Gdziekolwiek się zatrzymali, on zawsze był Andrew Wigginem, wędrownym Mówcą Umarłych, a ona zawsze Valentine, podróżującym historykiem, spisującym opowieści żyjących, gdy on opowiadał historie zmarłych.

I zawsze Ender niósł z sobą suchy, biały kokon, szukając świata, gdzie królowa kopca mogłaby się przebudzić i rozwijać w pokoju.

I szukał długo.

Spis treści